O SIGNO
DO BEBÊ

Chrissie Blaze

O SIGNO DO BEBÊ

Um Guia Astrológico para Conhecer
Melhor os seus Filhos

Tradução
MARCELLO BORGES

Editora
Pensamento
SÃO PAULO

Título original: *Baby Star Signs*.
Copyright © 2008 Chrissie Blaze.
Publicado originalmente no Reino Unido por John Hunt Publishing Ltd.
Publicado mediante acordo com a John Hunt Publishing Ltd.
Copyright da edição brasileira © 2015 Editora Pensamento-Cultrix Ltda.
Texto de acordo com as novas regras ortográficas da língua portuguesa.
1ª edição 2015.

Todos os direitos reservados. Nenhuma parte deste livro pode ser reproduzida ou usada de qualquer forma ou por qualquer meio, eletrônico ou mecânico, inclusive fotocópias, gravações ou sistema de armazenamento em banco de dados, sem permissão por escrito, exceto nos casos de trechos curtos citados em resenhas críticas ou artigos de revista.

A Editora Pensamento não se responsabiliza por eventuais mudanças ocorridas nos endereços convencionais ou eletrônicos citados neste livro.

Editor: Adilson Silva Ramachandra
Editora de texto: Denise de Carvalho Rocha
Gerente editorial: Roseli de S. Ferraz
Preparação de originais: Marta Almeida de Sá
Produção editorial: Indiara Faria Kayo
Assistente de produção editorial: Brenda Narciso
Editoração eletrônica: Fama Editora
Revisão: Nilza Agua

Dados Internacionais de Catalogação na Publicação (CIP)
(Câmara Brasileira do Livro, SP, Brasil)

Blaze, Chrissie
    O signo do bebê : um guia astrológico para conhecer melhor os seus filhos / Chrissie Blaze ; tradução Marcello Borges. — São Paulo : Pensamento, 2015.

    Título original: Baby star signs.
    Bibliografia
    ISBN 978-85-315-1913-0

    1. Astrologia 2. Astrologia — Desenvolvimento da criança 3. Astrologia e criação dos filhos 4. Livros do bebê I. Título.

15-03502   CDD-133.586491

Índices para catálogo sistemático:
1. Astrologia e formação das crianças 133.586491

Direitos de tradução para a língua portuguesa adquiridos com exclusividade pela EDITORA PENSAMENTO-CULTRIX LTDA., que se reserva a propriedade literária desta tradução.
Rua Dr. Mário Vicente, 368 — 04270-000 — São Paulo — SP
Fone: (11) 2066-9000 — Fax: (11) 2066-9008
http://www.editorapensamento.com.br
E-mail: atendimento@editorapensamento.com.br
Foi feito o depósito legal.

SUMÁRIO

Prefácio 9
Agradecimentos 13

PARTE I — **SEU BEBÊ É ÚNICO**

Introdução 17
Capítulo Um — Signo do Sol, Signo da Lua e Signo Ascendente. 29
    O Signo Solar 30
    O Signo Lunar 31
    O Signo Ascendente 32
    A Combinação entre os Signos do Sol, da Lua e
        do Ascendente 34

Capítulo Dois — O Signo do Bebê — De Áries a Peixes 35
    Bebê de Áries 36
    Bebê de Touro 46
    Bebê de Gêmeos 55
    Bebê de Câncer 65
    Bebê de Leão 75
    Bebê de Virgem 84
    Bebê de Libra 94
    Bebê de Escorpião 104
    Bebê de Sagitário 115
    Bebê de Capricórnio 125
    Bebê de Aquário 135
    Bebê de Peixes 146

PARTE II — UMA VISÃO MAIS AMPLA

Capítulo Três — O Passado do seu Bebê 159
    Preparando-se para Nascer 161
    O Nodo Lunar Sul nos Signos do Zodíaco 163

Capítulo Quatro — O Presente do seu Bebê 173
    Alimentação da Alma 173
    Um Lugar de Paz 176
    Respiração Natural 178
    Criando Harmonia 179
    A Prática da Chama Violeta 180
    Enviando a Cura 181
    Padrões de Saúde 182
    Signos Ascendentes 183

Capítulo Cinco — O Futuro do seu Bebê 186
    A Nova Geração 187
    O Destino do seu Bebê 190
    O Nodo Lunar Norte nos Signos do Zodíaco 193

Posfácio 201
Apêndice I — O Signo Lunar do seu Bebê — De 2000 a 2020 203
Apêndice II — O Signo Ascendente do seu Bebê 309
Apêndice III — Os Nodos Lunares do seu Bebê 313
Bibliografia 315
Recursos 317
Notas 317

Dedico este livro a meu Mestre Espiritual iluminado, doutor George King, que me ensinou os mistérios dos aspectos mais profundos da vida e do amor, e cuja incrível missão global ajudou a garantir o futuro dos filhos de nossos filhos.

PREFÁCIO

Como apresentadora de um programa de rádio de âmbito nacional, nestes últimos vinte anos tive o privilégio de entrevistar pioneiros em suas atividades. Por isso, foi uma honra, depois de entrevistar Chrissie Blaze em diversas ocasiões para falarmos de seu trabalho de desenvolvimento humano e dos grandes esforços internacionais da The Aetherius Society, receber o convite para escrever um prefácio para seu maravilhoso livro, *O Signo do Bebê*.

Compartilhando com ela o interesse profissional pela astrologia, fiquei encantada ao saber que seu livro sobre o uso da astrologia com bebês e crianças pequenas é acessível para qualquer pessoa. Sua simplicidade é fruto da capacidade astrológica de Chrissie Blaze e de décadas de prática nesta arte interpretativa.

Fosse esta uma transmissão radiofônica, provavelmente eu abriria o programa com estas frases: *"Descubra com a astróloga Chrissie Blaze se o seu bebê vai começar a andar cedo ou vai começar a falar mais tarde, se será exigente ou aventureiro para comer, ou se você deve dormir durante seis meses antes de ele nascer porque ele não vai gostar muito de dormir depois que chegar!"*.

O Signo do Bebê é como ter uma babá em casa, capaz de oferecer aos pais ou cuidadores muitas ideias sobre aquele pacotinho de alegria que amam com tanto carinho, mas que de vez em quando talvez não compreendam muito bem.

O Signo do Bebê é uma contribuição maravilhosa para o campo da astrologia em geral e para os pais que desejam entender melhor seu bebê. Como Chrissie deixa claro, desde o instante em que nascemos somos impactados pelo universo, tanto de forma visível quanto invisível. Ela mostra ainda que a disposição dos planetas no momento em que nascemos ou em que nascem nossos bebês não é um padrão estático e fixo, mas pode mostrar tendências, gostos e aversões naturais, atributos e desafios.

Chrissie explica, neste livro tão bem idealizado, que nosso mapa natal mostra tendências, talentos e fraquezas. Para os pais ou cuidadores de crianças ou adultos, conhecer o signo solar e a posição da lua pode ajudar a compreender a forma básica de expressão de cada pessoa no mundo por meio de seu comportamento e como ela reage ao mundo em termos de sentimentos. Usar a astrologia como pano de fundo para essa compreensão possibilita uma visão espiritual e prática da alma e da personalidade do bebê.

O Signo do Bebê permite que qualquer um entenda de que modo a parte mais profunda da alma (que alguns identificam com o signo lunar) influencia nossa personalidade, ou os signos solares, nossos gostos e nossas aversões. Chrissie também oferece ao leitor a oportunidade de analisar os membros de sua família como indivíduos preciosos, nascidos com uma palheta repleta de qualidades, e não como crianças subdesenvolvidas. Essas qualidades nem sempre são visíveis de imediato, mas, como o fluxo do rio, influenciam o movimento, a direção e a energia da criança. A astrologia, como toda arte interpretativa, é exatamente isto. Chrissie Blaze apresenta um espectro de formas profundamente simples mas perceptivas e amplas de usarmos as estrelas para descobrir o mistério que já está incutido na vida de nossos entes queridos.

Como livro prático, *O Signo do Bebê* oferece instruções claras para se determinar o signo solar de cada criança, bem como seu signo lunar, com base no dia de nascimento. Cada capítulo que lida com os doze signos solares do Zodíaco detalha certas características apresentadas por eles (Áries, Touro, Gêmeos etc.) e examina como essa energia se manifesta no comportamento.

Este gracioso livro traz sugestões criativas para saciar ou despertar a curiosidade dos bebês ou de crianças pequenas, mostrando por que uma criança gosta apenas de um alimento de cada vez e outra prefere combiná-los. *O Signo do Bebê* mostra que as disposições de seu bebê aparecem em seu estilo e modo de dormir. Ele acorda várias vezes ou dorme profundamente à noite desde o princípio? Ele tende a explorar com facilidade, usando seu corpo confortavelmente, vai levar um pouco mais de tempo para subir e descer as escadas com confiança ou para andar com firmeza pra lá e pra cá? Reservar algum tempo para discutir a facilidade ou dificuldade para falar e o modo como o bebê prefere aprender traz benefícios preciosos. Além disso, o modo de nossos bebês interagirem uns com os outros e com o mundo é abordado com clareza para cada signo solar.

Esta será uma ferramenta divertida para usar com seu filho quando ele entrar em contato com os irmãos e com outras crianças. Quando meus filhos eram pequenos, foi claramente útil saber o que estava acontecendo com eles em termos astrológicos. Isso me ajudou a entender por que um pisciano sensível não queria ser um líder como sua irmã ariana. *O Signo do Bebê* responde a perguntas sobre o desenvolvimento do bebê não em termos de certo e errado, mas daquilo que acontece em função de suas qualidades solares e lunares. Embora alguns possam considerar a astrologia mais como um jogo do que como uma ciência, considero-a uma arte sagrada que nos permite apreciar de modo mais pleno e profundo a natureza divina que compartilhamos com nossos filhos.

Chrissie Blaze apresenta uma exploração divertida para todos que têm curiosidade sobre as pessoas e sobre seus filhos. É uma honra apresentar o livro dela a você, e espero sinceramente que, assim como fiz com tantas jovens famílias para as quais ofereci conselhos sobre os possíveis talentos e as dificuldades de seus recém-nascidos, falando deles como se fossem seres plenamente presentes, este livro irá lembrá-lo, caro leitor, de que toda vida é preciosa e que nossos bebês refletem em si o universo. Se ficarmos em silêncio, poderemos ver um reflexo do desejo da alma e da natureza dos nossos bebês, anos antes de crescerem e atingirem a maturidade plena. Chrissie Blaze nos ensina a fazer isso, mostra o que procurar e como interpretar o que vemos. A astrologia não é um padrão permanente, mas um guia valioso para nos mantermos conscientes na jornada que fazemos com nossos filhos, com amor e percepção.

Zohara M. Hieronimus
Apresentadora de *Future Talk*, programa de rádio de âmbito nacional (nos Estados Unidos).
www.futuretalkradio.com

AGRADECIMENTOS

Ao meu marido Gary Blaze, meu sábio e honrado marido, que me inspira e me apoia.

Aos meus pais adorados, Phyllis e Tom Shafe, que me ensinaram tantas coisas sobre as alegrias e os sacrifícios do amor. Embora minha mãe tenha partido enquanto eu escrevia este livro, ela sempre estará viva em meu coração.

Aos maravilhosos bebês e às crianças que me inspiraram a escrever este livro, especialmente MorningStar Angeline Wilson-Chippewa e Georgia Alice Holder.

A Zohara Hieronimus, amiga, criadora e apresentadora de um programa de rádio importante e futurista, *Future Talk*, por escrever o prefácio, e a Anita Chu, por sua amizade, seu apoio e entusiasmo.

A John Hunt e a todos da O Books.

Aos pais do mundo inteiro: que Deus os abençoe e guie em sua jornada como progenitores.

PARTE I

SEU BEBÊ É ÚNICO

INTRODUÇÃO

Eu estava perto dos potes de mel no supermercado quando a ideia de escrever este livro surgiu. Ao meu lado, uma jovem mãe apressada empurrava o carrinho de bebê com uma das mãos, e, com um pequeno bebê enganchado na cintura, tentava alcançar um pote de mel na prateleira superior. Peguei o pote de mel e coloquei-o no carrinho. O agradecimento dela foi abafado por um súbito choro do bebezinho. Dez minutos depois, tornamos a nos encontrar enquanto tentávamos pegar o mesmo saco de ervilhas congeladas. Enquanto fazia um gesto com a cabeça na direção de seus filhos, ela disse: "Gostaria que eles viessem com manuais. Sinto-me como uma novata quando lido com eles". Rimos, mas percebi um ar tristonho sob seu sorriso. Disse-lhe que ela estava indo muito bem e que parecia ser uma mãe maravilhosa, e nos afastamos.

Suas palavras pairaram à minha volta durante alguns dias. Tenho certeza de que você já passou por essa experiência: alguém diz alguma coisa e as palavras ressoam e parecem calar bem fundo sem motivo aparente. Bem, foi isso que aconteceu comigo.

Dois dias depois, estava me revirando na cama e subitamente tive um lampejo de inspiração: *Eureka!* Sentei-me e disse para a noite e para meu marido que dormia: "Eles VÊM com manuais!". Senti-me uma idiota por não ter pensado nisso antes, uma vez que havia estudado astrologia grande parte da minha vida.

Os astrólogos sabem que o mapa astral, montado com base no momento e no local do nascimento, é, de fato, um manual para a vida. Suas características astrológicas não se tornam subitamente reais no momento em que você decide montar seu mapa astral. Elas são reais desde o instante em que você respirou pela primeira vez. Na maioria dos casos, porém, só nos tornamos cientes do valor da astrologia depois que ficamos mais velhos e experientes.

Eu sabia que era importante proporcionar aos novos pais alguma compreensão do vasto e complexo estudo da astrologia. Até algumas ferramentas astrológicas simples poderiam ajudá-los durante os três primeiros anos, que são de importância vital quando se forma boa parte da personalidade do bebê.

Para minha sorte, minha mãe foi iniciada nos caminhos da astrologia. Quando a enfermeira lhe informou que ela tinha dado à luz uma menina, a resposta da minha mãe foi *"Certo, certo — mas a que hora isso aconteceu?"*. A enfermeira explicou despreocupadamente que tinha sido por volta das duas da tarde, e prosseguiu, dizendo que eu era um bebê lindo e saudável. Minha mãe, já irritada, disse *"Sim, é maravilhoso, sei que é uma menina, mas preciso saber A HORA EXATA!"*.[1]

Bem, este livro foi escrito para todos os pais e avós e para todos que amam bebês e cuidam deles e que (embora não saibam a hora *exata*) têm a mente suficientemente aberta para dar uma chance para a astrologia no que diz respeito a compreender e a criar o bebê que está sob seus cuidados.

Neste livro descrevo, por meio da sabedoria da astrologia, a personalidade, os hábitos e padrões, o passado, o presente e o futuro singular dessas pequenas almas em desenvolvimento.

Descobrindo a Pessoa Única que é seu Bebê

Antes de ter um bebê, você pode imaginá-lo como um pequeno ser humano que grita, gorgoleja, grunhe, dorme e, de modo geral, faz uma bela bagunça. No entanto, pais e cuidadores não demoram a perceber que, desde o início, emergem personalidades distintas. As enfermeiras de maternidade costumam perceber isso desde as primeiras horas após o nascimento. Elas identificam os birrentos, os calmos e os tímidos. Quando emergimos neste mundo, já temos uma personalidade; leva um bom tempo para descobrirmos isso de forma plena.

Recentemente dei uma consulta astrológica para uma senhora de 87 anos. Ela é uma alma espantosa, uma estudante eterna, que depois me contou que agora conseguia se entender como nunca fizera antes. Minha consulta, disse, dera-lhe uma "visão honesta sobre si mesma e sobre seu potencial". Agora, ela estava pronta para sair e utilizá-lo! Bem, antes tarde do que nunca. Escrevi este livro para pais, professores e cuidadores instruídos que querem ter certeza de que seus filhos não terão de esperar 87 anos!

Sei que todos os pais ficam se perguntando como serão seus filhos. Sabem que serão bonitos, brilhantes, encantadores e talentosos, mas não sabem quais problemas e desafios eles terão de enfrentar, ou em que área serão talentosos. Podem lhes dar muito carinho e amá-los mais do que poderiam imaginar — mas podem se perguntar: "Na verdade, quem são eles?".

Sabe-se que a astrologia proporciona uma compreensão prática dos tipos de personalidade, de dilemas psicológicos e das experiências de vida pelas quais todos nós passamos, mas ela não costuma ser considerada uma ferramenta útil no período de desenvolvimento.

Este livro serve para lhe apresentar a pessoa única que é seu bebê. Além de ajudar a compreender quem é seu filho, este livro destina-se a ajudar você a compreender a sabedoria e a revelação que a astrologia pode proporcionar aos pais.

Por que uma Criança não é Igual à Outra

Seus filhos não são seus filhos.
São os filhos e filhas do anseio da Vida por si mesma.
Vêm por seu intermédio, mas não de vocês.
E embora estejam com vocês, não lhes pertencem.

Podem dar-lhes seu amor, mas não seus pensamentos.
Pois eles têm seus próprios pensamentos.

Podem abrigar seus corpos, mas não suas almas.
Pois suas almas habitam a morada do amanhã,
Que vocês não podem visitar, nem mesmo em seus sonhos.
Podem desejar ser como eles, mas não procurem fazê-los semelhantes a vocês.
Pois a vida não retrocede, nem se detém no ontem.

— Kahlil Gibran, O Profeta

Muitos acreditam que a combinação entre genética e ambiente define nossa personalidade. No entanto a maioria dos pais admite que um bebê recém-nascido tem características muito próprias desde o primeiro dia de vida. A maioria dos astrólogos, dentre os quais me incluo, considera a reencarnação como um fato e que o mapa astral é um resumo dos talentos e valores que trazemos de nossas viagens em vidas anteriores; os desafios e obstáculos representam lições que ainda precisamos aprender neste nosso caminho rumo à iluminação. O mapa natal mostra ainda a direção tomada pelo desenvolvimento da alma, além de muitas outras coisas. A astrologia não predetermina necessariamente o destino; inclina-nos para certos comportamentos e direções. Ela descreve, em vez de prescrever.

Apesar de os pais darem a seus filhos o dom da vida, eles não criam a inteligência subjacente, ou o espírito humano, que são seus filhos. Estes aspectos já existem. Há quase cem anos, uma equipe de embriologistas de Viena fez uma descoberta espantosa durante suas pesquisas. Eles descobriram que a primeira célula fertilizada num ser humano não se desenvolve inicialmente como embrião, tal como acontece com os animais. Com efeito, o bebê começa a se desenvolver em camadas. Só por volta do 17º dia é que ocorre o crescimento do embrião. Depois disso, mais 23 dias até começar a formação dos órgãos. Finalmente, há um período de quarenta dias antes de se definirem as bases do corpo. Os cientistas perceberam, portanto, que o bebê não nasce tal como outros animais, como se imaginava antes. Deram-se conta de que, embora um animal *nasça* de um embrião, um bebê *encarna* em vários estágios.

Noutras palavras, o ser humano tem uma origem e um destino diferentes daqueles dos animais.[2] O humano que encarna deve sair de seu lar espiritual para retornar ao mundo da forma. É interessante saber que muitos consideram esse período de quarenta dias como um período de ajuste entre os estados espiritual e físico. Em lendas e mitos, e segundo a Bíblia, o período de quarenta dias está associado a uma mudança de consciência.

Como este Livro Pode Ajudar Você, Progenitor, a Ajudar seus Filhos

Os três primeiros anos de vida são de formação, pois são um período no qual as tendências inatas da pessoa podem ser cultivadas, florescendo num período posterior, ou podem ser ignoradas. Seu bebê é como uma sementinha. A embalagem com as sementes fornece instruções sobre o melhor modo de regar, fertilizar ou podar a planta e de quanta luz solar ela necessita para que a semente floresça e se torne uma bela planta. Sem as instruções, talvez a semente nunca conheça seu maior esplendor.

O mapa natal é como as instruções na embalagem de sementes: mostra a bela pessoa que seu bebê pode se tornar e a melhor maneira de nutri-lo e de cuidar dele. Ele lhe permite ser objetivo quanto aos talentos e deficiências do bebê, e por isso livra você de parte da ansiedade que talvez você sinta ao criar seus filhos.

Segundo todos os astrólogos e também os especialistas na ciência da etnopediatria, que reúne medicina, a ciência social e a do desenvolvimento, "bebês não são apenas adultos em formação, mas seres com méritos próprios".[3] Naturalmente, os pais sempre souberam disso!

O Signo do Bebê baseia-se no princípio de que um bebê recém-nascido não é apenas um pacotinho engraçadinho, mas também uma alma que veio a esta vida com talentos e potenciais a serem desenvolvidos, fraquezas a superar e um destino singular. Todos nós temos uma alma que transcende as limitações do intelecto. O calor das qualidades de nossa alma divina permite que o intelecto e outras partes de nossa natureza floresçam.

Os pais podem ajudar a desenvolver as qualidades da alma de seus bebês expressando o amor de maneiras práticas e intuitivas, com jogos de faz de conta e meditações de unificação. O papel da astrologia é proporcionar entendimento, o precursor do amor. Conhecer um pouco a astrologia pode ser muito útil, especialmente para pais de crianças que ainda não sabem falar. Como pais, vocês podem usar este livro para ajudá-los a compreender o caráter e o destino singular do seu bebê. Podem usar o livro para orientá-lo na direção que permitirá que seu gênio e seus talentos floresçam mais tarde. A influência dos planetas afeta o modo como pensamos, como nos comunicamos, amamos, nos relacionamos e até como comemos nosso primeiro alimento sólido! Infelizmente, a astrologia popular, focada nos signos solares, é um tanto generalizada, e isso costuma intrigar os pais que consultam livros de astrologia. Outros livros de astrologia são complicados demais. Este livro vai preencher a lacuna entre os dois.

O Signo do Bebê leva em conta não só o signo solar do seu bebê, mas também o signo lunar e o Ascendente, além de vários outros fatores interessantes. Com base nisso, você pode compreender a personalidade, as necessidades emocionais e o relacionamento com o ambiente do seu bebê, bem como seus talentos e potenciais, passados e futuros.

Eis um exemplo: antes mesmo de nascer, o bebê de Áries faz-se notar com incansáveis chutes e cutucões, como se estivesse impaciente para vir ao mundo. Depois de nascer, demonstra rapidamente suas necessidades e seus desejos. O pequeno bebê de Peixes, porém, é uma alma mais tranquila e pode se beneficiar se vier por meio de um relaxante parto na água. Embora o pequeno pisciano possa se deleitar com a amamentação, procedendo de maneira lenta e cautelosa, o bebê de Áries vai se debater com braços e pernas quando estiver zangado, aparentando frustração com seu lento ritmo de desenvolvimento.

O Signo do Bebê também analisa a criança do ponto de vista espiritual, como uma alma emergente, com inteligência e intuição, bem como um passado e um destino futuro, como um indivíduo e como parte de uma geração. Este destino pode ser determinado desde o dia em que o bebê respira pela primeira vez.

Por que a Astrologia?

É surpreendente, mas há poucos livros de astrologia para bebês. Provavelmente porque presumimos que é mais importante alimentar, vestir e acalentar nosso bebê do que tentar entendê-lo num nível mais profundo. A psicologia infantil moderna é útil, mas nenhuma regra genérica sobre criação de filhos consegue fazer jus à personalidade singular de cada criança. É nesse ponto que a astrologia pode dar sua contribuição profunda e criativa.

Hoje em dia, a astrologia é aceita como valioso instrumento psicológico. Jung afirmou que a astrologia fez uma grande contribuição para a psicologia e admitiu tê-la empregado com certa frequência em seu trabalho analítico com pacientes. Em casos de diagnóstico psicológico difícil, Jung montava um horóscopo para adotar um ponto de vista por um ângulo totalmente diferente. "Devo dizer", comentou certa vez com um astrólogo indiano, "que tenho percebido com frequência que os dados astrológicos elucidaram certos pontos que, de outro modo, eu não teria conseguido compreender".

Essa nova postura psicológica diante da astrologia, iniciada nas últimas décadas, está chamando cada vez mais a atenção dos leigos. A astrologia ganha popularidade a cada minuto, pois as pessoas têm percebido que ela é uma ferramenta valiosa para aumentar a compreensão, além de ser um guia prático para a vida e de proporcionar uma perspectiva espiritual profunda.

Uma coisa que a astrologia ensina é que as crianças não são lousas em branco sobre as quais seu ambiente lança registros; não são um conjunto de reações a estímulos, nem um mero produto de sua codificação genética; são almas que encarnam neste mundo com personalidades, gostos, aversões, talentos, defeitos e valores. Cada alma tem o livre-arbítrio de escolher seu próprio caminho na vida. A astrologia orienta, não obriga.

Cada bebê tem em si a semente da genialidade, que pode florir ou murchar e morrer. Na melhor hipótese, podemos ajudar as almas que estão sob nossos cuidados a manifestar sua genialidade única para que se tornem seres humanos maravilhosos. Na pior hipótese, podemos, pela ignorância, orientá-las para a insegurança, o medo e a insatisfação. Trazer bebês ao mundo é um desafio bem grande. A astrologia é uma estrutura desprovida de julgamentos que pode ser usada pelos pais para ajudá-los a fazer escolhas sábias para seus bebês e filhos pequenos.

É difícil imaginar que cada bebê recém-nascido traz para esta vida seu próprio projeto intrínseco de vida. Quando ele olha para você com seus olhos límpidos, parece inocente e puro. Entretanto, assim como somos influenciados pelas grandes energias cósmicas que atravessam o espaço desde a Lua, o Sol e todos os planetas, o mesmo ocorre com nossos bebês recém-nascidos. Embora os filhos possam ter os mesmos pais, o mesmo histórico social e econômico e a mesma educação, cada um expressa uma personalidade diferente, bem como reações emocionais diferentes. O motivo pelo qual somos influenciados de maneiras diferentes é complexo e profundo. Contudo, pode ser resumido numa só palavra: *karma*.

O karma é uma das Leis da Criação e afirma que ações e reações são forças opostas e iguais. Noutras palavras, por meio de todas as nossas ações e de nossos pensamentos, moldamos nosso futuro. Esta lei se aplica a tudo o que existe na Criação, incluindo ao nosso bebê recém-nascido! Pode parecer difícil compreender isso, mas devemos nos lembrar de que existe uma inteligência por trás de tudo, organizando a infinidade de coisas que acontecem no universo. O filósofo Manly Hall resume isso de maneira sucinta: *"A astrologia é o estudo da anatomia e da psicologia de Deus"*.

Seu Bebê Escolheu Você

A complexa rede kármica que sua alma criou por meio de muitas vidas anteriores é como uma capa feita com muitos fios. Alguns desses fios são fortes e flexíveis, outros são quebradiços e frágeis, outros são feitos de ouro puro. Quando estamos prontos para reencarnar, nosso eu superior escolhe vestir essa capa em sua forma física. Ele o faz num dado momento para desfrutar do benefício da influência dos planetas em determinadas posições. Esse momento do tempo é importante, pois ajuda a alma a ganhar as experiências de que precisa em sua jornada pela vida.

Além de escolher o melhor momento, a alma que encarna também escolhe seus pais. Podemos achar que decidimos ter filhos num dado momento, mas, na verdade, nossos filhos nos escolheram para obter as experiências de que necessitam.

Conheço uma menina que nasceu numa família humilde de trabalhadores ingleses. Desde a infância, ela agiu como se fosse membro da Família Real. Ela esperava que sua mãe lhe servisse o desjejum numa bandeja. Ela ficava pacientemente em pé enquanto a mãe escolhia suas roupas, ajudava-a a se vestir e escovava seus cabelos. Quando ela ficou mais velha, percebeu que esse era seu passado e não seu presente. Estava convencida de que tinha sido um membro de alguma família real numa vida passada e de que sua mãe teria sido sua aia preferida!

Como Este Livro Pode Ajudar

O horóscopo de um bebê é um mapa ou um registro de padrões do passado e de potenciais para o futuro. Este potencial pode ser bloqueado facilmente quando há exigências familiares conflitantes ou ignorado pela falta de percepção. Estimular o potencial de uma criança pode ajudá-la a se desenvolver para que ela não seja "condicionada" facilmente mais tarde — pela escola ou pela sociedade como um todo.

Este livro foi idealizado para ajudar pais e cuidadores a auxiliar e a compreender os bebês sob seus cuidados. Com isso, as crianças estarão mais bem preparadas para a vida, dotadas de um senso maior de propósito. Elas não terão de desperdiçar anos de suas vidas para "se encontrar".

Como os adultos, os bebês demonstram inseguranças e conflitos internos. É natural que sintam medo de vez em quando. A astrologia pode ajudar os pais a identificar esses medos e essas ansiedades desde o momento em que as crianças nascem. De modo semelhante, toda criança tem necessidades emocionais que podem ser diferentes das apresentadas por seus pais e mentores. Um bebê de Touro precisa de muitos abraços e beijos, enquanto um bebê de Gêmeos reage melhor a reafirmações e a comunicações verbais.

Em vez de tentar fazer com que os pais sejam perfeitos para criarem filhos perfeitos, este livro permite-lhe respeitar e apoiar o direito de seu bebê de ser ele mesmo. A astrologia não apresenta o mapa do destino de seu bebê, mas proporciona um perfil da melhor rota que ele pode seguir ao longo da vida.

O Signo do Bebê é particularmente essencial hoje, pois as pessoas têm necessidades mais sofisticadas. Antigamente, os pais se esforçavam para alimentar e vestir seus filhos. Hoje, no mundo ocidental, gastamos milhões de dólares em autoaperfeiçoamento. As pessoas buscam novas e melhores maneiras de obter mais percepção e espiritualização para si mesmas e para suas famílias. Este livro pode lhe ajudar nessa tarefa, examinando as tendências astrológicas que atuam na vida do seu bebê. Ele também oferece tabelas simples pelas quais você pode compreender essas tendências e seu significado. *O Signo do Bebê* é como um manual psicológico e espiritual de autoajuda para pais e seus bebês.

Como mencionei, quando nasci, minha mãe mostrou-se mais preocupada com meu signo do que com meu sexo. Apesar das sobrancelhas recurvadas e da reprovação da enfermeira, ela *insistiu* em ter a hora *exata* do meu nascimento para poder calcular um mapa astral preciso para a filha querida. A astrologia está nos meus genes. Espero que ela também se torne um guia útil para você, tal como é para mim.

Há muitas facetas complexas da astrologia de que *O Signo do Bebê* poderia tratar, mas não o faz. Se quiser estudá-las, vai encontrar livros sobre astrologia que analisam tudo, desde aspectos até as quadruplicidades. Este livro foi idealizado para ser simples e revelador, e não complexo e sufocante. Ele fornece detalhes suficientes para ser um guia fascinante para a personalidade dos bebês e simplicidade suficiente para ser gostoso de ler.

CAPÍTULO UM

Signo do Sol, Signo da Lua e Signo Ascendente

*"Nascemos como pequenos bebês, inocentes e puros,
mas imbuídos das energias do Universo que percorrem nossas veias,
impelindo-nos a nos tornarmos as pessoas que o Criador quer que sejamos —
tão majestosas, nobres e brilhantes quanto o Sol, a Lua e as Estrelas."*
— *Chrissie Blaze*

A pergunta "Qual é o seu signo?" não é mais considerada estranha. Hoje, as pessoas percebem que é um modo mais preciso de avaliar alguém do que perguntando sua profissão. Houve um tempo em que um médico era considerado um certo tipo de pessoa e o dono do armazém da esquina era outro. Hoje, o dono do armazém pode ser também escritor e o médico pode passar seu tempo como voluntário num país do terceiro mundo. Muita gente trabalha "com computador", e em Hollywood, onde estou escrevendo este livro, todos são atores, inclusive seus cães.

Embora seja importante ter um mapa natal preciso para revelar todos os matizes profundos e complexos da personalidade e as possibilidades que aguardam seu pequeno bebê, você pode aprender muito sobre ele por meio de seu signo solar. Mesmo assim, a astrologia do signo solar é bem limitada. Como é que seu bebê e outros 500 milhões de pessoas podem ser iguais? Você sabe que isso é ridículo.

A astrologia do signo solar é um guia útil, embora amplo, para adultos; para bebês, porém, não basta conhecer seu signo solar. O signo lunar e o Ascendente são igualmente importantes na determinação da personalidade, do caráter e de potenciais. *O Signo do Bebê* explica o que, por exemplo, pode significar o Sol em Áries, a Lua em Gêmeos e o Ascendente em Leão para você e seu bebê. Apresento tabelas para que você possa determinar de maneira rápida e fácil a "constituição astrológica"[4] do seu bebê.

O Signo Solar

Quando as pessoas perguntam o signo do seu bebê, estão se referindo ao signo solar, ou ao signo do Zodíaco em que estava o Sol quando ele nasceu, tal como se vê da Terra. Sem o Sol, não haveria vida. Os raios do Sol sustentam e nutrem, oferecendo-nos tudo aquilo de que precisamos para ganhar experiência. Proporcionam-nos vida, criatividade, ímpeto e um senso íntimo de propósito. O signo solar descreve o eu central do seu bebê. Representa o caráter e o impulso criativo.

Se o seu bebê for leonino, será confiante, dinâmico, ativo, exibido, ansioso por estar no centro do palco. Se for taurino, será leal, constante e cauteloso, preferindo aconchego a uma expressão ruidosa.

Não se preocupe se tiver discordado. Você tem razão — não é tão simples assim. Conheço duas meninas de Câncer que nasceram no mesmo dia. Uma delas, Georgia, é "típica": reservada, tímida, cautelosa e sensível. A outra, Vanessa, é exuberante, extrovertida e já se revela como atriz promissora. Nasceram com apenas duas horas de diferença, mas Georgia tem o Sol em Câncer, signo que também é o seu Ascendente, enquanto Vanessa tinha o vistoso signo de Leão no Ascendente ao nascer.[5]

Apesar de o comportamento superficial dessas duas crianças ser bem diferente, ao analisá-las a fundo, você verá que elas têm muito em comum. Tanto Georgia quanto Vanessa se apegam a seus brinquedos e abraçam suas bonecas da maneira protetora e sensível de quem tem o Sol em Câncer.[6]

Os bebês desenvolvem lentamente as qualidades de seus signos solares. Estamos aqui para aprender certas lições, e, à medida que amadurecemos, desenvolvemos o caráter e a criatividade. É então que usamos a "força" do nosso signo solar.

Por isso, não se surpreenda se vir seu bebê alternando a expressão das qualidades de seu signo solar e das qualidades de seu signo lunar. O signo lunar representa sua personalidade básica, o modo como reage à vida por meio de seus sentimentos, hábitos e emoções. É por isso que, se o seu bebê tem Sol em Áries e Lua em Touro, você deve estudar as seções de Áries e de Touro do livro para compreendê-lo melhor. Depois, adicione a seção sobre o Ascendente para obter uma "mistura mais rica".

O Signo Lunar

O signo lunar do seu bebê é o signo do Zodíaco pelo qual a Lua passava no momento do nascimento. A Lua se move bem depressa, muito mais rapidamente do que o Sol, e percorre cada um dos doze signos numa questão de dias. Para descobrir o signo lunar do seu bebê, por favor, consulte o Apêndice I na página 203.

O signo lunar realça as necessidades emocionais do seu bebê. Enquanto o Sol representa quem ele realmente é, a Lua representa seus sentimentos e suas reações; como ele estabelece suas rotinas e sua sensibilidade física e emocional. Ele gosta da sensação de lã contra a pele? Ela faz com que chore ou sorria? Ele gosta de ser alimentado regularmente, como um reloginho? Ou só quando está com fome? Quando seu bebê nasce, ele é como um feixe de reações e de emoções. A vida é simples. Quando está com fome, ele chora; quando está feliz, ele ri. Quando a fralda está encharcada, ele grita! E depois sorri — e todos os choros são esquecidos na mesma hora! Como a Lua representa essa reação à vida, o signo lunar do bebê é muito importante. Seu bebê vai expressar sua natureza emocional com mais liberdade do que você. Como adultos, somos condicionados a manter nossas emoções no controle, com reações "politicamente corretas".

Nunca devemos subestimar o poder da Lua, que pode afetar nossa constituição aquática[7] com a mesma facilidade com que afeta as marés dos oceanos. Como a Lua exerce um efeito muito forte sobre nós, o signo lunar pode temperar significativamente o tom do signo solar do seu bebê, especialmente nos primeiros anos de vida. À medida que seu bebê amadurecer e se tornar autoconsciente, você perceberá mais o signo solar, pois ele paira sobre o horizonte da sua consciência em desenvolvimento.

Como você pode distinguir o signo solar do lunar? Depois que perceber as qualidades de cada signo, você vai ver que seu filho exibe características do signo lunar, do solar, do Ascendente e de outros.

Ariadne tem 2 anos; ela tem o Sol em Áries e a Lua em Touro. Ela exibe a clássica necessidade taurina de conforto e segurança provenientes daquilo que já foi testado e aprovado combinada com a clássica busca ariana por novos horizontes. Ao contrário de muitos bebês que largam os brinquedos quando se veem diante de outros mais novos, Ariadne é fiel a seus brinquedos antigos e mastigados, mas acolhe ansiosamente os novos. O resultado é que seu berço está repleto de brinquedos macios, cujo número aumenta semana após semana! À medida que amadurecer, provavelmente ainda ficará apegada a seus bichos de pelúcia, mas também passará suas tendências para outras áreas da vida.

Uma mulher que conheço e que tem a mesma combinação foi casada três vezes, mas manteve sua amizade com os ex-maridos; ela mora a uma distância de mais de dez mil quilômetros de onde nasceu, mas mantém contato direto e constante com sua família natal. Touro precisa de raízes, enquanto Áries busca novos pastos e desafios. É fascinante ver como desejos opostos podem estar contidos em nós sem entrarem em conflito. Você perceberá isso em seu bebê.

O Signo Ascendente

Como a Terra gira ao redor de si mesma, o Ascendente do seu bebê é um dos doze signos do Zodíaco que estavam se elevando no horizonte oriental no lugar e no momento do nascimento. Como a Terra gira, os Ascendentes mudam o tempo todo. Como há doze signos no Zodíaco e 24 horas no dia, como regra geral o Ascendente muda a cada duas horas. Ele começa com o nascer do Sol; por isso, se você nasceu entre 6h00 e 8h00, seu Ascendente será o mesmo que seu signo solar, pois o Sol se ergue sobre o horizonte aproximadamente às 6h00. Portanto, se você é de Leão e nasceu às 6h00, seu Ascendente também deve ser Leão. Se você nasceu às 8h00, provavelmente o signo Ascendente será o próximo na série do Zodíaco, ou seja, Virgem. Se tiver sido entre 10h00 e 12h00, será o signo posterior, ou seja, Libra, e assim por diante.

É por isso que o filho da sua amiga pode ter nascido no mesmo dia e na mesma maternidade que sua filha, mas seus temperamentos são completamente diferentes. Você pode dizer que *"isso está nos genes!"*. Eles fazem parte da história, mas provavelmente isso também se deve ao fato de terem Ascendentes diferentes, além de outras diferenças nos mapas natais. Do mesmo modo, um bebê nascido no mesmo dia e no mesmo horário, mas num lugar diferente, também terá um signo Ascendente diferente. O que significa isso?

O signo Ascendente do seu bebê descreve a primeira impressão que ele tem das pessoas, bem como sua aparência física. Ele é rijo e briguento, meigo e provocador, tímido, romântico, voluntarioso, dramático? Sei que todos os bebês são engraçadinhos, mas observe bem e verá que em pouco tempo o seu exibirá seus sinais distintos. O Ascendente indica sua "marca" muito específica e pessoal na vida, bem como o modo como os outros o veem.

Se o seu bebê tem o ensolarado signo de Leão no Ascendente, é provável que se mostre feliz e contente, com o desejo de ser o centro das atenções. Ele vai projetar seu caráter básico, determinado por seus signos solar e lunar, de maneira dramática e leonina. Se, por outro lado, tiver um signo Ascendente mais suave e introspectivo, como Peixes, vai parecer mais sensível, vulnerável e quieto, mesmo que o signo do Sol e o da Lua sejam o mesmo.

Para saber o Ascendente de seu bebê, consulte o Apêndice II na página 308.

A Combinação entre os Signos do Sol, da Lua e do Ascendente

Se você conhece os signos do Sol, da Lua e do Ascendente do seu bebê, já dispõe de uma boa base para começar a compreendê-lo num nível mais profundo. Se, por exemplo, seu bebê tiver o Sol em Câncer, a Lua em Aquário e Ascendente em Capricórnio, você deve começar lendo a seção do signo solar, Câncer. A seguir, leia a seção sobre Aquário — o signo lunar dele — e, finalmente, a seção sobre Capricórnio, o signo Ascendente. Lembre-se, ele não é influenciado apenas pelo signo solar, mas também pelo lunar e pelo Ascendente — além de muitas outras coisas. Você poderá notar que algumas das informações apresentadas na seção de Câncer não "batem", e que a seção sobre Aquário explica melhor as reações e emoções do seu bebê. Além disso, poderá perceber que as características do signo Ascendente dele entram em cena com mais frequência quando ele está interagindo com outras pessoas. Não se surpreenda ao descobrir que, à medida que cresce, ele vai desenvolver cada vez mais das características relacionadas nas três seções. Você também poderá notar que ele se parece muito mais com seu signo lunar do que com o Ascendente, ou mais com o signo solar do que com o lunar etc. No entanto, à medida que ele crescer, mais cedo ou mais tarde exibirá características dos três componentes principais do mapa, e você poderá orientá-lo para que se expresse da maneira mais positiva.

CAPÍTULO DOIS

O Signo do Bebê — De Áries a Peixes

Este capítulo tem doze seções, uma para cada signo do Zodíaco, desde Áries até Peixes. Se o seu bebê tem o Sol em Áries, a Lua no signo de Escorpião e o Ascendente em Sagitário, você deve ler cada uma dessas três seções — Áries, Escorpião e Sagitário — para ter uma ideia melhor do potencial dele, da personalidade e da postura diante da vida.[8]

Em cada uma das doze seções, há uma introdução geral para cada signo, seguida de estágios específicos do crescimento do bebê, de 0-1, 1-2 e 2-3 anos, nas áreas do sono, da alimentação, da aprendizagem, da habilidade motora, da socialização e da linguagem. Chamo isso de "Guia de Sobrevivência". Com este guia, você verá que um bebê geminiano de 2 anos terá, por exemplo, hábitos alimentares e de sono diferentes de seus amigos capricornianos. O Guia de Sobrevivência sintetiza as várias tendências do seu bebê nos diversos estágios de desenvolvimento segundo o signo dele. Lembre-se, este é apenas um guia geral. Para ter uma imagem mais clara, leia o Guia de Sobrevivência do signo lunar e do signo Ascendente do seu bebê, e não só sobre o signo solar.

Ao final de cada seção, há um diário para que você faça anotações e veja como o desenvolvimento do seu bebê corresponde ao perfil astrológico.

Bebê de Áries
de 21 de março a 20 de abril

Provavelmente você nem se lembra da primeira vez em que seu bebê recém-nascido foi posto em seus braços. Com toda a euforia do nascimento, você deve ter visto apenas um pequeno embrulho, fofo e inofensivo. Talvez não tenha prestado atenção aos pequenos detalhes nos primeiros dias. Entretanto, em breve você verá o brilho nos olhos dele e sentirá a vontade férrea desse pedacinho de gente briguento. Tão pequeno, tão bonitinho, mas com certeza "o mandachuva".

Seu bebê de Áries nasceu para seguir sua própria estrela e não qualquer outra. Ele é o Número Um e vai se esforçar para se manter assim. Você pode lhe dizer o que fazer, adulá-lo, manipulá-lo, erguer a voz para ele ou pedir-lhe da forma mais agradável, mas, quer tenha uma semana de vida, quer 60 anos, seu bebê de Áries fará exatamente o que quiser, quando quiser.

Não, não estou confinando você a uma vida de desolação. Você sabe que seu bebê é uma gracinha. Provavelmente, é o bebê mais bonito da maternidade. Só estou lhe dizendo para não esperar uma vida monótona. Com o corpo forte e ativo e a mente brilhante e alerta, seu bebê de Áries busca excitação. Se não a encontrar, ele mesmo vai criá-la.

Ele estará disposto a experimentar de tudo, e geralmente o faz com uma vontade que beira a hiperatividade. Enquanto seus companheiros de brincadeiras podem se satisfazer em gorgolejar e sorrir, o bebê de Áries já estará procurando formas ativas de diversão. Ele tem um quê de solitário, por mais que pareça ser sociável. Tem também uma cabeça boa sobre os ombrinhos e, ainda bebê, toma a iniciativa enquanto os demais aguardam ordens.

Fique feliz com o fato de seu bebê ariano estar destinado a liderar e não a seguir os outros. Fique feliz por ele ter ideias antes mesmo de saber falar. Fique feliz por ele ser distinto, atrevido e fascinante. Só não espere que ele siga ordens.

Uma coisa que você pode esperar do seu bebê ariano é a impulsividade. Ele não vai buscar uma postura equilibrada diante da vida; será uma pessoa de extremos. A combinação entre uma energia incrível e a paixão pela vida cria um pequeno meteoro de atividade, com tendência a arranhões, machucados e acidentes envolvendo a cabeça. Não tenha medo: a agitação e as pancadas de Áries acabam inevitavelmente num rebote. Sua capacidade para se recuperar de acidentes, ferimentos, doenças ou corações partidos é fenomenal. Ele não tem muito tempo para sentir pena de si mesmo; a vida é excitante e há sempre muita coisa a se descobrir e fazer.

O resultado do desejo ariano inato de fazer tudo depressa, aliado a uma honestidade e franqueza que são tão admiráveis quanto irritantes, é o famoso ataque frontal. Prepare-se para isso. Talvez seu bebê não fique arrulhando suavemente no berço, mas em pouco tempo estará falando. E, logo depois disso, começará com os ataques frontais.

Sara, um encantador bebê ariano de olhos azuis acinzentados e cabelos negros cacheados, era a mais linda menina de 2 anos que se poderia imaginar. As pessoas paravam do lado do carrinho dela, arregalavam os olhos e diziam: "Nossa... ela é uma gracinha, parece uma boneca!". Se considerasse isso um insulto, a lindinha mostraria a língua e gritaria: "Odeio você!".

Para o bebê de Áries, amor e ódio são vizinhos próximos. Você vai perdoar qualquer coisa quando ele se atirar em seus braços e lhe disser carinhosamente como ama você. O estilo de autoexpressão da criança de Áries é simples e surpreendentemente honesto, e ao longo da vida vai continuar a encantar e a perturbar todos que estiverem no seu caminho!

Você pode achar que esse cenário é típico para todas as crianças. A diferença é que, embora o resto delas amadureça e se transforme em "adultos socialmente aceitáveis", é provável que seu bebê de Áries mantenha a inocência mágica e infantil, o jeito direto e o entusiasmado autocentrismo durante a vida adulta.

Toda essa energia, combinada com a impaciência de Áries, produz uma criança bastante exigente. Haverá períodos de frustração quando seu filho estiver começando a andar e a falar, mas ainda não estiver conseguindo fazê-lo. Nesse ponto, a força de vontade e o desejo dele serão mais fortes do que as habilidades, e ele vai chorar e gritar, demonstrando as frustrações. Seja paciente; ele vai dominar tudo de forma rápida e confiante e não vai choramingar ou se apegar ao problema como outras crianças de sua idade.

Áries é o signo dos recomeços. É o primeiro signo do Zodíaco, e seu bebê de Áries será o primeiro a se desenvolver, o primeiro a experimentar novidades, mas também o primeiro a ficar impaciente e a querer mudar de ares. À medida que seu bebê crescer e se tornar uma criança, poderá deixar lições de casa por fazer, e você deverá incentivá-lo desde cedo a terminar os projetos. Ele compreende mais do que você imagina. Quando eu tinha 2 anos (uma criança de Áries), minha avó me explicou que cada pensamento e cada ação eram coisas vivas que, se ficassem inacabadas, continuariam me rodeando, aguardando uma finalização. Ela explicou que, assim que eu terminasse de fazer algo, essa coisa adquiriria asas e sairia voando para fazer sua mágica. Isso pôs em ação o senso de encantamento e magia que geralmente é inato nas crianças de Áries.

Você pode ajudar seu bebê ariano a se tornar um ótimo adulto adotando uma postura justa, mas firme. Eva-Maria, quando bebê, era tão exigente e gritona que seus pais, muito amáveis, geralmente atendiam as suas exigências. Infelizmente, hoje ela é uma criança mimada e com pais exaustos. A criança de Áries precisa de uma disciplina inteligente. Ela precisa distinguir o que é certo do que é errado e saber que não é o centro do universo. Uma forma de lhe dar alguma disciplina é apelar para seu coração cálido e justo.

Ele costuma ser do contra. Se lhe disser que ele não pode fazer algo, vai querer fazê-lo na mesma hora. Não adianta dizer "não" sem motivo para seu filho ariano. Apesar de parecer ousado e confiante na superfície, por dentro seu pequeno ariano é meigo. Uma amiga minha tem uma menina ariana de 2 anos, Mandy. Há pouco tempo, Mandy estava berrando numa loja porque queria alguma coisa que não podia ganhar. Quando minha amiga lhe disse que ela não ia ganhar aquilo, ela berrou ainda mais. Finalmente, minha amiga disse: "Querida, estou cansada e com uma grande dor de cabeça, e seus gritos estão piorando a dor. Você está deixando todo mundo na loja com dor de cabeça!". Mandy parou de berrar na mesma hora, abraçou a mãe e disse: "Desculpe, mamãe, desculpe, mamãe...".

Como Leão e Sagitário, Áries é um signo de fogo. Todos os nascidos em signos de fogo sentem uma necessidade forte de autoexpressão, e como Áries é o que chamamos de signo cardinal (ou seja, o mais extrovertido e expressivo), esta característica pode se manifestar como assertividade ou agressividade. Mais tarde, pode se tornar competitividade. Um dos melhores meios para controlar essa tendência é encontrar canais alternativos para o ariano como esportes e jogos competitivos. Se a energia dele for reprimida, pode aflorar de maneira negativa, como chiliques ou brigas com os amigos. Você pode ajudar a acender a chama criativa de sua bola de fogo ariana e permitir que ela se expresse da melhor maneira com reforços positivos e elogios inteligentes.

Você também pode ajudar seu filho ariano fazendo-o desenvolver a sua percepção do mundo que o rodeia. Os astrólogos ensinam que nascemos sob determinado signo solar para desenvolver certas qualidades. Em função deste anseio inato pelo autodesenvolvimento, seu filho ariano pode ser autocentrado, e por isso precisará aprender a se conscientizar dos outros e de seu ambiente. Tire a ênfase do autocentrismo inato de seu pequeno ariano por meio do bom coração que ele tem, e você o ajudará a se tornar um ser humano generoso e compassivo, apaixonado, forte e disposto a lutar pelos menos privilegiados. Com isso, ele transmutará as características egoístas em altruístas. Você também pode ajudá-lo brincando com ele de observar: nesse jogo, vocês observam e descrevem outras pessoas e seu ambiente.

Harry Houdini era de Áries. Quando criança, o pai o levava para ver as vitrines das lojas e depois lhe pedia para descrever os objetos que havia nas vitrines. Rapidamente, ele desenvolveu uma memória fotográfica e conseguia descrever todos os itens de uma vitrine depois de uma rápida olhadela!

Talvez seu pequeno ariano não se torne um Houdini, mas à sua maneira, toda especial e única, terá potencial e talento em abundância. A sensação que o signo de Áries transmite é de que ele é plenamente dotado de potencial — mais do que a maioria. Sua tarefa consiste em ajudar esse potencial a se manifestar e florescer. O perigo com Áries é que ele pode ficar adormecido se não tiver orientação correta e canais de expressão. Conheço duas crianças arianas cujos relatórios escolares dizem sempre: "Esta criança tem grande potencial". Mas o desenvolvimento do potencial pleno do seu bebê ariano caberá, em parte, a você. Basta uma pequena ajuda da maneira correta — com firmeza, inteligência e compreensão. Apele para seu senso de justiça e sua natureza afável e dê-lhe reforço positivo e um canal de expressão para a energia. Com isso, ele poderá se tornar o adulto criativo, entusiasmado, carismático, sincero, intuitivo, inteligente e corajoso que é capaz de ser.

GUIA DE SOBREVIVÊNCIA DO SEU BEBÊ DE ÁRIES

Do Nascimento ao Primeiro Ano

Alimentação — Seu bebê ariano tem apetite saudável e não gosta de esperar para comer — aliás, não gosta de esperar nada. Não se preocupe; ele vai avisar em voz alta quando estiver com fome. Este é o bebê que costuma ficar com o rosto lambuzado de comida. A impaciência, aliada ao fato de ele ficar sempre mexendo cabeça, dificulta o ato de levar a colher até a boca!

Sono — Pode ser difícil fazer dormir este bebê agitado, sempre com o chocalho na mão, mas ele vai deleitar você com um tremendo entusiasmo pela vida e por suas experiências. Ele é como uma bola de borracha, recuperando-se de seus constantes arranhões e de suas quedas com coragem e disposição. É importante para este bebê cheio de energia fazer exercícios, pois assim ele dormirá melhor. Os bebês de Áries não gostam de ficar restritos ao cercadinho.

Habilidade motora — Ele é uma alma inquieta, sempre se mexendo, chutando e se agitando com vigor, antes mesmo de nascer. Áries é o primeiro signo do Zodíaco, e este bebê adora ser o primeiro em tudo. Ele pode surpreender você apoiando-se e agarrando-se nas coisas para tentar se levantar e andar antes dos outros bebês da idade dele. Não se surpreenda se ele estiver andando com 9 meses. Ele vai se regozijar com sua independência recém-descoberta, e, quando começar a andar pra lá e pra cá, você verá o surgimento do individualismo dele.

Linguagem — Este bebê vai pronunciar suas primeiras palavras antes das outras crianças do bairro. Ele adora provocar, e você perceberá rapidamente o desenvolvimento dessa qualidade brincalhona em seu bebê, que gosta de se divertir. Não raro, o bebê ariano provoca a mamãe e o papai com brincadeiras desde os 9 meses de vida.

Aprendizagem — Sua inteligência sutil brilha através do olhar focado e límpido. Sua velocidade de aprendizagem é impressionante, mas não se surpreenda quando ele ficar com o rosto vermelho de raiva e cerrar seus pequenos punhos. O desejo de acertar é maior do que sua capacidade de fazê-lo, e ele se frustra facilmente consigo mesmo.

Socialização — Este não é um bebê tímido, a menos que tenha um signo lunar ou Ascendente mais sensível. É ousado e corajoso com as pessoas, e não tem dificuldade para expressar suas inúmeras necessidades! Ele vibra com a vida e com as pessoas. Adora ser o centro das atenções e faz com que sua presença seja sentida desde o momento em que nasceu.

Um a Dois Anos

Alimentação — Ele é teimoso e exigente com relação à comida. Quer o que quer na hora que quer. Isso pode provocar uma batalha de vontades. Ele está aprendendo a fazer coisas como pegar com a colher e despejar, e por isso a hora da refeição pode ser bem agitada! Ensine-lhe o valor do meio-termo e da negociação.

Sono — Ele tem vitalidade natural e muita energia, por isso dá a impressão de não precisar de muito sono. Tem dificuldade para relaxar, ao contrário dos signos mais passivos. Ou fica correndo por aí ou se cansa completamente, e para ele é difícil saber quando está cansado. Ensine-lhe o que é descanso, recuperação e, acima de tudo, equilíbrio.

Habilidade motora — Provavelmente, esta pequena bola de fogo vai ignorar suas ordens e vai subir nos móveis, pular da mesa de centro e chacoalhar as maçanetas. Lembre-se, ele é um aventureiro. Se alguma coisa é proibida, ele vai gostar mais ainda. Você pode até remover as maçanetas, mas de modo geral ele deve se mostrar mais esperto do que você, com sua destreza e vontade de vencer. Certifique-se de que as portas externas estão trancadas para que ele não vá para a rua quando ninguém estiver olhando.

Linguagem — Ele vai dominar cada vez mais a fala, o que o ajudará a expressar sua vontade forte. Uma coisa que você pode ensinar a este pequeno dínamo é que você é quem manda, e não ele. Se ele não aprender isso desde cedo, você terá problemas! Se deixar, ele tomará muitas decisões, tal como o momento de parar de usar fraldas. Aprenda a controlá-lo com humor, não com a mão pesada. Esta é uma criança que adora rir e sorrir.

Socialização — Ele pode se mostrar exigente e desobediente, e gosta de fazer as coisas a seu modo. É exuberante, entusiástico e encantador. Os amiguinhos vão ficar impressionados por seu jeito mandão, e os adultos de coração fraco vão se preocupar. Mantenha-o na linha conquistando o respeito dele. Elogie-o pelos feitos ousados, mas vigie-o de perto.

Dois a Três Anos

Alimentação — Nesta idade, ele está absorvendo uma quantidade enorme de informação, e as atividades cotidianas proporcionam a oportunidade de aprender. Na hora do almoço, ensine-lhe novas técnicas, como a comparação entre coisas: "Papai tem uma colher grande para comer sorvete, mamãe não vai comer sobremesa e por isso não está com colher, e você tem esta colherzinha". É uma boa oportunidade para mostrar que comer é uma ocasião social, na qual as pessoas têm necessidades próprias, diferentes das dele.

Sono — A capacidade de brincar de faz de conta está sendo desenvolvida agora. Atraia-o para a caminha com histórias; permita que seu esperto ariano invente histórias para você. Sadie, uma ariana de 3 anos, adora a hora de dormir porque para ela isso significa contar histórias barulhentas, cheias de risos, a ponto de ficar tão cansada que ela simplesmente cai no travesseiro, deixando o resto da família em paz!

Habilidade motora — Agora, ele está aprendendo os limites de sua própria força — física e mental. Ele será um desafio e tanto, especialmente se você o mimar. Quando não tiver muito tempo e precisar levá-lo ao banheiro, não o force. Diga-lhe que ele não terá tempo para se lavar e em segundos ele estará lá, lavando o rostinho e escovando os dentes. Depois de entender a malandragem dele, você poderá ajudá-lo a se controlar.

Linguagem — Ele é perspicaz, inteligente e rápido. Adora provocar e ser provocado e é muito divertido. Agora, ele já percebeu que consegue mandar nos outros, e geralmente as pessoas vão obedecê-lo para manter a paz.

Aprendizagem — Ele aprende rapidamente temas como força, vontade e poder. Coisas barulhentas como tratores e helicópteros o impressionam, e provavelmente ele as imitará ao brincar. Está conhecendo sua própria força e vai gostar de brincadeiras competitivas. Supervisione as atividades dele para impedir que ele se torne agressivo demais.

Socialização — Não há como negar que este garoto é difícil, mas ele vai conquistar admiração por onde quer que passe. Ele está à frente dos outros, é independente, agressivo e engraçado. Sua exuberância natural pode ser canalizada nas brincadeiras com outras crianças. Ele vai tentar ser o líder do grupo e o número um em todos os jogos e aventuras; ele sabe que é esse seu lugar natural!

Lições para o ariano crescer melhor: Diga sempre ao seu filho ariano que ele deve ter consideração pelas outras pessoas. Lembre-se, ele fica entediado com facilidade, mas se inspira com a mesma facilidade. No íntimo, ele é um guerreiro, mas pode se tornar o mais cavalheiresco cavaleiro. Ele só vai respeitar aqueles que conquistarem o respeito dele. Ele não vai respeitar a posição ou ligar para ela por si mesma. No entanto, você pode lhe mostrar a beleza que há em todas as pessoas, apesar de suas fraquezas. Ele vai precisar desta lição, pois ele não lida muito bem com os tolos. Além disso, sua velocidade e sua impaciência devem ser canalizadas para atividades construtivas. Mostre-lhe o valor da continuidade e da completude. Esta criança precisa de muito amor e disciplina. De modo geral, terá confiança até em excesso, e por isso será bom que saiba que ele não é a pessoa mais importante do mundo. Com isso, sua tendência a traquinagens pode ser substituída pela consideração pelos demais. Como foguetinho impulsivo, é particularmente importante que aprenda desde cedo que todas as palavras e ações têm consequências.

DIÁRIO DO SEU BEBÊ DE ÁRIES

Bebê de Touro
de 21 de abril a 20 de maio

Touro é como a calmaria que vem após a tempestade ariana. É do elemento terra, calmo, firme, sólido e duradouro. Você vai se espantar com a serenidade do seu recém-nascido — até ele começar a chorar — e então se espantará, do mesmo modo, com a potência desse pedacinho de gente. Como vulcões ou terremotos, talvez as erupções não aconteçam com frequência, mas, quando acontecem, são memoráveis.

Ele pode aprender e raciocinar mais lentamente do que seus amiguinhos mais ágeis. Porém o que lhe falta em rapidez é compensado pela dedicação e pelo apego. Mas perceba que ele não se apega à sua comida predileta em detrimento das outras. A lealdade do bebê de Touro às coisas de que gosta é lendária, engraçada e — às vezes — irritante. Alice, uma taurina de 2 anos, não comia nada além de seu prato favorito até ficar doente. A mãe tentava chamar sua atenção para refeições mais saudáveis, porém, por mais que tentasse ou a forçasse, Alice resistia, preferindo sorvete, pipoca doce e cachorro quente. Ofereça ao seu bebê taurino deliciosas alternativas saudáveis usando alimentos nutritivos como iogurte, mel e frutas secas. É bem mais fácil tentá-lo do que persuadi-lo.

Depois que nosso pequeno taurino decide uma coisa, é difícil forçá-lo a mudar. Como os arianos, ele é birrento. Áries, porém, entedia-se facilmente e se dedica a outros afazeres, enquanto Touro finca os pés. Prepare-se para aprender a ser paciente com seu meigo, amável e teimoso taurino: você vai precisar dessa paciência.

Em pouco tempo, ele pode se tornar forte e robusto, pois os taurinos são famosos por sua compleição. Além de alimentos e lanches saborosos, dê-lhe muitas atividades e afeto. Se fizer isso, os excessos alimentares não devem causar problemas.

Tarefa um pouco mais difícil é convencer seu bebê em crescimento a ficar mais tempo ao ar livre e a fazer exercícios. O bebê taurino gosta tanto de seu prazer e de ficar relaxado que não sente necessidade de se movimentar muito. Ele não é preguiçoso, só gosta de ficar à vontade em casa, com seus próprios confortos!

Nascido sob um signo de Terra, ele está sintonizado com o mundo material e com a natureza. Pode gostar de andar de triciclo, observando o mundo à sua volta e se exercitando ao mesmo tempo. É este o tipo de atividade de que os taurinos gostam, em vez de jogos ou esportes competitivos.

Bebês de Touro gostam da natureza e se sentem felizes e em paz no campo. Se vocês moram na cidade, leve-o para caminhadas agradáveis com seu cãozinho. As crianças de Touro são afetuosas e gostam do tato, além de saberem lidar com bichos de estimação; ele pode expressar sua natureza sensorial afagando e abraçando seu amável companheiro.

Touro é o construtor do Zodíaco, e, com seu senso artístico, mais tarde ele pode se tornar um talentoso decorador ou arquiteto. Dê-lhe brinquedos como blocos de montar, pois ele adora ver o fruto de seus esforços ganhando forma. Edward, filho de uma amiga, passava dias inteiros na praia sentado num buraco na areia com seu balde e uma pazinha, fazendo intermináveis castelos, enquanto sua irmã ariana, Felicity, corria pela praia e derrubava as edificações dele. Com paciência infinita, Edward pegava sua pazinha em silêncio e começava a cavar novamente!

Você pode se espantar com a persistência com que seu pequeno taurino vai fazendo a mesma coisa até ficar sem fôlego. Ele tem muita determinação e energia de reserva, por isso suas atividades podem durar horas — ou até dias. Faça com que essa persistência renda dividendos mais tarde. O que não é tão fácil para ele, porém, são novas ideias. O mundo das ideias parece um tanto quanto abstrato para esse *"material boy"*, tão sintonizado com o mundo sólido das formas. Explique-lhe o sentido das coisas em termos práticos e concretos.

Ele é muito leal e persistente, e por isso é importante que você expresse a mesma consistência com ele. Ele vai se sentir inseguro se o seu estilo de vida incluir mudanças de residência, alterações emocionais ou inconsistências em geral. Se você for geminiana e seu marido sagitariano, e ambos gostarem de discutir e de viver novas aventuras, lembrem-se de conter seus impulsos perto do seu bebê. Para ele, a mesmice e a rotina representam segurança. Quando esta é ameaçada, ela pode se tornar extremamente possessivo, apegando-se a seus brinquedos como uma muleta.

Entretanto todos nós passamos por mudanças ocasionais, e algumas delas podem ser desagradáveis. Se você tiver consciência dos efeitos sobre seu bebê e puder ajudá-lo a lidar com a situação, ficará impressionado com sua tremenda força de caráter, que parecerá maior do que a idade dele poderia sugerir. Ele pode ser extraordinariamente maduro e apoiá-lo com afeto e devoção quando vocês passarem por momentos difíceis. Então você verá as qualidades maravilhosas do seu taurino. Em troca, ele só vai pedir que você o abrace, o ame e o valorize.

Os taurinos são excepcionalmente magnéticos, e por isso são hábeis para curar pessoas, plantas e animais. Parecem ter sempre um estoque de vitalidade discreta que canalizam à vontade, usando sua boa capacidade de concentração para ajudar e curar os demais. Mesmo quando ainda são bebês, é possível sentir sua força e sua energia magnética.

Você já deve ter percebido que seu bebê de Touro é uma criança muito doce, leal e atenciosa. No entanto, se ele achar que não está sendo valorizado — por você, pelos professores ou pelos amiguinhos —, o mundo que se cuide! Quando perceber que a tempestade emocional está se formando sob o exterior tranquilo dele, prepare-se para encarar o fato de que sua vida nunca mais será a mesma.

Isso não quer dizer que você deva viver com medo de incomodá-lo, e sim que é bom que esteja presente de alguma maneira. Respeite-o e deixe-o expressar as emoções para que ele possa se livrar delas e seguir em frente. A pior coisa é forçá-lo a fazer alguma coisa que não quer fazer ou que não se sente pronto para fazer. Basta apoiá-lo e, mais cedo ou mais tarde, ele vai mudar.

Victoria era uma taurina de 3 anos que adorava dançar, o que não é incomum para os nativos deste signo artístico, regido pelo planeta

Vênus. A mãe ficou empolgada com o potencial de Victoria e achou que ela teria talento para se tornar bailarina. Victoria gostou do incentivo da mãe e pediu para entrar numa escola infantil de dança. Finalmente, quando chegou o grande dia, ela estava linda, trajando seu belo tutu e suas sapatilhas de balé. A mãe a levou orgulhosamente até um salão repleto de crianças e, subitamente, Victoria fincou os pés no chão e berrou "Quero ir pra casa! Me leva pra casa! Quero ir pra casa!" a plenos pulmões. Quanto mais a mãe a forçava a entrar no salão, mais ela fincava os pés no chão. Ela não estava pronta para dançar num salão lotado, repleto de estranhos. O medo de lidar com situações diversas a assustou, e ela apresentou muita resistência.

Uma melhor estratégia para Victoria lidar com esse tipo de situação teria sido a mãe levá-la para assistir a algumas aulas de dança e apresentá-la depois para as outras crianças. Desse modo, as aulas de dança teriam se tornado parte de sua rotina. Como ela se sentiu forçada a tê-las, acabou se recusando a participar. Nos quinze anos que se passaram depois disso, Victoria nunca voltou a pôr os pés numa escola de dança!

Todo signo tem um talento e uma beleza intrínseca. Do lado positivo, o taurino é amável, leal, forte e satisfeito. Com a maturidade, ele vai emprestar sua força e seu apoio aos demais, obtendo equilíbrio e cura. Ele tem a capacidade de concluir as atividades, o que é essencial para o sucesso na vida. Vai levar a magia para a vida dos familiares com seu talento inato para apreciar até mesmo as coisas mais banais. Ele vê beleza numa pequena flor ou numa folha de grama. Incentive-o pacientemente a ter amor pela vida e pela natureza, e ele vai florescer, tornando-se a pessoa mais forte, fina e ética que se pode conhecer.

GUIA DE SOBREVIVÊNCIA DO SEU BEBÊ DE TOURO

Do Nascimento ao Primeiro Ano

Alimentação — Seu bebê de Touro vai se alimentar com vontade. Ele é um chefe de cozinha e um *gourmet* em formação. Você vai se espantar com o fato de um pedacinho de gente conseguir comer tanta coisa sem fazer uma só pausa. Basta garantir que ele não vai ficar sem seu prato favorito e que as refeições serão feitas na hora. Desde cedo, este bebê tranquilo, mas de vontade férrea, vai saber exatamente do que gosta e do que não gosta de comer.

Sono — O bebê de Touro também adora dormir. Como seu signo é de terra, ele mantém sintonia com os prazeres da vida diária desde cedo. Lembre-se de estabelecer uma boa rotina regular de sono para esta criança adorável. Ela é uma criatura de hábitos e depende da rotina. Se você a mantiver acordada até tarde ou a puser para dormir na hora errada, com certeza ela vai lembrar você disso. Dê-lhe aquilo de que precisa e quer, e, em troca, ela lhe dará paz!

Habilidade motora — Ele é tranquilo, afável, amável e aprende lentamente. Está mais para a tartaruga do que para a lebre, e, como a tartaruga, acaba sempre chegando. Seja paciente com ele e dê-lhe muitos abraços e beijos. Ele é afetuoso e adora ser tocado; isto o ajuda a crescer com vigor e confiança. Enquanto as outras crianças engatinham, talvez ele fique sentado, sorrindo. Na verdade, você perceberá que ele não engatinha tanto quanto as outras crianças, e talvez saia diretamente da fase de ficar sentado e comece a andar.

Linguagem — Seu bebê de Touro pode tender a choramingar em vez de chorar ou gritar. Entretanto, se for ignorado ou estiver com as fraldas molhadas e desconfortáveis, o choramingo pode aumentar de volume até se tornar um berro. Apesar de teimoso, ele se reconforta facilmente com palavras suaves e afagos.

Aprendizagem — Como o bebê taurino tem raízes no mundo material, ele pode aprender por meio de seus cinco sentidos. Se ele puder ver, ouvir, tocar ou cheirar alguma coisa, terá mais propensão para aprender. Quando você lhe oferecer um brinquedo, ele vai aproximá-lo do nariz e vai cheirá-lo, apertá-lo com as mãos e simplesmente desfrutar de sua sensação.

Socialização — Esta criança satisfeita, amável e contida é sempre popular. Ela é a bebê que os outros adultos gostariam secretamente de ter tido. Sorri para todos, dá risadinhas e gorgolejos e é agradável e sociável desde que nasce. Gosta das pessoas e as encanta.

Um a Dois Anos

Alimentação — Você já deve ter percebido que seu bebê de Touro gosta de coisas bonitas. Dê-lhe uma vasilha e uma xícara do ursinho Puff; ele vai gostar de ter suas próprias coisas, e, quanto mais elas forem bonitas, mais ele estará inclinado a saborear a comida sem espalhá-la sobre você.

Sono — Lembre-se de que este bebê sintonizado com o mundo físico é muito sensível, e fibras artificiais o incomodam. Dê-lhe roupinhas de algodão e cobertores de lã. Isso o ajudará a dormir profundamente e com tranquilidade.

Habilidade motora — Apesar de não ser a criança mais rápida das redondezas, ele deve superar seus amiguinhos com o tempo, em função de sua determinação e força de vontade. Ele não é muito propenso a movimentos físicos ou a correr de um lado para o outro. Quando começar mesmo a andar, provavelmente vai levar consigo seu bichinho de pelúcia predileto e não vai querer largá-lo.

Linguagem — Você deve ter percebido que sua bebê olha para as pessoas de maneira bem focada. Isso não se deve necessariamente ao fato de ele adorar você; é o modo dele de aprender a falar e a se comunicar. Suas capacidades de concentração e de observação são surpreendentes. Apesar de não ser tão tagarela quanto outras crianças (a menos que tenha a Lua em Gêmeos ou algo assim), ele pode formar um vocabulário bem amplo e interessante. É uma alma artística que gosta do poder das palavras.

Aprendizagem — Ofereça-lhe brinquedos com texturas variadas e brinquedos práticos e educativos. Touro é o construtor do Zodíaco e gosta de sentir que seus esforços vão durar. O bebê taurino pode ser possessivo com seus pertences, pois representam segurança. Incentive-o a participar de jogos com outras crianças, e assim vai ajudá-lo a aprender lições importantes, como repartir e cooperar.

Socialização — Ele é obediente e tem boas maneiras. Apesar de fazer as coisas do jeito dele, também gosta de harmonia e se encaixa bem numa equipe com outros amigos. É popular, mas sem se impor. Nessa idade, porém, talvez prefira passar o tempo brincando sozinho.

Dois a Três Anos

Alimentação — Agora, seu bebê já sabe que, quando fica bonzinho, ele ganha doces ou biscoitos. Por outro lado, quando quiser pedir alguma coisa para você, vai lhe oferecer um doce melado. Tato e comida são muito importantes para ele, e um barômetro que mostra se ele está indo bem. Controle a dieta dele substituindo doces por frutas frescas.

Sono — Ele consegue descansar e dormir rápido e facilmente, desde que sua vida inclua rotina e conforto. Ele não gosta que perturbem seu sono ou suas refeições. Kevin, um taurino de 2 anos, volta e meia puxa a manga da blusa da mãe quando visitam algum parente e pergunta: "Eu não deveria estar na cama?".

Habilidade motora — Ele adora a natureza e o ar livre, mas fisicamente é meio preguiçoso. Por isso, não costuma correr pela casa; prefere sair de carro. Para que faça os exercícios físicos de que precisa, leve-o para ter aulas de música ou de dança. Isso será muito mais agradável para ele do que brincar de pega-pega. Ele reage alegremente à música e ao ritmo.

Linguagem — A criança de Touro tem a voz naturalmente suave e deve ser estimulada a cantar. É uma boa maneira de desenvolver sua habilidade linguística e aumentar sua socialização. O taurino tem bom ouvido para música e pode ser uma das raras crianças que realmente gostam das aulas de piano. Se gostar do professor e se divertir, pode continuar a tocar durante vários anos.

Aprendizagem — Ele gosta de economizar dinheiro depois que entende o mecanismo. Compre-lhe um cofrinho e estimule-o a poupar e a gastar com sabedoria. Abra uma conta de poupança e use-a para lhe ensinar o preço e o valor das coisas. Além disso, fale-lhe do amor e ensine a importância de valores como honestidade, integridade e coragem.

Socialização — Agora, ele se sente mais propenso do que antes a brincar em grupo. Ele prefere um pequeno grupo harmonioso com dois ou três amiguinhos a um grupo grande, barulhento e agitado. Seu elevado nível de concentração, combinado com uma dose de imaginação saudável, permite-lhe brincar durante horas com os amigos, fazendo chá de mentirinha ou pintando com os dedos.

Lições para o taurina crescer melhor: Ensine seu bebê de Touro que é importante repartir. Ele tende a ser possessivo e se apega a seus brinquedos como fonte de segurança. Se você lhe der bastante segurança na forma de amor, abraços e carinho, ele não vai precisar de seus brinquedos daquela maneira. Ele tem bom coração, e se você o incentivar a repartir os brinquedos com os menos afortunados, ele vai reagir a isso. Ensine-lhe o propósito do dinheiro, fale de suas armadilhas e limitações. Ele pode compreender a função do dinheiro desde cedo, mas talvez se torne excessivamente preocupado com ele. Dê-lhe uma planta para regar ou uma parte do jardim para cuidar; ele se relaciona bem com a terra e a jardinagem acalma sua alma jovem. Mostre-lhe que o amor é mais importante do que o dinheiro, e dê-lhe um bom e sólido código de ética para orientá-lo na vida.

DIÁRIO DO SEU BEBÊ DE TOURO

Bebê de Gêmeos
de 21 de maio a 20 de junho

Para seu bebê de Gêmeos, a diversidade dá tempero à vida. Se estiver tentando fazer com que ele tenha uma rotina mais regular porque isso é vantajoso para você, terá dificuldades. Tente distraí-lo balançando-o no ombro ou carregando-o nos braços. Quando ele estiver se revirando, mexendo-se e rolando e você estiver tentando trocar suas fraldas (o que é comum para todos os bebês dessa idade), tente conversar com ele com entusiasmo, contando-lhe o que está acontecendo na sua vida. Você poderá se surpreender com as deliciosas respostas, que, embora sejam incompreensíveis, assemelham-se tanto a uma conversa de verdade que você achará que ele está entendendo tudo o que você está dizendo. E talvez ele esteja mesmo. Uma criança geminiana me disse que uma das coisas mais frustrantes de que se lembra de quando era bebê é que os adultos conversavam com ela em tatibitate. Ela disse que nunca entendeu por que eles não conversavam normalmente!

Outro modo de acalmar seu bebê geminiano é dar-lhe uma pilha de brinquedos ou de objetos para brincar. Leve muitos, porque depois que ele estuda e brinca um pouco com o primeiro, está pronto para o próximo. Além disso, os geminianos adoram movimento, agitação; por isso, apoie-o sobre o ombro e caminhe pela casa, com movimentos para cima e para baixo, ou ponha-o numa cadeira de balanço.

Prepare-se para usar seus patins depois que o bebê geminiano nascer. Ao contrário do lento e paciente nativo de Touro, seu geminiano será rápido e estará em vários lugares ao mesmo tempo. Seu principal desafio será aprender a acompanhar o ritmo dele. Gêmeos é um signo duplo, e você vai achar que tem dois filhos, não apenas um. Este bebê consegue falar, andar, pensar mais depressa e ser mais esperto do que quase todos os demais. Qualquer que seja o arsenal de jogos e brincadeiras que você tenha reservado para ele, em pouco tempo ele os revisará e estará ansioso por outros novos. Ele adora brincar e também se comunicar.

A menos que seu bebê de Gêmeos tenha a Lua em Capricórnio ou posições mais terrenas no mapa, ele vai adorar conversar e falar, passando de assunto para assunto e de pessoa para pessoa, escapando até mesmo de suas mais engenhosas tentativas de discipliná-lo. Mantenha-o ocupado com muitas atividades desafiadoras para que a energia dele se esgote antes da sua!

Espere até ele engatinhar e falar; então, você sentirá de fato a grande energia do geminiano. Sua capacidade de fazer diversas coisas ao mesmo tempo é espantosa, e ele ocupa as mãos, o cérebro e a boca. Não se surpreenda se o vir brincando com um jogo, ouvindo música, falando alto e prestando atenção, tudo ao mesmo tempo! Talvez ele não ouça metade do que você disser, mas vai entender o significado geral. Ele não fica meditando; não vai prestar atenção em cada palavra sua, mas é rápido para entender e não deseja e nem precisa de explicações longas e cansativas.

Não há dúvida de que seu bebê geminiano é brilhante, alerta e inteligente. Você percebeu isso no instante em que ele gorgolejou de alegria quando você disse alguma coisa para ele. Se você é uma pessoa mais lenta e detalhista, não espere que seu bebê seja assim também. É possível que ele quase nunca termine um jogo que começou, mas ele compensa isso encantando adultos e amiguinhos com sua sagacidade e seus comentários atrevidos.

Assim que ele aprender a sorrir e dizer, "mamã, papa", terá início seu caso de amor vitalício com a linguagem. Antes mesmo dos 2 anos, você poderá perceber que ele está "lendo" animadamente na memória as histórias que você leu para ele. Ele é acelerado, por isso cuide para que ele não se esgote nas incansáveis tentativas de fazer coisas demais ao mesmo tempo. Faça com que ele reduza o ritmo para descansar regularmente e se reabastecer. Diferentemente de Touro, o descanso não é algo natural para o geminiano, e a comida não é, definitivamente, sua principal prioridade.

A vida oferece muitas distrações excitantes para seu bebê de Gêmeos. Seus olhos reluzentes contemplam o mundo com mais animação do que os dos outros bebês. Este bebê está sempre alerta para as oportunidades. Isso pode ser uma fonte de alegria ou de irritação, caso você se flagre seguindo a pista de brinquedos largados por ele. Ensine-o a recolher os brinquedos, mas procure não se incomodar com sua postura descontraída diante da vida. A forma de o bebê geminiano compreender o mundo consiste em examinar o maior número possível de detalhes, organizando-os num padrão coerente. Talvez ele não seja tão ordeiro quanto as crianças virginianas, mas não tenha medo quanto às notas que terá na escola, no futuro. Ele é inteligente o suficiente para passar de ano — e com folga.

Domar o seu curioso bebê de Gêmeos é como tentar capturar o vento. A melhor alternativa é argumentar com ele. Mesmo pequeno, ele tem maturidade nessa área e vai ficar contente se discutir as coisas com você. Um erro, porém, seria oferecer-lhe opções. Tomar decisões não é seu forte. Ele gosta da diversidade e da riqueza proporcionada por novas experiências, e por isso é quase impossível escolher apenas uma.

Quando a vida ficar difícil, converse com ele como o adulto de 2 anos de idade que ele é e diga-lhe o que está sentindo. Você se surpreenderá com a compreensão dele. Por falar nisso, embora às vezes seu bebê possa parecer mais maduro do que você, o geminiano adulto é uma criança eterna. Se você entender isso, poderá compreender a diversidade de Gêmeos.

O bebê geminiano tem um modo especial para manter os pais jovens e atualizados. Prepare-se para questionamentos constantes sobre as relações entre as coisas. "O que é aquilo?" "É uma árvore." "Por que ela é verde?" "Por que parece tão velha?" "Como ela se chama?" Assim que seu bebê começar a falar, ele vai abrir os olhos para a vida e para um novo modo de olhar para o mundo. Ele é precoce, inteligente e está sempre ávido por informações ou atarefado com algum objeto de sua curiosidade, tal como as outras crianças se interessam por doces ou brinquedos.

O sistema nervoso do seu bebê geminiano está programado no modo acelerado, e *acelerado* pode ser um bom modo de descrever seu físico alerta e ágil. Embora você possa ser um progenitor atormentado por vários outros filhos exigentes, respeite a constante necessidade de expressão deste bebê. Se não tiver tempo para se comunicar sempre com ele, reserve um momento especial de cada dia para conversarem. Mesmo quando ele tiver entre 2 anos e meio e 3 anos, você poderá colaborar com ele compondo rimas ou brincando de perguntas e respostas. Melhor ainda — peça-lhe para contar uma história. São ótimas maneiras para disciplinar a tremenda energia mental do seu bebê de Gêmeos. Além disso, ele vai divertir você, compartilhando merecidas risadas ao fim de um longo dia!

O geminiano é bem-humorado. Ele consegue ver o lado engraçado das situações mais sérias. Isso poderá lhe causar problemas, mas também pode fazer dele o campeão entre os amiguinhos. Será uma criança popular, porque estará sempre alegre e atenta, e nunca dará longas, entediantes e monótonas explicações. Pode ser um mímico brilhante, e quando você disser para se afastar, faça com que ele se mantenha à vista!

Jason, o precoce filho geminiano da minha cabeleireira, era um ótimo mímico. Quando ela ficava brava, ele se punha em pé atrás dela com as mãos na cintura, tal como ela, imitando seus gestos com os dedos e sua expressão facial. Se Jason estivesse por perto, ela não ficava brava por muito tempo!

Se você perder a paciência quando estiver com ele, cuidado. Vai fazer parte do crescente repertório de incidentes divertidos que ele usará para divertir seus parentes e amigos. Ele não vai poupar seus sentimentos, mas sempre estará pronto para animar você.

Quanto a sentimentos, não espere que ele seja muito sensível. Embora seu lado intelectual seja desenvolvido, seu lado emocional não é. Ele é mais racional do que sentimental, e, se ele incomodar você, não se dê ao trabalho de se aborrecer. Ele nem vai perceber, pois não compreende o que você está fazendo. É bem mais eficaz dizer-lhe que ele foi inconveniente. Ele vai gostar de saber disso e de conhecer a diversidade das pessoas, dos sentimentos e das reações dela. Embora pareça alerta e maduro, ele terá, de modo geral, muito que aprender na área das emoções humanas.

Mesmo não sendo muito emotivo, pode se mostrar temperamental. Ele é um camaleão em constante mudança, como se fosse um monte de crianças embutidas numa só. Lembre-se de que a variedade é sua constante e você irá compreendê-lo melhor. Se ele ficar zangado ou irritado, distraia-o e conduza-o na direção que você deseja. Ele é bem maleável, e pode mudar com a mesma rapidez e facilidade que a brisa.

Assim que aprender a engatinhar, seu bebê vai entrar e sair de todos os cômodos, armários, de frestas e recônditos de sua casa. Ele adora viajar. Com a idade, ficará feliz ao passear, visitar pessoas e fazer excursões. Ele não é daquelas crianças que arrastam os pés ao visitar a Tia Marta. Ele vai gostar da visita e terá conversas sérias com os adultos. Procure evitar viagens longas demais e mantenha muitos livros e jogos no carro, pois, assim que vocês dobrarem a esquina, ele vai perguntar: "Já chegamos?". Leve um bom estoque de livros, brinquedos e jogos. Se ele ficar quieto, provavelmente é porque ele descobriu o armário da cozinha da Tia Marta e está ocupado abrindo todos aqueles frascos e potes interessantes.

Com a idade, será preciso aprender a ser tolerante com os experimentos no chão e as corridas de obstáculos ao redor da casa. Ele não precisa de brinquedos caros, de última geração (embora vá pedi-los assim que os conhecer com os coleguinhas da escola). Quando bebê, também ficará tão à vontade com um rolo de barbante, um jarro e alguns objetos domésticos quanto com os melhores e mais novos brinquedos. Todd, um engenhoso geminiano de 3 anos, construiu recentemente um abajur de cabeceira com quinquilharias que seu pai lhe deu.

GUIA DE SOBREVIVÊNCIA DO SEU BEBÊ DE GÊMEOS

Do Nascimento ao Primeiro Ano

Alimentação — A comida não é a principal preocupação do seu bebê geminiano. O mundo à volta dele é tão repleto de distrações que ele não perde tempo comendo. Não espere que a hora da refeição siga uma rotina regular. Estabelecer qualquer tipo de rotina para este bebê fascinante e fascinado é um desafio e tanto!

Sono — Este é outro desafio interessante. Ele não é um bebê que fica feliz quando apagam a luz. Ainda há muita coisa para investigar. Os geminianos adoram as palavras; logo, tente embalar seu sono com uma leitura ou uma canção suave. Assim que ele adormecer, saia rapidamente antes que ele mude de ideia!

Habilidade motora — Seu bebê geminiano estará ansioso por poder se movimentar e brincar com sua recente descoberta, os dedos dos pés, mexendo as pernas e os braços com excitação. Ele mal pode esperar para começar a engatinhar e a entrar em todos esses lugares proibidos.

Linguagem — Este pequeno bebê regido por Mercúrio adora falar. Quando tiver 1 ano, provavelmente estará aprendendo palavras novas todos os dias. É importante que você passe algum tempo conversando com ele, pois a comunicação é sua razão de ser. Não se limite à linguagem infantil; ele vai absorver cada palavra e tentar repeti-la. É bem melhor tentar expandir seu vocabulário assim que puder.

Aprendizagem — A curiosidade mental dele é imensa. É um explorador natural, sempre à procura de experiências novas e variadas. Se alguma coisa chamar atenção, ele vai tentar compreendê-la — passando depois para a experiência seguinte.

Socialização — Como adora conversar e sorrir daquela maneira amigável e simpática, ele vai gostar da companhia dos amigos. É sociável e quando crescer vai se tornar a vida e a alma das festas.

Um a Dois Anos

Alimentação — A comida não proporciona conforto emocional para este pequenino, e sim uma distração. A própria vida é um alimento para ele. Ofereça pequenas porções de novos pratos e deixe-o decidir se ele quer mais. Exponha-o a novos alimentos enquanto tenta descobrir o que ele gosta de comer. Você pode oferecer comidas que antes foram rejeitadas; ele muda rapidamente de ideia sobre gostos e aversões.

Sono — Ele costuma ficar cansado demais e não gosta de se "desligar" para dormir. Há muita coisa para ver e descobrir. Nesta idade, ele gosta da repetição. Repita suas canções favoritas e músicas de ninar como forma de fazê-lo dormir.

Habilidade motora — Conheci um bebê geminiano que tinha quase 18 meses e que insistia em subir na mesa da cozinha. Alguma coisa naquela mesa instável despertava seu senso de aventura e sua curiosidade, apesar de sua mãe insistir no contrário. Você precisa ficar alerta para acompanhar esse verdadeiro relâmpago.

Linguagem — Embora um brusco "Não faça isso!" não resolva nada com essa criança inteligente, uma explicação sucinta sobre as razões para não fazer isso tem mais chances de ser ouvida.

Aprendizagem — Apesar de devorar fatos e informações sobre o mundo exterior, ele não é muito hábil para se conhecer. Por isso talvez você descubra que rotinas regulares, como ensinar-lhe a usar o penico, podem ser complicadas. Incentive-o a avisar você quando precisar ir ao banheiro, ou ele não desenvolverá o hábito.

Socialização — Com mente aguçada e capacidade de observação, combinadas com uma curiosidade natural acerca das pessoas, este pequenino faz amizades com facilidade. Adora diversão e jogos, e em pouco tempo perceberá que suas micagens e caretas fazem todo mundo sorrir.

Dois a Três Anos

Alimentação — Ele prefere falar a comer, e, assim que puder andar pela casa, pode ser difícil fazê-lo se sentar. Explique-lhe os benefícios de uma refeição tranquila; do contrário, isso vai criar um padrão no qual ele sempre estará comendo com pressa, esgotando suas energias. Faça com que ele se interesse pela hora da refeição deixando-o ajudar a pôr a mesa ou a servir água para as pessoas.

Sono — Sinais que indicam que ele está cansado demais são a conversa incessante e as idas e voltas pela casa, fazendo muitas coisas ao mesmo tempo. Agora, você pode começar a falar do corpo dele e das razões pelas quais precisa dormir. Quanto mais compreender os benefícios, maior a probabilidade de que pegue no sono.

Habilidade motora — É importante proporcionar estímulos e variedade ao seu bebê geminiano. Quando você lhe mostrar alguma habilidade nova, não será preciso entrar em detalhes. Ele aprende bem depressa. Vai gostar de atividades que lhe permitam cortar e colar, pintar, lidar com barbantes e blocos de montar.

Linguagem — A habilidade linguística dele se desenvolve rapidamente; por isso, todos os dias, passe algum tempo conversando com ele. Use oportunidades cotidianas, como guardar as roupas ou descascar legumes, para conversar com ele e fazer-lhe perguntas. De vez em quando, um programa de televisão pode ser uma boa disciplina. Fique do lado dele e conversem sobre o que está acontecendo no programa. Se ele ficar frustrado ou incomodado com alguma coisa, ajude-o a identificá-la expressando verbalmente a causa.

Aprendizagem — Não lhe dê opções demais. Em vez disso, diga-lhe quais são os planos para o dia. Se ele não gostar, mantenha uma segunda opção na manga. Geminianos de qualquer idade não sabem lidar com opções; infelizmente, nesta idade, é impossível escolher.

Socialização — Ofereça-lhe muitas oportunidades para brincar e socializar-se. Como ele é capaz de ver os dois lados de um problema, ele pode assumir o papel de árbitro junto aos amiguinhos.

Lições para o geminiano crescer melhor: Alegre, inteligente e habilidoso, este pequeno indivíduo divertido não demonstra ter muito foco ou concentração. É importante que tenha variedade, mas também que aprenda a focalizar a mente e dar prosseguimento às coisas que faz.

Ele é perspicaz e esperto, mas precisa aprender a ter tato e diplomacia, bem como a entrar mais em contato com os sentimentos. Uma das melhores coisas que você pode lhe ensinar é o valor e a beleza de ouvir os outros, especialmente aqueles que têm o raciocínio mais lento do que o dele (a maioria das pessoas!). Ele adora falar, mas ouvir já é um pouco mais difícil. Explique-lhe que a comunicação é um processo de duas mãos e que existe um motivo para termos dois ouvidos e uma única boca!

DIÁRIO DO SEU BEBÊ DE GÊMEOS

Bebê de Câncer
de 21 de junho a 21 de julho

Enquanto Gêmeos é amigável e alegre como um sorriso, o bebê de Câncer é meigo, sensível, cauteloso e retraído. Não espere que seu bebê aceite estranhos com facilidade. Se o bebê de Gêmeos opera no mundo do intelecto, o bebê de Câncer opera no mundo das emoções e dos sentimentos, igualmente real. Se não tiver vontade de ser amistoso ou sociável, não será. Na infância, é simples assim. Não se envergonhe se seu bebê se agarrar a você e se esconder atrás de suas pernas quando um estranho atencioso parar para dizer como ele é bonitinho. Os cancerianos não aceitam coisas ou pessoas diferentes com facilidade. Eles precisam de tempo para poder se ajustar. Podem ser tão sociáveis, divertidos e espertos quanto os nativos de quaisquer outros signos depois que amadurecem, mas não os apresse para nada. Enquanto forem bebês, vão precisar de muita atenção, estímulo e segurança.

Você ficará contente em saber que, como a palavra-chave do seu bebê é sentimento, ele terá uma espécie de "antena psíquica" com relação a pessoas difíceis ou a situações potencialmente perigosas. Essa sensibilidade intuitiva precisa ser desenvolvida e não ignorada, para que ele possa desenvolver o mundo emocional e manter-se em segurança. Preste atenção em seus sentimentos e não os ignore, mesmo que pareçam ilógicos.

Essa criança séria tem certa suavidade ao seu redor e ela precisa do aconchego de um lar seguro, onde fique próxima da mãe. O signo de Câncer é simbolizado pelo caranguejo; como o caranguejo, ele pode exibir uma casca externa rígida para proteger sua suavidade e a vulnerabilidade de seu interior.

Essa casca externa é seu lar, e ele tem talento para criar um lar onde quer que esteja. Assim que começar a engatinhar pela casa e a brincar com brinquedos, ele estará procurando as casas de bonecas e até construindo casinhas com cadeiras e tijolos de plástico. É como se ele soubesse que seu lar representa a proteção de que precisa do mundo duro que há lá fora.

Às vezes, pode ser caprichoso e temperamental. Talvez você tenha atrasado o almoço (o que, é claro, é causa de preocupação com o bebê de Câncer, que vive da rotina, especialmente com relação às refeições!). Talvez ele esteja incomodado com alguma coisa. Dê-lhe muitos abraços e beijos e envolva-o num casulo de amor e proteção. O bebê de Câncer vai florescer na presença do lar e da família, e a infância reunirá alguns dos anos mais felizes da sua vida.

Mais tarde, você vai se surpreender com a quantidade de detalhes da infância de que ele é capaz de se lembrar com clareza, muito depois de você ter se esquecido deles. Ele é um excelente contador de histórias por conta disso, e sempre arranja público para seus divertidos casos da vida real. Graças a essa capacidade de reter e relatar eventos e lembranças do passado, os cancerianos atraem as pessoas desde cedo.

Seu bebê de Câncer adora colecionar coisas e se apega a elas. Não se surpreenda se ele se recusar a abrir mão de seu primeiro bichinho de pelúcia, que já deve estar bem mastigado e sujo. A melhor alternativa será esperar que ele durma para tirá-lo dele, lavá-lo e devolvê-lo limpinho. Cuidado para não acordá-lo durante o procedimento, ou terá um problema pela frente.

Todos os objetos têm valor sentimental para o canceriano. Dê-lhe bastante espaço em seu quarto para as conchas que ele colecionar, roupas, brinquedos e bichos de pelúcia. Com sua imaginação maravilhosamente viva, ele colocará nomes em tudo, dando amor e vida a essas coisas. Uma boneca novinha que anda e fala não terá necessariamente o lugar de honra conquistado pela boneca velha e arranhada. O pequeno bebê de Câncer não se impressiona com a aparência superficial.

Apesar de gostar de se apegar a tudo aquilo que é dele, de vez em quando ele também vai declarar solenemente que está distribuindo presentes para todo mundo. Talvez esses presentes não impressionem você, mas aceite-os com a intenção com que são dados. Para ele, abrir mão de brinquedos velhos é um gesto importante e representa um tipo de conexão com seus entes queridos.

Outra maneira de ajudar seu bebê de Câncer a se desenvolver de maneira saudável é ajudando-o a superar a insegurança e timidez quando estiver diante de novas situações ou com pessoas diferentes. Você não pode mantê-lo num casulo, por mais que ele queira. Ele vai crescer enfrentando o presente, e se ficar muito isolado na infância, terá problemas mais tarde quando for se aventurar pelo mundo. O medo pode se manifestar como flutuações de humor e silêncios que nem mesmo ele saberá entender.

Se você o respeitar e compreender, o bebê de Câncer vai crescer e se tornar uma pessoa atenciosa, prestativa e afetuosa. Não é possível enganá-lo; ele reage emocionalmente, vai sentir aquilo que realmente está no seu coração e resistirá a manipulações. Se as emoções dele estiverem abaladas e ele estiver incomodado com alguma coisa, pode ser que apresente problemas de estômago. Os cancerianos são particularmente vulneráveis nessa área do corpo, que é como o lado macio por baixo da casca do caranguejo!

Você pode ajudá-lo a compreender melhor suas emoções flutuantes auxiliando-o desde cedo para que ele tenha uma perspectiva. Noutras palavras, incentive-o a canalizar os sentimentos mais profundos. Ensine-lhe o valor da bondade e a importância de ajudar os demais e de cuidar deles. Ele pode ter a tendência a se envolver com os próprios sentimentos, mas, como ele tem um bom coração, você pode tocá-lo facilmente e incentivá-lo a pensar nos outros. Isso vai ajudá-lo a equilibrar as emoções, em vez de envolvê-lo com lágrimas e flutuações de humor.

Incentive-o a ser responsável com seus brinquedos, seus irmãos e amigos. Mesmo pequeno, ele terá um instinto protetor e senso de responsabilidade. Recentemente, conheci os pais de uma menina de Câncer. Emily tinha apenas 2 anos e meio, mas me disseram que ela ficava olhando atentamente enquanto eles trocavam as fraldas de seu irmãozinho, e depois lhes pedia para fazê-lo.

Outro modo de ajudar seu bebê canceriano é colocá-lo literalmente em seu elemento — a água. Dê-lhe um banho ou leve-o à praia. O pequeno Thomas ficava sentado em sua piscina de plástico durante horas, gorgolejando feliz da vida. A água é seu meio natural, e é nela que ele se sente em paz, seguro. Os cancerianos gostam de música suave e melodiosa e de sons naturais como os da chuva, das ondas do mar e dos galhos que balançam ao vento.

Todas as crianças pequenas gostam de contos de fadas, mas esta se sentirá particularmente atraída por esse mundo mágico, porque gosta de transformar a vida cotidiana numa expressão romântica de seus sonhos mais íntimos. Incentive-o a fazê-lo, sem deixar de lhe ensinar as necessidades práticas da vida. Nunca bloqueie sua imaginação; dê-lhe corda. Deixe-o tecer sonhos e um dia ele poderá se tornar um artista ou escritor inspirado, transformando sonhos em realidade na mente e no coração dos outros.

Embora você precise repreender o voluntarioso ariano, o teimoso taurino ou o ágil geminiano, talvez você nunca tenha de repreender seu bebê canceriano para que ele perceba sua reprovação. Ele estará perfeitamente ciente de sua raiva e será o primeiro a lhe dar um grande abraço caso você permita. Ele não vai gostar de ver os pais aborrecidos. Provavelmente, vai se sentir mal por ter se comportado de maneira errada.

Embora a sensibilidade possa trazer desconforto a ele e exibições de irritação e de mau humor possam ser frequentes, ele pode iluminar sua vida com um generoso afeto, amor e carinho. Mesmo ainda bebê, vai animar os pais quando estiverem tristes e, quando estiverem contentes, ele vai ficar feliz, refletindo sua alegria. Incentive-o nesse mundo rico dos sentimentos e da imaginação, introduza novas aventuras em sua vida, ajude-o a superar a timidez e o excesso de cautela, e ele vai se tornar uma alma atenciosa e compassiva, que vai levar luzes para sua vida e para o mundo.

GUIA DE SOBREVIVÊNCIA DO SEU BEBÊ DE CÂNCER

Do Nascimento ao Primeiro Ano

Alimentação — Seu adorável bebê canceriano pode ser um mistério para você. Lembre-se de que ele vive em seu mundo de sentimentos e que é tão mutável quanto o vento. Seu humor é instável, e ele pode ficar chorando num dado instante e gorgolejando no seguinte. A alimentação dele também pode ser instável. Não se preocupe com isso; aceite o fato de que ele é assim, e você não. Não tente forçá-lo a comer alimentos sólidos — nem qualquer outra coisa. Ele não tem pressa e vai chegar lá no seu próprio ritmo.

Sono — Esta criança adora ser alvo de cuidados e pode até dormir durante o banho; está em seu elemento e gosta da sensação suave e relaxante da água. Ele vai adorar ser embalado ou aconchegado para dormir, pois seu senso tátil é bem acentuado. Você pode tentar colocar um brinquedo sobre o berço, como um móbile com peixinhos.

Habilidade motora — Esta é a idade em que mudanças profundas acontecem de maneira extremamente rápida, e você pode observar surtos rápidos de desenvolvimento. Contudo não fique impaciente se o seu bebê de Câncer não se movimentar tanto quanto outros bebês da idade dele. Ele adora ficar deitado em silêncio, embebendo-se de impressões de seu novo mundo, e precisa de muito tempo para descansar e absorvê-lo.

Linguagem — Procure falar sempre em tons suaves, e não o mantenha em ambientes com música alta, discussões ou conversas irritantes. Este não é um bebê para se levar ao mais recente filme de guerra (e, para falar a verdade, acho que nenhum deles deve ver esses filmes).

Aprendizagem — Ele pode berrar com vontade quando você sair do recinto, e raramente dará uma folga aos pais. Nesses primeiros meses, estará aprendendo a distinguir quem cuida dele e quem é estranho, pois suas conexões e seus sentimentos se aprofundam. Acima de tudo, seu bebê canceriano procura uma fonte segura e constante de amor para lhe dar o ambiente de que necessita para aprender. Brinque de esconde-esconde, pega-pega e de esconder e revelar o rosto. São brincadeiras úteis para que ele aprenda que as pessoas e os objetos desaparecem e voltam.

Socialização — Dê-lhe a chance de ficar com outras crianças com a maior frequência possível. Isso é saudável para este bebê amável, mas um tanto apegado. Ele vai gostar de ter um bicho de estimação amistoso, especialmente se for meigo e se for daqueles que dão vontade de abraçar.

Um a Dois Anos

Alimentação — Quando ele está feliz, come muito bem. Se sua paz emocional ou a de seu ambiente for perturbada, seus hábitos alimentares também o serão. Ele é muito sensível à atmosfera, e se a família for grande e ruidosa, talvez ele se retraia em seu próprio mundo e comece a brincar com a comida. Proporcione-lhe uma atmosfera calma e amorosa para que ele não tenha distúrbios alimentares mais tarde.

Sono — Ele gosta de ser segurado e abraçado. Isso lhe dá conforto físico e emocional. Também gosta de ser aconchegado na cama e que cantem para ele dormir, ou a abracem e embalem. Adora sentir-se seguro e confortável.

Habilidade motora — Ela vai se divertir com a habilidade recém-descoberta de andar e de encontrar cantinhos especiais para ficar. Como seu símbolo, o bebê de câncer vai levar sua casa com ele. Pode ser um travesseiro e algumas cadeiras — qualquer coisa para criar seu próprio lugar pessoal. É melhor ser convidado antes de aparecer por lá!

Linguagem — Há ocasiões em que ele fala sem parar, e noutras parece tímido e retraído. Sua comunicação baseia-se em como está se sentindo. E geralmente isto é algo praticamente insondável. Ele pode estar com ciúmes do gato novo ou ansioso porque você passou muito tempo longe dele. Não tente convencê-lo a mudar de humor. Essas flutuações não são fruto de teimosia, mas de alguma coisa profunda dentro dele. Geralmente, nem ele as compreende.

Aprendizagem — Ele está aprendendo que o mundo é muito grande e perigoso. As pessoas vêm e vão e às vezes nunca voltam. Mostre-lhe o que significa a segurança. Deixe-o levar alguma coisa de casa quando saírem, como um brinquedo favorito ou um cobertor, para que ele saiba que a casa ainda faz parte do dia dele.

Socialização — Ele é tímido com estranhos, mas afetuoso com quem está perto dele, inclusive com seus brinquedos. Talvez ele tenha um brinquedo com o qual ele conversa e que leva a toda parte, inclusive para a cama. Ele é bem possessivo com seus pertences e preocupado com a segurança deles. Darwin, um canceriano de 2 anos, punha seu ursinho de pelúcia na caixa de pão todas as noites. Era o ninho do urso; ele cobria o bichinho com uma toalha de bandeja com bolinhas cor-de-rosa e deixava a caixa levemente destampada para que o ursinho pudesse respirar.

Dois a Três Anos

Alimentação — Cada vez mais, ele vai querer ser um "menino grande". Como canceriano, estará sintonizado com o lar e com a alegria das refeições e da boa comida. Incentive-o a ajudar você a preparar os pratos. Ele vai gostar de pôr as uvas-passas na mistura dos biscoitos e de lamber os dedos besuntados depois!

Sono — Verifique se ele está calmo antes de dormir e o sono dele será sólido. Leve-o até a janela e deixe-o sentir o cheiro das flores e ouvir os sons do começo da noite antes de ir para o quarto.

Habilidade motora — Ele pode ter tido certo ciúme dos irmãos. Agora, esses sentimentos devem ter sido resolvidos e substituídos por uma imensa lealdade. Ele é bondoso e preocupa-se com seus entes queridos. Nunca pressione seu canceriano para que ele se relacione com estranhos. Ele vai aceitar os outros no seu próprio ritmo, baseando-se muito em suas impressões.

Linguagem — Talvez você o encontre conversando com um amigo invisível. Muitas crianças cancerianas têm sensibilidade psíquica e podem de fato estar conversando com a fada do jardim. Aceite isso como parte da vida, e ele vai compartilhar sua mais recente aventura alegremente com você. É um bom modo para desenvolver a habilidade linguística, além da imaginação maravilhosa e das habilidades psíquicas.

Aprendizagem — Agora, ele está começando a aprender o que dá certo e o que não dá. Ele se sente mais seguro e provavelmente não chora quando você muda alguma coisa na casa ou convida alguém estranho para tomar chá. Não chora mais por qualquer motivo; está começando a descobrir por que as coisas o aborrecem e a confiar em sua natureza sensível.

Socialização — Geralmente, prefere brincar quieto e sozinho em vez de se dedicar à vida social mais ativa da escola maternal. Ele não é lá muito extrovertido, mas pode desenvolver vínculos fortes com a professora e com os coleguinhas, que se tornam parte de sua família ampla. Quanto mais confiante ficar, mais à vontade vai se sentir — e mais mandão também! Os cancerianos gostam de manter o controle e podem se preocupar com aqueles que os rodeiam.

Lições para o canceriano crescer melhor: Mais do que para qualquer outro signo, uma vida doméstica feliz e bons relacionamentos com os pais, com amor e segurança, são importantes para a criança de Câncer, garantindo que ela se torne um adulto bem ajustado. Essas almas sensíveis precisam aprender a cuidar de seus amigos e irmãos e a repartir com eles sem se sentirem ameaçadas. Mesmo jovens, precisam de um canal para seus sentimentos fortes e sua dedicação ao próximo. Incentive seu bondoso canceriano a oferecer apoio e conforto aos outros. Conheço um garotinho de 3 anos que reúne todas as garrafas e latas usadas da casa (são grandes colecionadores) e faz com que sejam recicladas; ele guarda diligentemente as moedas que recebe para comprar um presente de Natal para seu vizinho, um senhor idoso que não consegue sair de casa. Um exemplo maravilhoso para todos nós!

DIÁRIO DO SEU BEBÊ DE CÂNCER

Bebê de Leão
de 22 de julho a 22 de agosto

É provável que, antes mesmo de nascer, o bebê de Leão faça sentir sua presença. O reizinho leonino é como o Sol. Ele irradia generosamente calor, alegria e entusiasmo para todos, esperando ser o centro do sistema solar! É extremamente adorável e ninguém deixa de sentir sua disposição ensolarada, quente, e de ouvir seu riso fácil. Você vai ter orgulho desse bebê adorável e adorado, e os outros vão se reunir em torno do carrinho dele. Ainda bebê, ele pode atrair um grupo de admiradores, uma tendência que persistirá ao longo de sua vida. Ele é gracioso e forte e atrai a atenção por conta da bela aparência.

Ele vai esperar ser o líder, e a liderança é algo natural para este signo imperial. Vai esperar que seus amigos, colegas de brincadeiras — e até você — o obedeçam. No entanto não será muito difícil. Sua postura de chefe tem um tom brincalhão, e você vai se divertir com sua personalidade gregária e seu charme exuberante.

Você já deve ter percebido que o bebê de Leão está fadado ao estrelato. Ele precisa brilhar e voar alto; precisa demonstrar o entusiasmo pela vida e a generosidade. Até agora, tudo parece perfeito, mas, como acontece com todos os signos, ele tem pontos fortes e fracos. Estes podem ficar bem escondidos graças ao ar autoritário e confiante que ele emana desde o momento em que torna conhecida sua presença. Entretanto são pontos fracos e, quando você arranha a superfície, eles aparecem aos trancos. É melhor ficar ciente da existência deles antes que, com seu encanto, ele tente convencer a todos de que é perfeito. Você pode ajudá-lo a voar mais alto ainda se conhecer suas fraquezas e seus pontos fortes.

Seu bebê de Leão pode ficar tão acostumado com a adoração, a lealdade e o apoio inquestionáveis que acaba crescendo pensando que o mundo é sua ostra. Que todos estão aqui para obedecê-lo. Ele pode ficar convencido, achando que é o mais importante. Sua tarefa consiste em garantir que o bebê de Leão seja um dia o líder talentoso, criativo, gregário, bondoso e generoso que, na verdade, ele é.

Essa tendência à arrogância é mais do que compensada por suas generosas demonstrações de alegria, amor e magnanimidade, tudo ao mesmo tempo. As pessoas ficam encantadas com o bebê leonino e deixam-no mandar à vontade. Ele vai transmitir tanto afeto e carinho aos amiguinhos que eles ficarão felizes sob a luz solar de Leão. Ame-o e adore-o, mas lembre-se sempre dessa característica. O bebê leonino vai buscar a luz dos holofotes, que é seu direito inato. Todavia, se ele começar a fazer cenas dramáticas para ganhar o centro do palco, cuidado. Embora não seja uma boa ideia abafar o entusiasmo natural de Leão, é bom introduzir a disciplina e o respeito desde cedo. Mais do que a maioria, ele vai buscar o poder. Você pode ensiná-lo que o poder vem pelo fato de ele ser uma boa pessoa, e não por importunar os outros ou querer se impor à força. Mas, se o vir brigando com os coleguinhas, não o deixe envergonhado gritando com ele ou mandando-o para o quarto.

Baxter tinha 3 anos e seus pais costumavam convidar todos os coleguinhas dele para tomar lanche e brincar. Uma das brincadeiras favoritas era a de hospital. Baxter era o médico e seu trabalho consistia em fazer com que os pacientes se sentissem confortáveis e que todas as enfermeiras e médicos trabalhassem direito. Era espantoso vê-lo em ação, organizando e informando os coleguinhas de seus papéis e atuando como o líder magnânimo. Ele divertia a todos, e ouviam-se risadinhas. Representando esse papel, Baxter estava aprendendo o valor de assumir a responsabilidade pelos outros e de ser equânime com todo mundo.

Outra coisa que os leoninos gostam de fazer é vestir roupas elegantes. Como atores naturais, sabem que a vida consiste em causar impressões. Não jogue fora suas plumas velhas, o capacete de bombeiro, a tiara de *strass* ou as bijuterias. Os leoninos podem se vestir com tudo que os diferencia do normal.

Se a necessidade inata dele de ser o espetáculo não for atendida, cuidado! O pai de Amanda, de 2 anos, teve de se trancar no banheiro para conseguir alguns momentos de sossego, pois ela não parava de exigir a atenção dele!

Uma coisa que nunca deve ser feita com o bebê leonino é deixá-lo envergonhado — especialmente na frente dos outros. O autorrespeito e o respeito pelos outros estão juntos em seu bebê de Leão. Ele precisa ser capaz de respeitar você, assim como você deve respeitá-lo.

Em seus primeiros anos, ele terá em você um modelo e pedirá sua orientação. Ele vai esperar encontrar nos pais sabedoria e maturidade, observando-os atentamente nos relacionamentos com outras pessoas. Se você tratar os demais com generosidade e consideração, ele vai se esforçar para seguir o exemplo.

Os leoninos podem ser majestosos, mas têm também um amor inato pela vida e pelas pessoas. Sua generosidade envolve o mundo e tudo que há nele. Ele não é egoísta nem mesquinho e pode doar seu mais precioso brinquedo ou objeto — só porque ele vive para doar. Não desestimule a generosidade dele, incentive-a.

Por conta do ego sensível, ele detesta ser ignorado ou deixado de lado. Porém o ensolarado bebê leonino não costuma se lamentar; ele só vai precisar de um bom abraço para tudo voltar a ficar bem. Se ele confia numa pessoa e a respeita, sempre vai desculpá-la, por pior que ela tenha sido. O leonino quer amar as pessoas; é seu estado natural. Ele pode perdoar e se esquecer de mesquinharias ou da maldade. Se você lhe ensinar que todos devem ser respeitados, independentemente da posição, *status*, idade, cor, credo ou nacionalidade, então esses valores vão formar a base da vida dele e manterão acesas as chamas do amor que fazem parte de sua natureza.

Como todos os nascidos sob signos de fogo, ele tem uma expressividade natural. Pode ser tagarela, sempre querendo compartilhar com você sua descoberta ou aventura mais recente. A vida será divertida com o bebê de Leão, e ele vai repartir seus abraços, seu afeto e seus sentimentos com você com a mesma presteza com que reparte os doces ou fala do novo amigo.

Estimule-o a pintar, a desenhar e a colorir, a cantar e a tocar algum instrumento, a dançar e a contar histórias. Ele adora fazer tudo em escala grandiosa; por isso, tenha à mão um bom estoque de folhas de papel — do maior tamanho possível! Você vai se impressionar com o talento artístico de seu leonino, e pode até se perguntar de onde vem essa criatividade. Aliás, a criatividade é a essência dele. Assim como Câncer se sintoniza com o mundo dos sentimentos, Leão se sintoniza com o mundo da criação. Se ele não tiver pendor artístico ou musical, não se preocupe: ele será criativo de outro modo. Quando bebê, Justin não tinha nenhum talento artístico aparente, mas cresceu e se tornou um inventor fantástico. Com 8 anos, inventou um jogo de tabuleiro que ganhou um concurso nacional e foi comprado por uma empresa multinacional.

O bebê de Leão vai brilhar como o Sol e iluminar toda a família. Você o verá feliz com o amor que recebe daqueles que o rodeiam, hoje e durante a vida dele. Vibrações positivas são como alimento para a alma do leonino. Mas se um bebê leonino recebe o amor e o afeto de que tanto precisa, seu apego profundo pela família fica mais forte, e ele pode ter dificuldade para se aventurar pelo mundo. Você pode ajudá-lo a vencer esse obstáculo quando chegar a hora de ir para a escola, mostrando-lhe que ele pode continuar a dar amor como presente para todos que ele conhecer. Se fizer isso, seu bebê leonino crescerá na plenitude do amor e terá gosto pela vida, com a capacidade de inspirar e de impressionar todas as pessoas que ele conhecer.

GUIA DE SOBREVIVÊNCIA DO SEU BEBÊ DE LEÃO

Do Nascimento ao Primeiro Ano

Alimentação — A primeira coisa a se lembrar com seu bebê leonino é que o mundo dele e o mundo em geral devem girar em torno de cada movimento, risada, babada e mastigação. Este pequeno ator em formação adora uma plateia. Você pode alimentá-lo nas primeiras horas da manhã, sonolento e semiacordado, mas ainda assim ele vai querer uma companhia animada!

Sono — O planeta que rege Leão é o Sol, e seu pequeno leonino vai se divertir com um passeio no parque em seu carrinho ou canguru numa bela tarde de verão. Ele vai gorgolejar e rir de alegria e em pouco tempo adormecerá enquanto os cálidos e revigorantes raios de sol (com moderação, claro!) aquietam sua alma.

Habilidade motora — O que motiva o bebê leonino é o desejo de interagir com os outros. No começo, isso aparecerá na forma de risos, sorrisos rápidos e cativantes, e leves movimentos de braços e pernas. Mais tarde, vai querer engatinhar até seu admirador mais próximo.

Linguagem — Este mesmo desejo de ser notado incentiva-o a querer ser ouvido e visto. Se ele não for o centro da atenção familiar, vai gritar e depois berrar — caso você permita — com frustração e autoridade. Assim que começar a falar, vai querer participar de todas as conversas.

Aprendizagem — Seu bebê de Leão aprende melhor quando tem uma plateia de admiradores. Observe-o e elogie-o quando ele conseguir segurar os pés ou erguer-se pela primeira vez, ou pronunciar sua primeira palavra, e ele irá repetir o feito com satisfação.

Socialização — Os leoninos são anfitriões natos. Gostam de pessoas e se deleitam com a atenção de admiradores adultos. Parecem se impressionar com as algaravias de outros bebês e respondem com risinhos e gargalhadas agradáveis. Todo mundo adora este pequenino, pois ele adora todo mundo. O que pode ser mais irresistível?

Um a Dois Anos

Alimentação — Ele está começando a se servir sozinho de comidas e bebidas. Ofereça-lhe utensílios para que possa fazê-lo e muitos elogios por seus esforços. Ele vai reagir bem à sua aprovação, terá prazer em experimentar novos alimentos e vai se divertir com as experiências.

Geralmente, as refeições serão uma atividade agradável, mas não serão necessariamente limpinhas ou organizadas!

Sono — Com sua vitalidade e humor, ele pode adormecer no meio da tarde. Se quiser, crie uma área macia dentro de casa, com travesseiros, colchonete e almofadas, para que ele tire um cochilo diurno.

Habilidade motora — Sua viagem ao mundo do cadeirão pode ser repleta de braços agitados ruidosamente. Ele vai se divertir como senhor da sala de jantar e daqueles que o rodeiam. Prepare-se, pois ele vai jogar comida com disposição e alegria do seu trono poderoso. Cubra o tapete com jornais porque a coisa pode ficar bem bagunçada.

Linguagem — Assim que aprender a falar, ele vai aprender a tomar conta do ambiente com seu jeito imperial. Lembre-se de que ele é o "mandachuva" e tudo sairá bem. Em vez de tentar dar-lhe ordens, dê-lhe opções. Será bem melhor para todos os envolvidos.

Aprendizagem — Ele vai aprender se sua atenção for conquistada. Como todos os signos de fogo, ele se entedia com facilidade, e, como é teatral, adora um drama. Na hora de dormir, faça com que suas histórias sejam repletas de dragões e castelos mágicos, cores e aventuras, e ele vai se encantar.

Socialização — Como seu bebê leonino é excelente na arte de entreter, ele precisa de um público. Ele é ótimo imitador e adora fazer você e quem mais estiver por perto rirem com suas micagens. É a vida e a alma da festa.

Dois a Três Anos

Alimentação — Estas crianças adoram uma diversão. Transforme a hora da refeição em um momento alegre e gregário, e ele vai aproveitá-la imensamente. Ele faz tudo com gosto e entusiasmo e gosta de comer. Preste atenção no que ele comeu e não deixe de lhe dizer como comeu bem.

Sono — Ele tem muita energia e vitalidade e sai correndo antes que você consiga pegá-lo para ir para a cama. Dormir não é sua atividade predileta, então será interessante brincar de faz de conta, dizendo que o quarto dele é um castelo. Ele vai lhe pedir para ajudá-lo a se aprontar e vai gostar muito de ver a família à porta para dizer boa-noite e dar-lhe um beijinho antes de dormir.

Habilidade motora — Talvez ele não tenha paciência para amarrar o sapato. Ele não se preocupa com detalhes. No entanto é atlético e vai gostar de correr pela casa para mostrar como ele é veloz e bonito.

Linguagem — Seu leonino é um ótimo comunicador. A menos que a Lua esteja num signo mais conservador, ele vai lhe contar detalhadamente como foi o seu dia, bem como seus planos para amanhã. A linguagem dele é rica e pitoresca, cheia de pontos de exclamação e gestos teatrais.

Aprendizagem — A aprendizagem precisa ser divertida para seu pequeno leonino. Ele está determinado a se divertir ao máximo e, se ficar entediado com o grupo de colegas, não vai aprender muita coisa. Talvez seja interessante dar-lhe um bichinho de estimação. Será bom para esta criança cuidar de outra coisa viva, pois isso irá ajudá-la a aprender lições como atenção e compartilhamento, essenciais para o crescimento saudável.

Socialização — Nesta idade, ele vai precisar muito ouvir que é tão amado quanto seus irmãos e que você gosta mais dele do que de qualquer outro coleguinha. Ele pode perguntar com frequência se você o ama e às vezes pode até dizer "Hoje eu não amo você" só para ver sua reação. Ele precisa sempre saber que é amado. A insegurança pode atormentar a vida do leonino de tempos em tempos, e é um motivo pelo qual ele procura ser bom no que faz — porque assim todos vão admirá-lo.

Lições para o leonino crescer melhor: Seu leonino precisa aprender que ele não é o centro do universo e que as outras pessoas também precisam desabrochar, crescer e expressar seu poder. Você pode vê-lo no centro de um grupo de coleguinhas comandando a turma. Ele deve aprender a lidar com o poder de maneira responsável desde cedo. Ensine-lhe o valor das outras pessoas e mostre-lhe os talentos delas. Incentive-o a compartilhar o palco com elas, e você irá ajudá-lo a se tornar um filantropo e líder generoso e amável, que são seus direitos inatos.

DIÁRIO DO SEU BEBÊ DE LEÃO

Bebê de Virgem
de 23 de agosto a 22 de setembro

Tudo que você ouviu no passado sobre as crianças de Virgem — que elas são meticulosas, reservadas e seletivas — é verdade. Todavia elas não devem ser subestimadas. Seu bebê de Virgem pode ficar mais preocupado com a fralda suja ou com os dedos melados do que a maioria das crianças, mas por trás disso há um coração de ouro. Desde o início, seu precioso bebê de Virgem vai precisar de todos os incentivos e elogios que puder receber. Ao contrário das crianças de Leão, é pouco provável que fique convencido. Ele nasceu modesto e humilde. Neste mundo, onde brilho e fama são confundidos com grandeza, as virtudes dele são preciosas, mas podem ser menosprezadas facilmente.

Você terá uma tarefa desafiadora como progenitor ou guardião de um bebê de Virgem. Porém seus esforços podem produzir um gênio que se destacará em qualquer atividade à qual dedicar seu intelecto considerável e sua capacidade prática superior.

Ele é naturalmente reservado e tímido, e pode ser difícil aproximar-se dele. Porém, depois que conhece alguém, é a criança mais atenciosa, bondosa e prestativa que se poderia encontrar. Embora não tenha a natureza amistosa e aberta de muitas outras crianças, pode se revelar como a companhia mais leal. Talvez não apareça de repente berrando "Estou com fome!" e nem conte o que ele comeu no almoço, o que o coleguinha disse ou o que o professor fez, mas vai compartilhar a lição de casa com você e conversar de forma inteligente assim que souber falar direito.

Em alguns momentos, quando estiver em casa com seu bebê virginiano, talvez você tenha a nítida sensação de que ele está examinando e analisando você por dentro e por fora. Conheço uma menina de Virgem, Emma Jane, que dava notas para tudo que ela e sua mãe faziam. Se a mãe preparasse uma refeição deliciosa, ela pegava o caderno e dava sua nota. Se a refeição seguinte fosse um desastre, Emma Jane dava uma olhada no caderno com o cenho franzido e anunciava à mãe que, apesar de poder dar a ela apenas uma nota 2 (num total de 10) para aquele jantar, na terça-feira anterior a nota havia sido um 9. À sua maneira virginiana, detalhista, mas bondosa, ela estava tentando fazer com que sua mãe se sentisse melhor!

A vida pode ser opressiva para seu virginiano, pois ele sente a necessidade de analisar e de compreender todos os detalhes cotidianos. Suas listas e notas intermináveis dão-lhe uma estrutura sólida sobre a qual ele baseia cada dia. Assim que começar a rabiscar palavras numa folha de papel, providencie-lhe cadernos e muitos lápis coloridos, apontador, régua e canetas. São ferramentas que ele usará pelo resto da vida. Fazendo isso, você vai ajudar essa criança tensa a relaxar um pouco e vai auxiliá-la a se tornar o signo mais eficiente do Zodíaco quando for adulta. Se ele não tiver as ferramentas de que precisa ou não for estimulado a manter suas listas e contas, o amor que ele sente pelos detalhes pode fugir ao controle e dominar esta bebê sensível.

A mãe de uma menininha de Virgem que conheço sempre pede à filha que a ajude a preparar a lista de compras da semana. Fico espantada ao ver Carolyn sentada calmamente com seu caderninho, desenhando imagens de sorvete de cereja ou abrindo os armários da cozinha para ver se o estoque de refrigerante está em dia. Ela adora ajudar em tarefas como essa. Os virginianos não são preguiçosos, e despendem uma energia imensa ajudando altruisticamente outras pessoas. Mais tarde, isso se tornará uma qualidade realmente espiritual se for cultivada corretamente na infância.

Elogie constantemente sua criança virginiana por ajudar você e por seus excelentes esforços. Nunca desconsidere o que ela faz. Repare como ela desenha com capricho e demonstre sua admiração. Ela vai prestar atenção em tudo que a cerca; preste atenção nela também. Ela vai considerar este gesto um cumprimento e tanto, o que vai elevar a confiança e o humor dela, e seus elogios bem ponderados farão com que ela desabroche.

Infelizmente, seu bebê de Virgem pode achar que não é muito querido ou tido em alta consideração. Diferentemente do bebê de Leão, ele não espera ser o centro das atenções ou a criança mais popular da escola. Ele é imbuído de uma modéstia intensa e sincera, e por isso pode achar que não é nada especial. Se você não prestar atenção nisso, a confiança dele pode ser inferior ao que deveria ser quando ele crescer. Ele poderia, sem discutir, assumir posições subalternas na vida e fazer todas as tarefas monótonas que os outros rejeitam. Estimule sua autoestima e canalize sua evidente inteligência para atividades criativas.

O bebê de Virgem pode se tornar um escritor talentoso, por exemplo. Ele presta atenção em todos os detalhes, tem uma compreensão e um domínio inatos da linguagem e consegue produzir um ensaio bem escrito e organizado. Essa habilidade natural deve ser estimulada, juntamente com os outros talentos que ele apresentar.

Embora o virginiano possa ser talentoso e brilhante em toda espécie de tarefa, a autocrítica intensa pode fazer com que ele desista com muita facilidade. Às vezes, ele pode abrir mão de fazer alguma coisa antes mesmo de tentar, por medo de falhar. Incentive-o a descobrir como as coisas funcionam antes de ele tentar — seja o ato de amarrar os tênis ou de ajustar um cinto. É muito importante que ele tenha sucesso em tudo que fizer. Quando conseguir, elogie-o por sua destreza (e explique o que significa esta palavra; ela adora palavras difíceis).

Quando você levar seu virginiano para a escola maternal pela primeira vez, ele não vai correr até a professora para declarar ousadamente sua identidade (a menos que tenha a Lua em Áries!). Como ele costuma ser esguio e ágil, pode tentar desaparecer na multidão ou responder para a professora com um murmúrio tímido. Entretanto, depois que conhecer a professora melhor, vai falar pelos cotovelos caso queira, pois ele é regido pelo planeta Mercúrio. Porém, apesar de seu jeito reservado, a professora nunca deve subestimar esta criança astuta. Ela pode se revelar como a mais brilhante e a melhor da classe, uma criança que presta atenção em vez de ficar conversando ou rindo pelos cantos.

Embora você precise ajudar seu bebê de Virgem a relaxar e se divertir, não faça pouco da sua constante busca pela perfeição. Isso faz parte da essência dele, mesmo na infância. Ele terá muita energia, mas não será o mesmo tipo de energia que tem o exuberante leonino ou o voluntarioso ariano. Será uma energia dedicada às coisas práticas. Todas as crianças odeiam fazer as lições de casa — menos as de Virgem. Sugerir-lhe que faça pequenas tarefas domésticas vai ajudá-lo bastante. Mostre-lhe como pôr a mesa e como trocar as fraldas do irmãozinho. Você vai se surpreender com os resultados. Sua afinidade com o trabalho e a atenção aos detalhes tornam-no um assistente valioso. Acima de tudo, vai se sentir útil, o que é muito importante para esta criança.

Pessoas de Virgem são ótimas enfermeiras. Até seu bebê tem um toque curativo. Se você tiver uma dor de cabeça, peça a ele para pôr a mão sobre sua testa. Você vai se sentir melhor na mesma hora, pois não apenas ele vai se preocupar com a dor de cabeça, como tem um toque calmante que pode ajudar a fazer com que o mundo pareça mais ameno. Ele deseja mesmo ver os resultados palpáveis daquilo que faz. Se vir você sofrendo, fará tudo que estiver ao seu alcance para que você melhore. Para os virginianos, é simples assim.

Você pode começar a achar que seu virginiano é bem maduro para a idade que tem. Ele quer que você converse com ele como se ele fosse adulto, dando-lhe todos os detalhes. Quer ajudar você e fará tudo com o melhor de suas capacidades. Entretanto não se esqueça de que ele é uma criança. Tal como qualquer criança, precisa tomar sol e de brincadeiras, talvez mais do que a maioria. Esta criança costuma ser tensa e precisa de bastante relaxamento em sua rotina diária. Além de aulas de balé, de piano e de ginástica, é importante que faça viagens regulares ao campo. A natureza é boa para crianças desse signo de Terra. A grama verde e as árvores alimentam sua alma e a nutrem. Ajudam sua mente ativa a se desligar e fazem com que a tensão diminua. Além disso, procure dar-lhe alimentos saudáveis desde cedo. Refrigerantes e comida industrializada não são bons para ele; ele pode ficar com a saúde instável se não for orientado adequadamente desde cedo.

Apesar de gostar de ser organizado e de ajudar na casa, o jovem virginiano nunca parece chegar aonde deseja e costuma se perder numa miríade infindável de detalhes. Jackson deixa os pais malucos com suas pilhas de brinquedos. Eles as chamam de caos organizado. Pelo menos, Jackson sabe onde estão as coisas. Seus pais não ousam entrar no quarto dele e não mudam nada de lugar por temerem criar problemas. As pilhas de pedaços de papel com arco-íris, casas e pessoas-palito significam alguma coisa e são muito importantes para Jackson.

Basta dar ao seu bebê de Virgem muito amor e elogios; incentive-o quando ele estiver aborrecido; ensine-o a ajudar os outros e a se interessar por eles, e esse virginiano vai crescer e se tornar uma das pessoas mais bondosas, atenciosas e talentosas que você poderia imaginar.

GUIA DE SOBREVIVÊNCIA DO SEU BEBÊ DE VIRGEM

Do Nascimento ao Primeiro Ano

Alimentação — Embora seu bebê de Virgem possa valer ouro, os três primeiros meses podem ser complicados, pois talvez ele tenha cólicas ou alergias. Este é um bebê bem sensível.

Sono — Talvez seu bebê virginiano não durma muito bem: pode ser que você tenha de balançar o berço por um bom tempo até ele pegar no sono. Saiba que qualquer barulhinho pode acordá-lo, como uma porta que range ou os latidos de um cachorro a quarteirões de distância.

Habilidade motora — Esta criança tem um toque delicado. Observe-a quando lhe der um biscoito que ela precise morder. Em vez de esfarelá-lo com os dedos, vai lambê-lo delicadamente, como se estivesse tentando descobrir o seu gosto antes de decidir-se a comê-lo. Ela lida com a vida da mesma forma. Ela também gosta de coisas que pode manusear como alças de berço, aldravas, sinos e cordões de contas.

Linguagem — Não economize a conversa. Como o bebê de Gêmeos, este é regido pelo planeta da comunicação, Mercúrio, e adora a linguagem. Conversando suavemente com seu bebê virginiano, você poderá ajudá-lo a superar parte de sua resistência aos alimentos que você está tentando fazê-lo comer, mas que o paladar exigente dele não aprecia.

Aprendizagem — Seu bebê virginiano parece observar tudo cuidadosamente — até com suspeitas, poderíamos dizer — e pode resistir a seus esforços para brincar com as mãos e os pés dela. É como se estivesse querendo entender o mundo completamente antes de se envolver com ele. Os virginianos precisam de tanto estímulo quanto os outros bebês; dê-lhe algum tempo para se habituar.

Socialização — Esta criança é seletiva com tudo, inclusive com as pessoas. Se deixarem algum estranho observá-la muito de perto, ela pode ficar aflita durante algum tempo.

Um a Dois Anos

Alimentação — Ele tende a ser ansioso; portanto, crie uma base "segura" a partir da qual ele possa explorar novos alimentos e sabores. Ofereça-lhe cenoura e maçã como sobremesa. Ele vai ficar feliz com a oportunidade de tomar decisões, mas dê-lhe bastante apoio e incentivo, pois ele não tem muita confiança.

Sono — Se vocês estiverem em férias ou se o seu bebê estiver dormindo num berço diferente, ele poderá ter dificuldade para pegar no sono, pois gosta da rotina. Esta lhe dá uma sensação de segurança. No mínimo, procure fazer com que a rotina da hora de dormir seja mantida, pois isso já vai ajudar.

Habilidade motora — Esta é uma combinação entre inteligência e a capacidade de aprender rapidamente, somada a certa hesitação e insegurança. Ele pode parecer mais lento do que as outras crianças em seu desenvolvimento geral. Dê-lhe bastante apoio e ele se sairá bem. Ele é um pouco irrequieto e pode se remexer e se retorcer quando você tentar segurá-lo.

Linguagem — Provavelmente, seu pequeno virginiano está começando a se interessar pela linguagem e a aprender o nome das coisas, algo que ele manterá por toda a vida. Vai gostar que leiam para ele e vai adorar ajudar você a virar as páginas. Os livros de que mais gosta são os que têm muitas figuras bonitas.

Aprendizagem — Esta criança aprende através da exploração. Crianças deste signo regido por Mercúrio são questionadoras e exploram não apenas mentalmente, como, na prática, investigam todos os armários e esconderijos da casa.

Socialização — Ele pode ser um pouco tímido e inseguro perto de outras pessoas. A humildade faz parte da natureza virginiana, e ele pode se cobrar muito, mesmo nessa idade. O segredo está em não pressioná-lo em coisas como o uso do penico; faça elogios e a incentive por seus esforços.

Dois a Três Anos

Alimentação — A criança virginiana é naturalmente modesta; se lhe oferecer uma refeição opulenta, ela pode se assustar com o tamanho do prato e se sentir culpada se não conseguir comer tudo. Este pequenino prefere porções saborosas a grandes refeições. Incentiva-o a mastigar bastante a comida e a se concentrar tranquilamente naquilo que está comendo. Ele gosta de alimentos saudáveis e é sensível a qualquer coisa que não esteja bem fresca.

Sono — Ele pode ser a criança mais desmazelada da Terra, mas gosta que seu quarto esteja bem arrumado para dormir. Estimule-o a manter o quarto limpo e arrumado e mostre para ele a importância de um ambiente organizado.

Habilidade motora — Seu pequeno virginiano está ganhando muita destreza. Ele pode se mostrar brilhante ao montar quebra-cabeças, para compreender jogos complicados e instalar móveis na casa de bonecas. Ele adora colocar tudo em ordem, separando as roupas das bonecas nas gavetas etc. Desafie sua habilidade dando-lhe vários jogos estimulantes e um ambiente interessante, como um quarto repleto de gavetas e armários.

Linguagem — Não se surpreenda se encontrar seu bebê sentado num canto, conversando sozinho. Suas conversas podem ser bastante longas e complexas, como se ele estivesse tentando organizar as coisas em sua mente. Muitas crianças têm dificuldade para aprender a ler as horas nessa idade, mas a criança virginiana é interessada e você pode começar dizendo que horas são.

Aprendizagem — Mesmo nesta idade, ele gosta de ordem e rotina e aprende melhor num ambiente assim. Tente proporcionar isso a ele ou, se sua rotina estiver prestes a ser alterada, avise-o com bastante antecedência. Se estiver sujeito a mudanças constantes, pode ficar tenso e nervoso, chegando até a "bloquear" a capacidade de aprender. Se a vida dele estiver organizada, ele vai brilhar de verdade.

Socialização — Ele gosta de manter uma boa imagem quando está com outras pessoas, e é raro encontrar esse belo garotinho com bigode de chocolate ou com a blusa suja. Ele não faz amizades com facilidade na escola, mas é leal a seus amigos especiais. Apesar de não estar sempre disposto a participar de atividades em grupo, provavelmente será o queridinho da professora. É um amorzinho: sempre bondoso, meigo e atencioso.

Lições para o virginiano crescer melhor: Você vai precisar ajudar seu virginiano a aliviar a pressão sobre si mesmo. Ele é responsável, especialmente consigo mesmo. Tende ainda a criticar os outros só porque percebe os menores detalhes. Definitivamente, é preciso enfatizar seus sucessos, e não seus fracassos. Ele conhece muito bem suas falhas e não precisa que o lembrem delas — especialmente em público. Ele também precisa saber que aprender tentando é mais importante do que conseguir resultados perfeitos. Você pode lhe contar histórias a respeito disso para que ele veja que você está falando sério e não está só falando por falar. Ele vai perceber se você estiver dizendo coisas só para que ele se sinta melhor. Não é fácil enganá-lo. Ele é inteligente, esperto e detalhista, e vai exigir o melhor de você! Gosta de ajudar as pessoas, uma virtude maravilhosa que deve ser estimulada. Além disso, incentive-o a gostar de si mesmo de maneira saudável.

DIÁRIO DO SEU BEBÊ DE VIRGEM

Bebê de Libra
de 23 de setembro a 22 de outubro

Seu bebê de Libra adora o fato de ser amado. Apesar de nunca vir a ter problemas com sua boa aparência, suas maneiras elegantes e seu encanto, para ele a popularidade será uma preocupação vitalícia. Algumas das primeiras palavras que ele pode dizer são "Você gosta de mim?". Libra é o signo dos relacionamentos. Os librianos estão sempre procurando o equilíbrio com outra pessoa e funcionam melhor em parcerias e equipes. Libra é o signo oposto a Áries, e enquanto os arianos adoram competir e vencer, os librianos buscam a cooperação e a aprovação da equipe. Se Áries se irrita quando a mamãe ajeita suas roupas, acreditando que só ele deve fazer isso, seu bebê de Libra vai sorrir enquanto você arruma a camisa dele.

Desde cedo, você vai perceber que seu pequeno libriano é sensível e sintonizado com aquilo que a família e os coleguinhas querem. Ele é alegre e amigável e consegue realçar o que os outros têm de melhor. Enquanto Áries põe uma tachinha na cadeira da professora, Libra é o favorito dela. Raramente este bebê de temperamento suave e natureza afável precisará levar uma bronca; os outros pais vão olhar com inveja para as roupas impecáveis e os modos refinados do seu bebê.

Evite, se possível, discussões em casa. Seu pequeno libriano pode ser muito afetado por elas e, assim que puder, vai agir como mediador para toda a família. Acima de qualquer coisa, ele busca a harmonia e vai se esforçar para consegui-la a todo custo. Se você costuma discutir, nasceu num signo de fogo e gosta de uma conversa mais animada ou de uma batalha verbal de vez em quando, procure evitar argumentações perto do bebê de Libra. Sentimentos negativos o perturbam, e ele pode achar que foi a causa deles. Ele vai dizer que vocês devem ser bonzinhos, e haverá uma expressão de tristeza no semblante dele se você discutir por causa do banho ou por outra coisa de pouca importância.

Seu libriano é um ser sociável e vai se sentir à vontade com um amiguinho ou em grupo. Ele vai gostar de ir à escola e se divertirá organizando jogos e reuniões. Outras crianças podem ficar entretidas com seus brinquedos durante horas, mas seu bebê de Libra não ficará contente com isso. Seu maior talento é o de árbitro ou mediador. Ele precisa de outras pessoas para fazer isso, mas, enquanto ele for pequeno, seus brinquedos servirão muito bem. Você vai rir ao vê-lo organizando seus soldadinhos de chumbo, seus ursinhos e todos que ele puder encontrar em torno da mesa da cozinha para tomarem um lanche. Ele será um anfitrião encantador, conversando com todo mundo e oferecendo sucos e bolos. Se você quiser participar, ele vai ficar muito feliz e pedirá educadamente aos outros convidados que lhe deem espaço para se sentar.

A esta altura, você deve estar pensando que seu bebê libriano é praticamente perfeito. Mas, como todos os outros signos, há alguns aspectos nos quais você pode ajudá-lo. Ele ama a harmonia tanto quanto detesta conflitos. Embora não seja frágil, simplesmente não consegue ver discussões. Não é a pessoa que defenderá aquilo que considera certo independentemente da opinião pública. Ele pode até estar disposto a chegar a um meio-termo em vez de enfrentar você em combate aberto. E esse pode ser seu maior problema. "Se ao menos não dissesse sim todas as vezes que lhe peço para fazer alguma coisa", reclamou uma mãe, "eu poderia lidar melhor com sua resistência. Pelo menos, saberia de cara que eu mesma teria de fazer a coisa, em vez de descobrir isso uma hora depois, sem que nada tenha sido feito".

Os librianos só querem agradar, e ele vai se acomodar com a aparente flexibilidade em vez de enfrentar você. Ele pode chegar a ser tolerante demais. Pode envergar como bambu para agradar, em vez de dizer abertamente aquilo que realmente deseja ou precisa.

A imagem superficial de conciliação costuma ocultar a forte determinação para que as coisas saiam ao seu modo. No entanto ele prefere fazer tudo com diplomacia em vez de admitir seus desejos.

Mimi é libriana e Sadie é ariana. Sadie vê o doce na mesa, fica bem na frente dele e berra até você lhe dar um pedaço, pelo menos para que ela fique quieta. Mimi fica sentada em seu cadeirão e gorgoleja, arrulha e sorri de tal maneira que você não consegue resistir e põe um pedaço de doce na boca dele. Os librianos trabalham segundo o princípio da atração. Nem sempre revelam o que querem, mas certamente sabem como consegui-lo.

Seu jeitinho delicado e doce impressiona todo mundo, menos os mais observadores. Só algumas pessoas percebem a firme determinação e a força por trás dele. Talvez ele não seja o melhor aluno da classe e tenda a ser preguiçoso, mas, apesar disso, seus boletins serão muito bons.

Se o seu virginiano gosta das tarefas domésticas, não espere que o pequeno libriano siga esse modelo. Ele prefere servir um chá para seus brinquedos enquanto os demais limpam a casa. Transpirar e trabalhos cansativos não lhe agradam.

Ele nasceu com um interesse pela natureza humana e aprenderá rapidamente a melhor maneira de controlar você com o dedo mínimo. Quando você diz não pela última vez, ele não bate os pés e grita. Faz beicinho e sorri com seus olhos bem abertos e diz, de modo encantador: "Por favor, pode brincar comigo só mais uma vez, por favor, mamãe, eu gostaria muito". Como você pode resistir a esses pedidos encantadores? Ele sabe como enternecer seu coração e fazer você voltar atrás em suas decisões e vai usar essa técnica ao longo da vida, o que lhe granjeará a descrição de "punho de ferro em luva de veludo".

No entanto, apesar da força, da inteligência e do charme, a maior dificuldade de seu bebê libriano será aprender a se decidir. Como Gêmeos, seu colega do elemento Ar, ele conhece bem a variedade de oportunidades e de desafios que a vida apresenta. Ele os acolhe e oscila entre o quente e o frio, incapaz de tomar uma decisão.

Este é um de seus maiores desafios, e você pode ajudá-lo desde cedo. Como ele tem dificuldade, para fazer escolhas, prefere não fazer nenhuma, e, como não se decide, simplesmente não age. É por isso que às vezes você encontra o talentoso e charmoso libriano nas arestas da vida, enquanto seus amiguinhos de signos mais focados estão na frente, extraindo o melhor daquilo que a vida lhes proporciona.

Essa oscilação entre quente e frio e entre uma coisa e outra pode enfurecer os pais. Todavia, comece oferecendo a ele opções simples como a cor da camiseta e seja paciente enquanto ele faz suas escolhas. Pode ser interessante se afastar enquanto ele decide, e quando ele aparecer (o que pode demorar um bocado!) com a camiseta verde, felicite-o pela escolha. Se o tempo for escasso, então a melhor opção será decidir por ele, mas não faça disso um hábito. Pode facilitar a sua vida, mas ele precisa aprender a tomar decisões, e quanto antes ele começar, melhor! Além disso, incentive-o a dar prosseguimento às coisas, em vez de desistir no meio do caminho só porque não consegue decidir o que vai fazer em seguida.

Minha amiga encontrou sua libriana de 2 anos e meio, Annie, sentada no quarto, cercada por seus brinquedos e com lágrimas escorrendo pelo rosto. Quando lhe perguntou o que tinha acontecido, ela disse que não sabia se deveria levar Pinkie (sua elefanta predileta) para o cercadinho com os outros animais ou se ela deveria dormir com as bonecas, como costumava fazer. Isso porque seu tio comentou, em tom de gracejo, que achava que Pinkie preferiria ficar com os outros animais. Ela ficou completamente arrasada com o comentário e não conseguia decidir o caminho a seguir. Felizmente, sendo comunicativa por natureza, ela compartilhou o problema a sua mãe, e juntas encontraram uma solução razoável.

Seu bebê libriano sempre será tolerante, e, discutindo os problemas com ele, quase sempre vocês vão encontrar soluções. A solução, no caso de Annie, foi deixar Pinkie com os outros animais à noite, mas permitir que ela brincasse com as bonecas de dia! Uma solução libriana típica é encontrar o melhor dos dois lados.

Ele vai gostar de ser justo, e mesmo quando se mostrar exigente, você pode fazê-lo parar apelando para seu senso de justiça inato. Tente fazê-lo entender as consequências de suas ações. Quando ele pegar os brinquedos do amigo, explique-lhe por que isso não é justo, e ele vai devolvê-los imediatamente. Ele não gosta de ser visto como uma pessoa injusta, mesmo nessa idade.

Assim como seu bebê libriano nasceu com o desejo da harmonia em suas amizades, nasceu com o desejo da harmonia em seu ambiente físico. Esse senso de harmonia também é um senso estético. Confusões emocionais perturbam a sensibilidade equilibrada dele tanto quanto um ambiente bagunçado. Embora goste de ter belos brinquedos e roupas bonitas, não gosta quando as coisas começam a se acumular no quarto. Mesmo não sendo meticuloso ou exigente como os virginianos, seu senso estético é forte e ele percebe instintivamente aquilo que parece bom.

Uma pequena libriana que conheço, Nova, tem dezenas de bonecas com centenas de roupinhas de todas as cores e todos os estilos. Ela se sente à vontade vestindo as bonecas durante horas, experimentando estilos e cores. A combinação adequada de cores e de trajes é muito importante para ela. Nova gosta quando algum adulto aprova suas experiências estilísticas e lhe diz como ela é esperta! Ela gosta da harmonia repousante da música e da dança, assim como gosta da harmonia das cores.

GUIA DE SOBREVIVÊNCIA DO SEU BEBÊ DE LIBRA

Do Nascimento ao Primeiro Ano

Alimentação — Provavelmente, seu bebê libriano não vai se entusiasmar quando ingerir alimentos sólidos pela primeira vez, mas brinque com ele e você vai ganhar um sorriso. Ele adora quando brincam com ele, não importa o que esteja fazendo. Mesmo que ele jogue calda de chocolate nos pais, sempre vai encantá-los, e acharão que ele é perfeito. Com 1 ano, seu bebê de Libra pode preferir que lhe deem comida em vez de se servir sozinho. É que ele gosta da interação, e será mais fácil se você lhe der a comida. Mais tarde, ele vai segurar alegremente a colher, mas aí o desafio será fazê-lo comer!

Sono — Ele vai gorgolejar, arrulhar e se esbaldar na banheira, mas dormir para ele não é tão empolgante, pois ele ainda não gosta de ficar sozinho. Sorria para ele e embale-o suavemente, preste atenção nele e ele vai acabar adormecendo todo feliz. Mas quando ele acordar à noite e perceber que você não está lá... será outra história.

Habilidade motora — Seu bebê libriano é uma pessoa que gosta de pessoas. Ele pode começar a engatinhar com 9 ou 10 meses ao ver você desaparecendo de vista, como se dissesse: "Ei, estou aqui, espere por mim!".

Linguagem — A linguagem não verbal deste bebê pode ser muito poderosa. Ele pode gritar ou murmurar coisas para chamar a sua atenção, e vai conseguir. Ele pode começar a se comunicar desde cedo porque parece compreender instintivamente seu papel de embaixador, de diplomata e de pessoa encantadora.

Aprendizagem — Seu bebê libriano aprende rapidamente a "ler" suas palavras, seus gestos e suas expressões faciais. Cada vez mais, ele irá olhar para você e pausar para analisar suas reações antes de fazer qualquer coisa. Para ele, a aprovação é uma segunda natureza.

Socialização — Um modo de mantê-lo quieto é dar-lhe um espelho. Uma cliente minha, Astrid, estava preocupada porque achava que sua filha libriana, Diana, mais tarde se tornaria fútil, pois, quando bebê, ela adorava ver seu reflexo no espelho. Eu lhe disse que isso era uma coisa normal: com um espelho, ninguém fica sozinho!

Um a Dois Anos

Alimentação — Ele adora ser aprovado e busca sempre a harmonia. Mesmo bebê, quer que as refeições sejam eventos sociais harmônicos. Incentive-o e diga-lhe que todos gostam muito quando ele come direitinho.

Sono — Ele vai conseguir dormir na hora, pois não gosta de ser desobediente. Gosta de agradar a todos e de mantê-los felizes.

Habilidade motora — Por volta dos 18 meses, talvez você encontre seu bebê libriano dançando feliz sozinho ao som de alguma música. Ele também gosta de brincadeiras com adultos e com crianças mais velhas. Uma das favoritas pode ser esconde-esconde.

Linguagem — Aprender a falar é um desafio e tanto para seu pequeno ser sociável. Ele detesta ficar sozinho, e em pouco tempo você verá que o pedido dele de beijos ou de um copo de água significa que ele sente a sua falta. Por isso, ele pode ficar particularmente tagarela na hora de dormir.

Aprendizagem — Ele está começando a aprender observando outras pessoas. Você pode mostrar como funciona determinado brinquedo, soprando um apito ou enfiando um pino num buraco. Mesmo que seu pequeno libriano não repita a ação imediatamente, ele pode repeti-la mais tarde, no mesmo dia ou na mesma semana.

Socialização — Brincar também é uma atividade social para seu bebê libriano, e ele vai gostar da sua participação. Dê-lhe papel e giz de cera. Ele tem habilidade com as cores e, embora ainda não seja um artista promissor, vai se divertir com isso. Admire seus trabalhos e verifique se ele não está saboreando suas ferramentas! Até nessa idade, os librianos gostam de pessoas. Sabrina adorava olhar as fotos antigas dos parentes para tentar identificar quem eles eram.

Dois a Três Anos

Alimentação — Ele vai apreciar se você puser a mesa com uma toalha bonita e pratos elegantes e pode gostar de ajudar a colocar as coisas no lugar certo. Provavelmente, vai querer comer onde os outros comem, por isso não cometa o erro de dizer que algo não ficou muito bom. De repente, ele pode perder o interesse pela comida.

Sono — Embora seja fácil para dormir, se estiver entretido com um jogo, vai ser difícil convencê-lo. Tente uma negociação. Os librianos têm uma compreensão instintiva do poder da negociação para se chegar a um meio-termo. Tente algo como "Se você terminar o seu jogo e for dormir agora, eu leio a sua história predileta".

Habilidade motora — O terceiro ano de vida do seu libriano será bem ativo, tanto física quanto verbalmente. A habilidade motora dele aumentará drasticamente, e ele vai gostar particularmente de brincadeiras de faz de conta ou com amigos imaginários. Evita ficava sentada durante horas no quintal brincando com as fadas. Como eu acredito piamente no mundo das fadas, não descartei sua brincadeira como "pura imaginação", mas incentivei-a a brincar, assim como a mãe dela. Mais tarde, Evita se tornou uma sensitiva e nunca perdeu sua capacidade natural de enxergar além do mundo físico.

Linguagem — A vida doméstica com seu pequeno libriano nunca está livre de estresse. Como o bebê geminiano, ele pode ficar falando sem parar sobre as decisões diárias e sobre o caminho a seguir. Você pode se surpreender com a destreza verbal dele enquanto ele analisa os prós e contras dos palitinhos de peixe *versus* o quiche. Entretanto talvez seja preciso levá-lo a tomar uma decisão. Ele está praticando para o momento em que terá de sopesar os dois lados de uma questão, mas a capacidade dele de tomada de decisões vai precisar claramente de um aperfeiçoamento!

Aprendizagem — Música, cor, luz e forma interessam este pequeno artista em formação. Enquanto você tem dificuldades para afastar os irmãos dele da televisão, pode levar o libriano para fora de casa e mostrar-lhe coisas da natureza, e ele vai gostar muito. Até mesmo coisas razoavelmente sutis, como o jogo dos raios de sol nas gotas de orvalho pela manhã, vão fascinar esta criança sensível.

Socialização — Seu pequeno libriano pode gostar de brincar em grupo e aprende etiqueta rapidamente, respondendo com educação à professora e imitando-a com elegância. Mesmo não sendo tão encantador com os amiguinhos, um dia você poderá perceber que ele está começando a compartilhar os brinquedos. Apesar da idade, ele vai assumir um papel de mediador em seu grupo quando os colegas estiverem discutindo.

Lições para o libriano crescer melhor: Se você pudesse resumir numa única palavra os desejos do seu bebê libriano, poderia usar a palavra *equilíbrio*. Graça, charme, harmonia e o desejo de agradar são atributos maravilhosos. Você pode ajudá-lo muito ensinando que a coragem é tão importante quanto a harmonia, e que a verdade é tão essencial quanto a equidade. Incentive-o a se manter fiel ao seu senso de justiça, a levar em consideração os outros quando as coisas não saem como ele espera e a expressar abertamente seus desejos, e ele vai se desenvolver e se tornar a pessoa maravilhosa que de fato é.

DIÁRIO DO SEU BEBÊ DE LIBRA

Bebê de Escorpião
de 23 de outubro a 21 de novembro

Há algo de misterioso neste pedacinho de gente: seu bebê de Escorpião. Embora seja pequeno e discreto, talvez até quieto, você percebe que há profundezas ocultas sob a superfície inocente. Se você já testemunhou o vulcão de sentimentos por trás do seu semblante plácido dele, vai compreender por que a expressão *intensidade emocional* descreve a criança de Escorpião. Um ar de mistério sutil deve cercá-lo ao longo da vida, e talvez você nunca compreenda a profundidade desta criança complexa, talentosa e intensa. Se a sua alma é delicada, prepare-se.

Seu filho escorpiano tem força de vontade e é poderoso desde cedo. Ele precisa respeitar você, mas conhecerá instintivamente suas fraquezas e saberá como apertar os botões certos. Não por maldade, mas porque ele quer que você saiba como funcionam as coisas e por que elas são tal como são. Seu bebê de Escorpião nunca vai deixar você escapar facilmente; esteja alerta. Katie, de 3 anos, filha de uma amiga, acompanhou-a quietinha pela farmácia, tranquila e boazinha. Subitamente, quando a mãe pegou a receita para comprimidos para emagrecer, Katie berrou a plenos pulmões: "Mamãe, por que você vai tomar esses comprimidos? Minhas amigas acham você gorda, mas eu gosto de você fofinha".

Seu bebê de Escorpião pode deixá-la envergonhada — não porque não é bonzinho, mas se ele perceber que você está escondendo alguma coisa dele, certamente vai descobrir o que é e a razão. Embora esta criança seja misteriosa, ela não tolera mistérios nos outros. É uma investigadora nata e é quase impossível ocultar alguma coisa dela.

Quando afirma algo, é com força; a intensidade emocional é seu combustível. Trate de lhe fornecer esse combustível com muito amor e afeto. Estreite o relacionamento com ele; este bebê não vai se importar caso você não passe o dia conversando com ele. Contudo, vai querer um relacionamento emocional estreito com você. Talvez não demonstre abertamente os sentimentos. Estão todos guardados, juntamente com a paixão pela vida, até a vida exigi-los. Incentive-o desde cedo a compartilhar os sentimentos com você, pois a intensidade emocional dele pode ficar represada, causando-lhe problemas mais tarde.

Seu bebê de Escorpião vai transmitir um magnetismo que não é típico da sua idade. Desde o primeiro instante, vai atrair as pessoas naturalmente, e essa poderosa força de atração vai permanecer com ele durante toda a vida.

Uma mãe me contou que seu filho, Luke, estava falando para ela sobre um colega de escola que tinha uma deformidade. Ele estava descrevendo Thomas da maneira típica de uma criança, pouco generosa, quando de repente começou a chorar. Soluçou durante alguns minutos, com empatia por seu pobre coleguinha, e depois parou, enxugou os olhos e prosseguiu com a descrição como se nada tivesse acontecido! Ela disse que Luke não hesitaria em criticá-la ou constrangê-la em público, mas que é a alma mais bondosa e meiga que se pode conhecer. Os sentimentos de Escorpião são profundos.

Diferentemente dos sagitarianos com seu espírito livre, o bebê de Escorpião não precisa que a infância dele seja feliz e despreocupada. Sua felicidade está na expressão da intensidade que ele sente. Ele vive disso, e atividades significativas mas superficiais não interessam a ela. Isso não significa que ele não gosta de brincar. Ele adora brincar, e seus jogos têm muito drama e imaginação. A atuação dele é séria, e você pode se perguntar se seu bebê tem o potencial de um Richard Burton, de uma Julia Roberts ou de um Leonardo di Caprio (todos escorpianos).

Outro tipo de brincadeira de que gosta é aquela na qual ele detém o poder! Seu bebê de Escorpião não vai querer ser o enfermeiro ou o paciente na brincadeira de hospital. Vai querer ser o médico ou o cirurgião, dando ordens para a enfermeira ou remédios para o paciente. Enquanto as outras crianças brincam para se divertir e se distrair, seu garotinho entende os jogos de poder desde o momento em que ele olha pela primeira vez para você com seu olhar calmo, firme e hipnótico.

Essas crianças complexas compreendem inata e intuitivamente a psicologia e estudam a natureza humana. Talvez, em alguns momentos, você possa achar que ele sabe exatamente o que você está pensando, especialmente quando você estiver tentando esconder alguma coisa dele. Se você estiver com a atenção focada num problema, ele vai olhar para você com os olhos límpidos e inteligentes e perguntar: "O que foi, mamãe?". Talvez você ache que não seja capaz de explicar seus problemas para uma criança de 2 anos, mas tente, pois poderá se espantar ao descobrir que, em algum nível, ela entenderá. Mesmo jovem, ele pode ser um conselheiro maravilhoso graças à sua percepção intuitiva e à compreensão das pessoas.

Por causa dos sentimentos intensos, essas crianças são mais capazes de amar do que muita gente. Não é o amor aconchegante, terreno e cheio de abraços que você receberia do bebê de Touro, mas você o sentirá como uma força que parece conhecê-la de dentro para fora. Ele pode provocá-la, criticá-la e até incomodá-la, mas o amor dele nada tem de superficial. Procure perceber isso desde o primeiro dia, para tirar o maior proveito daquele que deve ser o relacionamento mais profundo que você poderia ter. Alimente e aprecie o amor dele. Ele precisa confiar em você, e, se algum dia você destruir essa confiança, a intensidade escorpiana pode se transformar em gelo. Ele pode até esquecer, mas esta criança dificilmente perdoa. É nisto que você pode ajudá-lo: explicando a importância de perdoar a si mesmo e aos outros. Nesta altura, você já deve ter percebido que, para ajudar de fato esta criança, precisará trabalhar na sua própria elevação. Ela vai testar sua coragem, e respostas superficiais não vão satisfazê-la.

Que criança complexa, ricamente intensa e fascinante é esta. Assim como qualquer signo, pode alimentar emoções negativas, especialmente se algum coleguinha a tiver aborrecido. Se você a vir tramando uma vingança cruel contra um amigo ou um professor, descubra o que aconteceu. Ela vai compartilhar rapidamente seus planos abomináveis com você. Como disse uma menina de 3 anos: "Odeio Ella (sua irmã de 2 anos). Odeio. Eu odeio porque, ela roubou meu panda. Vou puxar as orelhas do Heffelump dela e jogar fora. Depois vou cortar os cabelos de todas aquelas bonecas feias e idiotas. E depois vou cortar aqueles cabelos vermelhos bobos dela".

Preste atenção especialmente se outro bebê entrar para a família logo depois do seu pequeno escorpiano. Essa situação pode ser bastante carregada em termos emocionais, e você pode tirar o ferrão dele preparando seu sensível e possessivo escorpiano. Você deve incentivá-lo a compartilhar tudo, inclusive a empolgação, para que ele sinta que o novo bebê também é parte dele, assim como é parte de você. Os problemas começam quando ele sente que não pertence mais a um grupo. É uma criança que não tem medo de responsabilidades, por isso você pode tentar delegar responsabilidades a ela com relação ao novo irmão ou à nova irmã.

Quando um amigo escorpiano, Remy, era pequeno, os pais dele tinham um orfanato. Além disso, eles tinham vários filhos. Em vez de ser a pérola da família, ele era uma entre dezenas de crianças. As crianças comiam juntas, abriam seus presentes juntas, e a vida era um longo evento comunitário. Se esse menino fosse aquariano, teria achado tudo normal e desfrutado da situação, mas o pequeno escorpiano se sentiu abandonado. Essa sensação de abandono permaneceu com ele até a idade adulta. A morada natural de uma criança escorpiana é o mundo das emoções. Faça com que ela receba a segurança e a estabilidade de que ela tanto precisa para seu crescimento emocional saudável.

Quanto mais profundos os nossos sentimentos, mais facilmente nos magoamos. A criança de Escorpião é a prova da regra. Ela oculta sua sensibilidade por trás de uma fachada fria, mas é extremamente vulnerável a deslizes de seus amigos mais instáveis. Um comentário negativo casual pode acarretar danos permanentes. Ela nem sempre é a criança mais amigável (a menos que seu signo lunar seja mais gregário) e demora até se entender com as pessoas. Contudo, depois que ganha familiaridade, sua lealdade é imensa.

O bebê escorpiniano escolhe os amigos com cuidado desde cedo. Não se preocupe com o filho briguento do vizinho. Ele não vai fazer amizade com ele. Tem excelente discernimento com relação às pessoas. Ele procura o que está no interior. É como se sua visão a *laser* (e não é à toa que seu símbolo é a águia) pudesse chegar até a alma das pessoas.

Depois de aceitar e gostar de alguém, ele o amará intensamente para sempre — a menos que você o trair, pois então será como se todos os seus poderosos sentimentos se congelassem e nada pudesse derretê-los. Nada do que faz é pela metade. Seu amor é imenso e sua vingança é duradoura. É particularmente importante dar a esta criança um código moral e espiritual, assim que possível. Ela tem uma inclinação natural pela espiritualidade; isso satisfaz seu desejo de descobrir os mistérios da vida.

Conheço um jovem pai, Dennis, que é profundamente religioso. Ele tem uma filha escorpiana de 2 anos, Birgitta, que sempre quer se sentar com ele enquanto ele reza. Birgitta leva sua boneca predileta, senta-se ao lado do pai e, após a prece, põe as mãos sobre a boneca e diz: "Você está curada. Levante-se e ande!". Birgitta explicou que, quando reza, suas mãos ficam "quentes e formigando", e ela consegue fazer as pessoas se sentirem melhor. Dennis não soube explicar onde ela teria ouvido essas coisas, pois ele nunca as mencionou.

Não ria nem faça pouco desse tipo de atitude. Os escorpianos são tão magnéticos que se revelam capazes de curar naturalmente; incentive a sua criança de Escorpião a canalizar esse poder. Estimule-a quando lhe mostrar um pássaro com asa quebrada. Ela vai tratar carinhosamente da ave e fazê-la sarar, dando amor e atenção para a criatura ferida. Essa canalização de emoções é vital para sua confiança e seu amor-próprio.

Você não precisa se preocupar muito com esse pequeno durão. Ele pode ser sensível, mas não é fraco. Embora possa derramar uma lágrima porque alguém está sofrendo, raramente chora por sua própria dor. Você vai se espantar com sua força. O corpo dele é forte e a energia é intensa, uma combinação que o leva a brincar vigorosamente com monstros, bruxas, soldados ou dragões — ou até mesmo com todos ao mesmo tempo!

O pequeno Rafael alinhava seus soldados de pelúcia e fazia de conta que estavam acorrentados a uma masmorra, onde eles tinham sido postos por uma bruxa malvada, até um dragão que soltava fogo pelo nariz aparecer e derreter as correntes para que pudessem escapar. "Cenários estranhos para uma alminha inocente", pensei. Até descobrir que ele era de Escorpião. *Inocente* não é uma palavra para descrever um escorpiano, por mais azuis que sejam os seus olhos e lindas as sardas em seu rosto. Depois, o pai de Rafael me disse que lia contos de fadas para ele todas as noites, e que as histórias de faz de conta de Rafael eram uma versão mais assustadora das histórias que ouvia!

GUIA DE SOBREVIVÊNCIA DO SEU BEBÊ DE ESCORPIÃO

Do Nascimento ao Primeiro Ano

Alimentação — Você vai descobrir que seu bebê de Escorpião é apaixonado pela vida desde o momento em que ele entrar no mundo e soltar um grito de coagular o sangue. Quando estiver mamando, é melhor não afastá-lo do peito enquanto ele não estiver satisfeito. Ele não gosta de ser enganado.

Sono — Do mesmo modo, despertá-lo de um sono tranquilo não é uma boa ideia. Esta criança sensível sabe como demonstrar sua desaprovação. Apesar de ser o bebê mais meigo que você conhece, a combinação de vontade forte com intensidade emocional significa *cuidado!*

Habilidade motora — Tudo nesta criança é vigoroso. Quando você lhe der um banho, no começo ela poderá espernear e gritar, mas vai se acalmar à medida que a água a relaxar. Depois, vai adorar o banho. Ela não gasta energias desnecessariamente e consegue olhar fixamente e sem piscar com seu olhar mágico e límpido.

Linguagem — Seu bebê não vai ter pressa para falar. Vai gorgolejar, rir e gritar de alegria; então, um dia, quando você menos esperar, ele vai murmurar sua primeira palavra. Mas não tente forçá-lo ou induzi-lo. Ele vai decidir quando estiver pronto no seu próprio ritmo. Quando o mundo estiver pronto para sua palavra, esta virá! Enquanto isso, ele vai gostar de bater palminhas, rir e guinchar assim que você o estimular.

Aprendizagem — Uma coisa que seu bebê vai aprender em pouco tempo é um modo de canalizar o poder e a intensidade que fazem parte de todo bebê de Escorpião. Assim que ele começar a percorrer a casa, guarde os objetos quebráveis e ponha protetores nas tomadas. Ele aprende pondo os dedos nas coisas ou chacoalhando tudo que estiver ao seu alcance.

Socialização — Seu bebê de Escorpião não se dá muito com estranhos, mas fica olhando firmemente para eles durante um bom tempo com aqueles olhos grandes, que não piscam, como se sondasse a profundeza da mente, do coração e da alma da pessoa.

Um a Dois Anos

Alimentação — Ou ela vai amar aquilo que você lhe oferece no almoço ou vai detestar. Não existe meio-termo para esta alma passional. Ele pode adorar uma coisa numa semana e odiá-la na seguinte. Vai depender do seu humor na ocasião.

Sono — O padrão de sono dele costuma ser como o humor — com altos e baixos. Ele pode ter longos períodos de sono profundo e ininterrupto e depois períodos igualmente longos com padrão oposto. Ele é muito sensível e pode gostar de ter à noite uma luz acesa no quarto.

Habilidade motora — Nessa idade, ele deve se apegar a rotinas e, após aprender uma habilidade nova, como subir as escadas para ir para a cama, vai demonstrar uma tolerância enorme à repetição — bem maior do que a sua! Seja paciente, ou a demanda dele pelas repetições pode deixar a família toda maluca.

Linguagem — Ele pode começar a murmurar as primeiras palavras por volta dos 18 meses e vai começar a desenvolver também a habilidade de escutar receptivamente. Os escorpianos são bons ouvintes, pois gostam de entender as coisas e as pessoas. O bebê de Escorpião vai gostar de repetições na forma da história favorita na hora de dormir contada diversas vezes por noite, até acabar se cansando dela.

Aprendizagem — Se uma amiga grávida for visitá-la, talvez você se surpreenda com o fascínio que o seu bebê demonstrará pelo processo do nascimento. Ele aprende mais com a vida do que com os livros. Desde cedo, mostra o desejo inato de aprender o que é a vida, e é apaixonado por seus mistérios.

Socialização — Você verá que seu pequeno escorpiano ainda é tímido e desconfiado em relação aos adultos. É melhor não deixá-lo com babás enquanto ele não as conhecer bem e demonstrar aprovação. Ele pode gostar de brincar com uma criança mais velha, mas procure evitar que se apegue demais. Com sua natureza sensível, pode se aborrecer facilmente se for ignorado por alguém com quem formou um vínculo.

Dois a Três Anos

Alimentação — Se ele comer tudo que vir num determinado dia e no dia seguinte ficar remexendo a comida no prato, pode ter certeza de que alguma coisa o está aborrecendo. Tente descobrir o que é antes da hora da refeição, para que ele possa compartilhar o problema com você e recuperar o apetite.

Sono — Estas crianças são muito sintonizadas com o mundo psíquico invisível, e às vezes podem ter problemas para dormir. Conheço um pequeno escorpiano, Kristophe, que via rostos no escuro e ficava muito assustado. Seus pais cometeram o erro de dizer que não havia nada ali, quando, na verdade, moravam numa casa que, como descobriram mais tarde, era assombrada. Escute o que essa criança sensível disser; ela precisa de compreensão para dormir bem à noite.

Habilidade motora — Uma de suas atividades prediletas é se vestir. Não se preocupe se o seu garotinho puser as suas roupas. É bem normal para escorpianos de ambos os sexos. Ele vai correr pela casa como Batman ou Super-Homem assim que aprender a andar. As crianças de Escorpião se deleitam com o mundo da imaginação e gostam de brincar de faz de conta e de se imaginarem nos mais variados papéis.

Apesar de o pequeno escorpiano gostar de brincar, tenderá, como qualquer criança, a se dedicar mais a um ou dois brinquedos do que aos demais.

Linguagem — Essas crianças vão representar não só diversos papéis como podem começar a falar consigo mesmas, como se fossem as Meninas Superpoderosas. Se você demonstrar algum interesse, elas vão gostar que você também participe, conferindo-lhe poderes mágicos. Os escorpianos adoram magia e o poder que ela lhes confere. Seu garotinho vai gostar de dizer "abracadabra", transformando você numa rã. A transformação é uma palavra importante para os escorpianos, e essas criancinhas se divertem transformando coisas e pessoas.

Aprendizagem — Outra fascinação para a criança de Escorpião está nas intrigas e complexidades das relações familiares, e ela vai adorar conhecê-las desde cedo. Você pode ouvir perguntas do seu filho sobre os pais e irmãos do gatinho dele. Ele aprende muito com a própria família e forma laços sólidos. Pode aprender novas habilidades com facilidade porque é tenaz e fica fazendo uma coisa até acertar. Entretanto, se ele se cansar ou ficar entediado, pode perder a calma e chutar a coisa que está causando problemas! Seu temperamento é bem forte!

Socialização — Você verá que ele forma relacionamentos afetuosos com crianças de sua própria idade desde que possa ser a parte dominante. Ele gosta mesmo de mandar porque adora ter poder e controle, mesmo nessa idade. Além disso, gosta de segredos e surpresas, especialmente quando envolvem você ou os amigos dele.

Lições para o escorpiano crescer melhor: A imaginação é nossa capacidade criativa e uma ferramenta necessária para a mística criança escorpiana. Dê-lhe sempre margem para a imaginação e nutra-a com contos de fada clássicos, mitos e histórias espirituais. São elementos que vão enriquecer sua vida, permitindo que sua criatividade floresça. Outra característica do seu bebê de Escorpião é que a determinação dele é tão intensa quanto a de nativos do signo oposto, Touro. Você não o verá jogando as peças do quebra-cabeça pelo ar porque o achou complicado demais. Com disciplina e capacidade de realização, ele vai persistir até atingir seu objetivo. Como você pode imaginar, seu bebê de Escorpião tem tudo de que precisa para ser bem-sucedido em tudo que fizer na vida. A vida dele pode ser uma luta constante com as emoções profundas, mas ele tem a vontade de superar os problemas e o desejo de ter sucesso. Basta amá-lo e respeitá-lo, dando-lhe segurança, confiança e conselhos sábios, e você estará proporcionando a ele as bases para que ele cresça como um gigante espiritual.

DIÁRIO DO SEU BEBÊ DE ESCORPIÃO

Bebê de Sagitário
de 22 de novembro a 21 de dezembro

Estas crianças são tão festivas e extrovertidas quanto a época do ano em que nascem. Como Áries e Leão, Sagitário é um signo de fogo, e você não vai duvidar disso um só minuto. Ele é uma pequena bola de fogo — exuberante, entusiasmado, sempre tropeçando e arranhando os joelhos. Seu sagitariano é extrovertido em todos os sentidos. Você vai achar a exuberância dele hilariante, incômoda e frustrante... mas você nunca vai se entediar.

Diferentemente do frio bebê de Escorpião, seu bebê sagitariano vai expressar tudo. Pode irritar você com perguntas intermináveis: "Que é aquilo?", "Aonde vamos?", "Por que você está usando isso?" ou "Quem é aquele homem?", mas, ao contrário do bebê de Escorpião, você sempre saberá em que terreno está pisando.

O bebê de Sagitário procura compreender e explorar tudo que a vida oferece. Como pode imaginar, isso costuma levá-lo a encrencas — mas, com um sorriso ou algumas lágrimas, ele sacode a poeira e começa de novo. Ele se recupera como uma bola de borracha, pois tem uma capacidade espantosa para enfrentar todos os desafios da vida ao longo do caminho. Ele não é uma flor sensível e cautelosa, mas um aventureiro corajoso, com o coração aberto e afável e entusiasmo pela vida.

Os franceses estavam descrevendo seu bebê de Sagitário quando inventaram a expressão *joie de vivre*. Ele tem um gosto inigualável pela vida. E é surpreendente ver que nunca o perde. Se isso acontecer, preste atenção, pois significa que ele também perdeu a coragem. Assim como o bebê de Escorpião reage ao mundo invisível dos sentimentos, o sagitariano reage à vida em si. O mundo é seu professor, e ele se esforça constantemente para aprender suas lições. Ele é como uma bola de borracha, com uma capacidade espantosa de cair ou de cometer um erro e recuperar-se quase no mesmo instante. Não tente isolar este pequeno aventureiro dos golpes da vida. Quanto mais erros ele cometer, mais vai crescer.

Enquanto o bebê de Câncer precisa se sentir próximo de casa, o desejo de liberdade do seu pequeno sagitariano é ilimitado. Não tente cobri-lo demais ou apertá-lo, a menos que seja absolutamente necessário.

Callista, uma sagitariana, tem apenas 6 meses e mal consegue olhar por cima dos cobertores do seu carrinho. Mesmo assim, ela é capaz de fazer com que todos à sua volta saibam que seus cobertores a estão apertando ou que ela não está conseguindo mexer as mãos fora das cobertas. Liberdade é seu nome do meio, e limitar sua liberdade é como interromper seu suprimento de ar.

Sim, eu sei que há ocasiões em que você terá de fazê-lo para manter seu bebê em segurança. Se você levar em conta o amor pela excitação e a natureza descontrolada dessa criança, aliados à falta de cautela e à pequena consideração pela autopreservação, terá de lhe dizer quando parar. No entanto, tome cuidado com a maneira como irá controlá-lo. Quando ele se sente tolhido, pode se tornar destrutivo. Quando fica à vontade com seus próprios recursos, ele exagera. Por isso, sempre que possível, deixe-o correr à vontade, sempre com o olhar vigilante, em vez de colocá-lo num cercado.

Apesar de as travessuras e aventuras dele serem uma fonte constante de preocupação, tente se lembrar da tremenda flexibilidade que ele possui. Ele não precisa de excessos de zelo, só de muito amor e liberdade!

Outra razão para deixar seu bebê sagitariano correr à vontade é que a energia abundante dele pode esgotar você! Mantenha-o em movimento e ele vai gastar um pouco do excesso de energia. E assim que ele aprender a andar, ponha-o para fazer esportes; ele tem uma natureza atlética e boa coordenação, com pernas fortes. Juntamente com os outros signos de fogo, Áries e Leão, ele tem a necessidade de se expressar física, mental e emocionalmente.

Seu sagitariano já nasceu otimista. Por mais que a vida seja difícil, ele acredita sinceramente que as coisas vão melhorar. É uma criança que pode sorrir e ser feliz em épocas difíceis; é que ele é voltado para o futuro e para a aventura do desconhecido. O primeiro dia de aula, a ida ao dentista ou uma viagem longa não representam um problema para ele como acontece com crianças mais tímidas. Ele é um viajante nato e sempre fica feliz por sair, vá aonde for. Ele sente que as coisas serão boas, mesmo que acabem não sendo. Essa maravilhosa postura positiva lhe trará sucesso e felicidade na vida. Ele atrai o sucesso para si porque espera que aconteçam boas coisas. Tem a simplicidade que vem com a confiança, a franqueza e a esperança. A vida pode derrubá--lo, mas ele sempre vai se levantar, mantendo a força interior intacta.

Como você pode imaginar, os problemas que seu pequeno sagitariano vai enfrentar estarão relacionados ao esgotamento e ao excesso de otimismo. Você terá de lhe ensinar algumas coisas básicas, como os limites e as rotinas da vida cotidiana. Ele pode ficar acordado até tarde da noite, feliz da vida, cantando e dançando até a madrugada se você não lhe ensinar a importância de ir para a cama num horário específico. A rotina não é seu ponto forte. Ele vai escovar os dentes com alegria, mas pode ser um problema repetir isso duas vezes por dia e nos mesmos horários. Procure fazer com que essas rotinas entrem na vida cotidiana dele desde cedo. Torne essas atividades divertidas e prazerosas, e ele as aceitará mais facilmente. Os pais de Clarissa, de 2 anos, sugeriram que ela pintasse suas sessões de escovação num quadro bem bonito no banheiro. Quando ela consegue receber catorze medalhinhas numa semana, ganha um prêmio!

Você também vai precisar ensinar este pequeno a ser atencioso com os outros. Ele pode animar as pessoas com seu bom astral, mas não se preocupa se elas o aprovam ou se concordam com suas brincadeiras. Isso pode causar-lhe problemas. Ele pode achar que é um pouco melhor do que os outros, que é mais capaz. A confiança deste bebê não vai desmoronar facilmente se você lhe disser a verdade.

Seu sagitariano em crescimento tem ainda outra faceta — a propensão natural para o estudo. Antes que você fique muito contente, lembre-se de que isso nem sempre assume uma forma convencional. Embora sua inteligência aguçada, combinada com o desejo de descobrir a verdade sobre as coisas, possa levá-lo a enterrar o nariz nos livros, ele se entedia facilmente. Tenha um bom punhado de livros em casa (mais tarde, talvez ele prefira viajar pelo mundo para se educar em vez de aprender sobre a vida em volumes empoeirados). Todavia, apesar da aparente falta de estudos e da aparente preferência pela diversão, ele vai surpreender você com suas notas, passando nos exames com facilidade.

A tendência natural do sagitariano para a aventura vai se expressar mais tarde por meio de esportes ousados, bem como pelo desejo de absorver novos conhecimentos. Territórios inexplorados são muito atraentes para ele, e, como perpétuo estudante, ele vai almejar uma educação universitária. É bom começar a poupar para a faculdade!

Embora seja naturalmente intelectual, o sagitariano não é dado a detalhes. Adora enfrentar desafios, como quebra-cabeças. No entanto, se forem muito complexos, ele pode se entediar e passar para outra coisa. A paciência não é uma de suas virtudes, mas ele pode ser incrivelmente inventivo. Dê-lhe barbante, cartolina e lápis de cor e ele vai criar engenhocas e implementos de nomes estranhos para você. E com a mesma velocidade com que idealizou algo e criou um objeto, ele o dará generosamente e passará para o desafio seguinte.

Esta é uma área na qual você pode ser muito útil. Como seu pequeno sagitariano é multitalentoso e não é muito controlado, pode perder o foco e a concentração com facilidade. Quando a magnífica ponte que ele construiu desmoronar depois de alguns minutos e ele estiver prestes a jogá-la fora, incentive-o a rever o projeto para descobrir por que ela ruiu. Aumente a confiança dele dizendo-lhe que a ideia foi muito boa e ensine-lhe a importância dos detalhes e de concluir uma tarefa, bem como a alegria de um trabalho bem feito. *Diversão* é uma palavra-chave para esta criança.

O pai de uma sagitariana de 3 anos, Aimée, sabendo de sua tendência para a rapidez e para a superficialidade, ofereceu-lhe uma visita ao zoológico como prêmio caso ela completasse o desenho que fazia dele em menos de uma hora. Isso foi um desafio e tanto para Aimée, e ela e o pai se divertiram muito quando ela se concentrou nos botões do paletó e nas sardas do nariz — detalhes de que normalmente ela se esqueceria. Quando terminou, não só ganhou o prêmio como produziu um retrato excepcionalmente semelhante do pai, que ele emoldurou rapidamente e colocou num lugar de honra na estante. Aimée ficou muito orgulhosa da sua obra, que se tornou um marco histórico para ela. Sempre que ela tenta fazer alguma coisa com muita afobação, o pai lhe mostra o desenho para que ela se recorde da excelência de que é capaz. E invariavelmente ela sorri consigo mesma, reduz o ritmo e se prepara para enfrentar o desafio.

Este pequeno sucesso foi mais importante do que pode parecer. Ainda nessa tenra idade, o pai astuto ajudou-a a lidar com a tarefa vitalícia do autocontrole. Sua criança sagitariana é uma visionária, com sonhos brilhantes e um toque de gênio. Porém os sonhos dele não serão nada se você não a ajudar a torná-los realidade.

Damian, um sagitariano, dizia frequentemente à mãe que ia se tornar um "art-i-ta!". A mãe, Sara, grande amiga minha, sorria e dizia: "Isso é maravilhoso, Damian". Eu sugeri que ela o acompanhasse nisso. Desde então, sempre que ele mencionava a palavra, ela lhe dava um bloco de papel e lápis e lhe pedia para projetar uma casa nova para ela. Com o tempo, ele perdeu o interesse pela novidade, mas o fato de incentivá-lo a transferir as ideias para o papel ajudou-o a ganhar foco e concentração. Se você conseguir fazer seu filho manter esses hábitos, ele poderá se tornar um adulto hábil e talentoso, capaz de transformar suas ideias futuristas ou visionárias em realidade.

GUIA DE SOBREVIVÊNCIA DO SEU BEBÊ DE SAGITÁRIO

Do Nascimento ao Primeiro Ano

Alimentação — Seu bebê sagitariano será alegre e bem-humorado, estará sempre sorrindo e rindo muito. Ele não gosta de ser forçado a comer coisas que não aprecia, mas está sempre disposto a experimentar novidades, extraindo grande prazer disso. Seu primeiro alimento sólido será uma aventura — para todos os envolvidos!

Sono — Este bebê ama o ar livre e dorme melhor se receber bastante ar puro. Experimente levá-lo para passear pelo menos uma vez por dia, e ele vai se encantar com os cães, gatos e estranhos que passam por ele, ou por tudo que se move — assim como todos se encantarão com essa alma alegre. Quando tiver despendido sua energia inquieta, provavelmente não terá dificuldades para dormir.

Habilidade motora — Ao contrário de crianças de outros signos, este pequeno bebê vai chegar ao mundo chutando e querendo agitar. Com natureza impaciente, não tardará para que você descubra que ele fica irrequieto caso seja aninhado em demasia ou por muito tempo. Ele não gosta de nenhum tipo de restrição. Esme, por exemplo ficava tão brava quando o irmão mais velho puxava a cobertura de seu carrinho que manteve a lembrança disso até a vida adulta. Com seu espírito livre, ela se sentiu muito traumatizada por ser enclausurada. Trocar as fraldas pode ser um desafio e tanto, pois ele vai espernear e tentar escapar. Vai aprender a andar rapidamente, talvez por volta dos 8 ou 9 meses.

Linguagem — É provável que aprenda cedo as primeiras palavras. Como os leoninos, gosta de se exibir e adora aplausos e admiração. Em pouco tempo, descobrirá que quanto mais se comunica, mais vai brilhar — o que é uma motivação e tanto para este pequeno artista.

Aprendizagem — Este jovem aprende rapidamente graças à sua postura intrépida diante da vida. Entre 9 e 12 meses, seu bebê vai lhe dizer, de diversas maneiras, que está crescendo e compreendendo muito o mundo que o cerca.

Socialização — Ele gosta de pessoas e se empertiga quando um estranho se debruça sobre o carrinho para admirá-lo. Vai sorrir para ele como se fosse da família.

Um a Dois Anos

Alimentação — Como os nativos de outros signos de fogo, ele tem apetite pela vida e por tudo que ela oferece — inclusive comida! Entretanto ele pode devorar um prato de biscoitos e se sentir indisposto depois. Ele tem os olhos maiores do que o estômago. Ensiná-lo a ser moderado na alimentação não será uma tarefa fácil, mas será preciso fazê-lo.

Sono — Ele não relaxa gradualmente, mas, se tiver caído ou machucado os joelhos, detém-se subitamente. Isso costuma indicar que está muito cansado e pronto para descansar. Ele gasta muita energia e é corajoso, mas tem propensão para acidentes. Isso vai exigir sua atenção, pois ele não percebe quando está ficando esgotado.

Habilidade motora — Gosta de viver num ritmo frenético. Diverte-se sendo barulhento e ousado. Espere pelas quedas e pelos joelhos esfolados; estes vão provocar alguns gritos agudos, mas depois ele vai se esquecer do machucado e continuará a correr até o próximo tombo.

Linguagem — Os sagitarianos percebem que só a exploração física não basta para expandir seus conhecimentos e, nessa idade, começam rapidamente a falar com fluência. Ele vai gostar que você leia histórias dos livros e, mesmo que não compreenda totalmente a história, as figuras vão despertar a imaginação dele.

Aprendizagem — Ele está aprendendo mais sobre o mundo graças aos encontros diretos. Diferentemente de signos mais cautelosos ou introvertidos, vai buscar experiências, aprendendo rapidamente com elas. Ele é brilhante como um espelho.

Socialização — A postura destemida dele diante de estranhos pode preocupar os pais. Contudo, por outro lado, você não terá de se preocupar quando tiverem de passar a noite num hotel ou numa casa diferente — ele vai adorar a aventura e as pessoas que conhecer, todas prontas para admirá-lo e aplaudir suas proezas.

Dois a Três Anos

Alimentação — O apetite dele é saudável, mas ele pode se sentir atraído por coisas que não são boas. A moderação não virá espontaneamente, e por isso dê-lhe alimentos saudáveis e em quantidade mais do que suficiente. O gosto pela vida faz com que ele queime muitas calorias.

Sono — Quanto mais ele brinca, mais você deve introduzir sonecas à tarde na rotina diária. Mas não tente fazê-lo dormir no começo da noite; talvez tenha de esperar até ele ficar sem energia.

Habilidade motora — Nesta idade, pode ser difícil controlá-lo, pois este é um bebê com muita energia e que se entedia com facilidade. O melhor é fazer com ele brincadeiras competitivas com uma bola antes do jantar, para que queime toda a energia excessiva antes de ir dormir! Se ele se recusar a parar de brincar para jantar, tente apostar corrida até a mesa. Ele adora um desafio e adora vencer — pode compensar deixá-lo ganhar!

Linguagem — Ele não tem rodeios. Vai direto ao assunto, e você pode se surpreender com seu estilo objetivo de comunicação. Esta é uma característica sagitariana, um atributo positivo. Todavia incentive-o a levar em consideração os sentimentos das pessoas, que podem ser mais sensíveis do que ele. Uma pequena sagitariana que conheço, Corinne, gritava "Odeio você!" para as pessoas de que não gostava. Essa mensagem direta era um tanto chocante, e seus pais lhe disseram que isso podia magoar as pessoas. Não tardou para que começasse a sorrir para as pessoas, aproximando-se delas e sussurrando "Odeio você". Ela considerou isso um grande avanço. Lembre-se, essas crianças têm um senso de humor muito aguçado e farão de tudo para que você ria.

Aprendizagem — O humor é uma boa maneira de ensinar seu sagitariano teimoso. Em vez de censurá-lo, faça uma brincadeira com o comportamento dele, e ele não vai deixar de rir. Com certeza, aprende muito melhor pela compreensão do que pela restrição. Ele vai evitar qualquer forma de limitação, mas tem o desejo inato de compreender o mundo e o lugar que ocupa nele. Desde cedo, você terá de lhe explicar o sentido da vida. Ele precisa aprender que todas as ações têm consequências e a razão para que seja assim.

Socialização — Seu sociável sagitariano de 3 anos será capaz de fazer amizades com facilidade. É bem-humorado e tem uma enorme capacidade de se entusiasmar, de se divertir e de brincar, atributos que o tornam popular junto a seus colegas. Seus modos diretos e a ausência de timidez indicam que ele pode se entender com o mundo adulto, parecendo maduro mesmo com essa idade.

Lições para o sagitariano crescer melhor: Seu amor pela liberdade não o inclina muito a se relacionar intimamente com pessoas que exigem muito dele. Ele terá muitos amigos que gostam do seu calor humano, do seu bom humor e sua natureza amistosa, mas não espere que passe muito tempo exclusivamente com uma pessoa nessa fase da vida. Dê-lhe todo o amor e afeto que puder, além de proporcionar-lhe muita diversão e alegria, e ajude-o a canalizar a energia de maneiras construtivas. Converse com ele sobre a vida, mas não o force, pois no íntimo ele é um rebelde. Ele não se importa se o pulôver está do avesso ou de trás para a frente. Na verdade, se você chamar a atenção dele para o fato, provavelmente ele rirá e se sentirá satisfeito consigo mesmo. O convencional não é seu parâmetro. Ele se impressiona muito mais com a originalidade e com o fato de estar à frente dos demais. Acima de tudo, busca a verdade, que sempre será seu guia.

DIÁRIO DO SEU BEBÊ DE SAGITÁRIO

Bebê de Capricórnio
de 22 de dezembro a 20 de janeiro

Seu bebê de Capricórnio pode ser um mistério. Ele vai olhar para você com olhos sérios e arregalados, fazendo com que você se sinta como uma criança. Diferentemente da natureza dispersiva daqueles nascidos sob o signo anterior, Sagitário, as crianças de Capricórnio têm a *disciplina* como parte de seu nome. Em função dessa compreensão inata e da necessidade de disciplina, é importante estabelecer rotinas na vida do seu bebê. Como os nativos dos outros dois signos de terra, Touro e Virgem, esta pequena criança também precisa de estruturas concretas para nortear a vida.

Alguns dizem que as crianças de Capricórnio desperdiçam a infância, pois são adultos antes da hora. No entanto, apesar de melhorar com a maturidade, ele ainda é um bebê adorável. Ele não vai incomodá-la com gritos e aborrecimentos, a menos que alguma coisa realmente mereça a inconveniência. Você vai perceber um leve franzido e um olhar firme nos olhos límpidos e inteligentes dele. Não se preocupe; provavelmente seu bebê de seis meses está mergulhado em pensamentos, planejando os próximos cinquenta anos de vida! Capricórnio gosta de planejar e, por trás do exterior mais jovial, a ambição sempre está à espreita. Desde cedo, seu bebê de Capricórnio vai buscar o sucesso em tudo aquilo que faz.

Recentemente, estive na praia e vi dois meninos fazendo castelos na areia. Os dois tinham cerca de 3 anos. O pai os ajudava fazendo um monte de areia. Um deles enfiava a areia no baldinho, corria até o mar e o despejava, chutava um pouco a areia e depois voltava correndo. O outro estava concentrado em sua tarefa. Fazia um monte de areia bem grande e assentava cada divisão no lugar, formando as paredes do castelo de maneira elegante e habilidosa. Depois de meia hora, ele ainda estava entretido nisso. Nem saiu do lugar. Eu não resisti. Apresentei-me como astróloga e perguntei ao pai se o seu filho, Antonio, era de Capricórnio. O pai me disse que ele havia nascido em junho, o que fazia dele um geminiano. Abri meu laptop e fiz alguns cálculos. Sim, de fato esse garotinho tinha o Sol em Gêmeos, mas o Ascendente, a Lua e Marte estavam no signo de Capricórnio, deixando-o claramente sob a influência deste signo. O outro garoto, Juan, também era geminiano. Mas quando fiz o mapa dele no computador, vi que ele tinha o Ascendente em Sagitário e a Lua em Áries, mostrando que sua natureza era mais extrovertida.

O símbolo de Capricórnio é o cabrito-montês. Talvez você reconheça esta pequena criatura de patas firmes em seu bebê durante o crescimento. Ele pode subir a montanha das tarefas a que se dedica, com firmeza e paciência, sempre alcançando sua meta. Você pode supor que seu bebê vai subir rapidamente pela escala do desenvolvimento. Tem razão. Ele deve ser uma das primeiras crianças a andar, a falar, a desenhar e a pintar. Ele adora ver os frutos do seu trabalho, algo que vai continuar com ele ao longo da vida.

Você pode se perguntar o que pode fazer para ajudar sua pequena criança capricorniana, sóbria, inteligente e quase perfeita. Eu disse "quase perfeita". Apesar de ter muita capacidade prática, disciplina e foco para atingir o sucesso, há uma área na qual ela tem deficiências. É a confiança. Apesar de conseguir realizar mais do que pessoas de outros signos, sua autoimagem costuma ser inferior à da maioria. Ela tem uma modéstia natural e pode ser sua crítica mais severa. Ela acha que deveria ser perfeita, e quando não o consegue, sua confiança sofre.

Demonstre generosidade em seus elogios e aprovação e não receie que seu bebê vá se tornar uma criança convencida. Apesar de ser contido e não se mostrar tão carente quanto outras crianças, ele precisa se sentir mais confiante do que a maioria. Procure elogiar sempre seus esforços, mesmo quando ainda for bebê, para que a confiança se desenvolva desde seus primeiros meses e anos. Diga-lhe como ele é maravilhoso, esperto e bonito. Não dá para exagerar com os capricornianos. Ele é o tipo de garoto que vai se olhar no espelho e enxergar um nariz grande, olhos pequenos e cabelos encaracolados, apesar de todos ficarem elogiando sua aparência compenetrada e seu ar de mistério! É do tipo que tem as melhores notas da classe, mas que se desaponta quando tira nota nove em vez de dez. Raramente se sente satisfeito consigo mesmo ou com seu desempenho. Quanto mais você o elogiar, mais vai ajudá-lo a construir a confiança íntima e a autoestima que lhe faltam.

Outra coisa que você pode dar para seu bebê de Capricórnio, além do reconhecimento, é a responsabilidade. Regras, rotinas e estrutura são elementos que esta criança procura. A liberdade é para as aves que estão nos livros dela.

Tenho uma amiga, Maria, que administra uma escola maternal. Ela me falou de um garotinho, Nash, que ficava sentado num canto com o dedão na boca e chorando enquanto as outras crianças corriam pra lá e pra cá, divertindo-se e fazendo barulho. Descobri que Nash é capricorniano. Ele não se encaixava nesse ambiente livre, desestruturado e feliz. Não conseguia encontrar seu lugar. Sugeri a Maria que desse alguma responsabilidade a Nash. Ela o tornou o encarregado dos brinquedos. Uma tarefa ingrata, mas que ele levou a cabo com vontade. Nash fez o melhor que pôde para que todos compartilhassem os brinquedos com justiça, cuidassem deles adequadamente e os devolvessem depois de brincar.

Nash desabrochou com essa nova responsabilidade, e Maria fez questão de elogiar seus esforços. Em pouco tempo, Nash tornou-se o líder de seu grupo, e as outras crianças começaram a procurá-lo para resolver conflitos ou organizar brincadeiras. Nash estava em seu elemento, e os pais dele ficaram espantados ao ver como seu garotinho, sério e tristonho, havia se transformado num ícone.

Embora goste de lhe mostrar como é esperta e confiável, fique de olho na criança de Capricórnio para ver se está exagerando. Ela pode ficar excessivamente preocupada com tudo aquilo que precisa fazer sem dizer nada a você.

Você pode ter se acostumado tanto com o fato de seu capricorniano de 2 anos ter a maturidade de 22 que se esqueceu de que ele é apenas um bebê. Se ele começar a se sentir deprimido ou se mostrar sombrio, descubra imediatamente o que está acontecendo.

Um jovem capricorniano, Tyrone, assumiu o encargo de cuidar da irmã caçula, Michelle-Anne. Ela chorava e fazia tanto barulho quando Tyrone estava por perto que ele achou que a culpa era dele. Sentiu-se culpado por não poder torná-la feliz, quando, na verdade, ela estava apenas tentando mostrar que suas fraldas precisavam ser trocadas! A mãe de Tyrone só percebeu o que estava acontecendo quando o observou de perto e descobriu a fonte de tanta preocupação. Ela explicou delicadamente que a insatisfação de Michelle-Anne não tinha relação com ele. Ela lhe mostrou como ele podia perceber que a irmã não estava à vontade. Tyrone ficou encantado. Tinha aprendido alguma coisa e foi libertado da culpa que sentia. Seu bebê de Capricórnio nasceu sentindo-se culpado. Faça o que for possível para aliviar a sensação de culpa dele e incentive-o a brincar e a se divertir.

Nesta altura, você já deve ter percebido que seu filho de Capricórnio não é frívolo ou volúvel. Entretanto, você pode ter descoberto que ele tem um delicioso senso de humor. À medida que cresce, pode desenvolver um senso crítico que vai manter você em palpos de aranha. Ele adora fazer as pessoas rirem, e para este pequenino é importante estar rodeado de alegria, riso e incentivo. Envolva seu bebê de Capricórnio com bom humor e com a ideia de que tudo está bem no mundo.

A natureza dele faz com que mantenha os pés firmemente no chão. Ele vive claramente no "aqui e agora" e não é de fantasiar ou de fazer de conta. Seus esforços para apresentá-la ao mundo das fadas podem ser recebidos com frieza. Encontre histórias sensatas e baseadas na realidade, e ele vai gostar de ouvi-las e de aprender com elas.

O mesmo se aplica aos brinquedos. Ele vai preferir coisas úteis e práticas, como blocos de montar ou martelos e ferramentas de plástico. Amber, de 2 anos, passa horas com seu pequeno conjunto de chá, servindo xícaras de chá para suas bonecas, e depois lavando, enxugando e guardando o conjunto. Isso estimula seu senso de estrutura e de ordem, além de estimular a imaginação, algo extremamente importante para esta criança realista.

Você precisa saber que seu relacionamento com a criança capricorniana terá um impacto profundo sobre a vida toda dela. Embora isso aconteça com todas as crianças, aplica-se ainda mais ao bebê de Capricórnio. Ele respeita os adultos instintivamente e procura imitar o comportamento deles, fazendo o que é certo. Preste atenção no comportamento dele e certifique-se de que está exibindo atitudes positivas, como calor, generosidade, amor e otimismo.

Se você estiver com um humor particularmente negativo, cuidado. Perceba como seu pequeno está imitando você. Tente não perder a calma; se for demonstrar sua irritação, afaste-se desta criança. É bem provável que ela, mais do que a maioria, tente adotar suas atitudes e sua postura diante da vida; por isso, pergunte-se se você ficaria contente com isso. Se sua autoimagem for baixa, tome providências para remediá-la. Descubra seus talentos e comece a vivenciá-los, pois do contrário correrá o risco de isso passar para o seu pequeno filho.

Ajude seu capricorniano a se manter uma criança. Incentive o lado brincalhão e divertido dele. Dê-lhe muita segurança e calor e não hesite em lhe dizer como o ama e o admira. Seja confiável, mostre segurança e estabeleça rotinas.

GUIA DE SOBREVIVÊNCIA DO SEU BEBÊ DE CAPRICÓRNIO

Do Nascimento ao Primeiro Ano

Alimentação — Os bebês de Capricórnio são bem profissionais no que diz respeito à alimentação. Gostam de tudo no horário e, depois de dez ou quinze minutos, terminaram a refeição e estão prontos para dormir. Este bebê não vai sentir a falta de longas sessões de aproximação, a menos que tenha a Lua em Câncer ou algo parecido.

Sono — Seu padrão de sono será bom, de modo geral. Ele vai dormir na hora. Todavia, se os dentes estiverem nascendo ou ele precisar arrotar, ele vai gritar a plenos pulmões. Você pode acalmá-lo rapidamente, e em pouco tempo ele estará dormindo.

Habilidade motora — Ele pode focar os olhos em menos de duas semanas de vida, mas talvez não fique feliz com o que estiver vendo! Será um desafio para você fazer essa criancinha séria sorrir e rir, apesar de se divertir muito quando ela descobrir os dedos dos pés. Com o aumento do escopo obtido depois de aprender a andar, a criança de Capricórnio parece determinada a fazer tudo que você faz tão logo quanto for possível.

Linguagem — Esta criança não se apressará em falar, pois gosta de absorver as coisas à sua volta antes de tentar desenvolver novas habilidades. Você a verá observando e ouvindo com atenção, até que, um dia, ela falará. Isso será tão excitante para ela quanto será para você! Mas ela não tem natureza tagarela, a menos que a Lua esteja em Gêmeos ou algo similar.

Aprendizagem — O bebê de Capricórnio pode aprender lentamente, mas é persistente e vai focalizar o assunto até dominá-lo. Quando é apresentado a um alimento sólido ou a um novo brinquedo, deleita-se com ele, tal como faz quando aprende novas habilidades.

Socialização — Embora seja tímido com estranhos, é mais provável que os observe atentamente do que reaja com gritos de terror.

Um a Dois Anos

Alimentação — Este bebê adora a rotina das refeições, tal como os outros nativos dos signos de terra. Ele gosta de comida, e alimentá-lo não será um problema, pois o apetite dele é saudável.

Sono — Também será fácil. Se a sua hora de dormir não ficar sujeita a mudanças aleatórias, ele estará bem.

Habilidade motora — Assim que ele começar a caminhar pela casa, você deve tentar lhe dar pequenas responsabilidades, tais como ajudar a enxugar a louça. Esta criança gosta de se sentir produtiva, e a aprovação de um adulto é muito importante para ela. Gosta de brinquedos úteis, especialmente daqueles que se parecem com implementos domésticos. Fazem com que se sinta grande e importante.

Linguagem — A música pode ajudá-lo a aprender a falar; ele vai gostar disso. Então ponha para tocar algumas músicas e talvez o ouça começando a cantar. Ele não é daquelas crianças que se soltam facilmente, mas, se estiver se sentindo seguro e confortável, vai cantar e conversar da melhor maneira possível. Incentive-o a fazer isso, pois o ajuda a relaxar e a se desinibir, preparando-se para a escola maternal.

Aprendizagem — Ele é esperto e consegue dominar um assunto mais depressa do que a maioria em virtude de sua capacidade inata de concentração. Ele gosta de realizar coisas e se orgulha de seus feitos. Lembre-se de cobri-lo de elogios.

Socialização — Você deve ter ouvido dizer que seu bebê capricorniano é tímido e introvertido e talvez discorde. Bem, se ele tiver uma Lua extrovertida, talvez goste muito de falar. Mas por trás disso há uma criancinha reservada que prefere as pessoas que já conhece e que demora a se relacionar com as que não conhece. Porém, quando gosta de alguém, gosta para sempre. Este pequenino não é uma borboleta social; é leal e constante, e você vai começar a perceber essas maravilhosas qualidades emergindo mesmo nessa tenra idade.

Dois a Três Anos

Alimentação — Não se surpreenda se ele se apegar a certos pratos e pedir para que lhe sirvam torta de peixe com ervilhas todos os dias. Ele gosta daquilo de que gosta, e alimentá-lo não será problema. No entanto não deixe que se vicie em salgadinhos ou refrigerantes; incentive-o a se alimentar de maneira saudável desde cedo. Uma informação sobre os capricornianos: eles não conseguem comer coisas erradas e nem fazer coisas erradas durante muito tempo.

Sono — Peter, de 3 anos, sempre começava a reclamar, às oito da noite, que tinha passado da hora de ir dormir. Isso o incomodava muito, e ele ficava particularmente ansioso quando estava de férias ou na casa de algum amigo. Leve a sério seu capricorniano: esse é um assunto importante para ele. Você pode fazer com que o horário vá se estendendo lentamente, a cada aniversário, por exemplo; ele compreende o valor do avanço, e, fazendo assim, perceberá que está progredindo.

Habilidade motora — Como outras crianças de 2 ou 3 anos, este pequeno adora brincar. Ele não é muito fã de brinquedos fúteis. Dê-lhe brinquedos práticos que a desafiem e ele vai ficar encantado. Com sua capacidade de concentração, pode se divertir durante horas brincando de "gente grande".

Linguagem — Um dos problemas da vida dos jovens capricornianos é a busca pela perfeição. Será uma qualidade maravilhosa na vida adulta, mas, para uma criança, pode ser algo assustador. Joshua preocupava-se tanto com seu vocabulário que, quando a professora do maternal lhe fez uma pergunta, ele ficou quieto. No começo, a professora pensou que ele era uma criança desajeitada. Demorou anos até se desvendar o motivo para o comportamento dele. Por causa do desejo inato de perfeição, seu capricorniano pode falar lentamente ou de modo hesitante. Dê-lhe muito incentivo em vez de criticá-lo. Ele próprio já se critica.

Aprendizagem — Provavelmente seu filho capricorniano de 3 anos vai gostar da escola por causa da sua estrutura intrínseca. Aprende facilmente a representar papéis e pode ser a primeira criança a aprender os números de um a dez. Ele vai adorar ser o primeiro, pois gosta de ser admirado. Pode revelar fascínio pelos números, e você pode levá-lo a fazer as coisas se motivá-lo através da contagem. Por exemplo, quando ele se recusar a vir almoçar, diga-lhe que ele tem dez segundos e faça uma contagem regressiva. Ele pode aparecer correndo no último segundo, sorridente e triunfante.

Socialização — Ele pode ser tímido e retraído em seus primeiros dias na escolinha, pois se sente pouco à vontade diante de coisas ou pessoas diferentes. Ele não sabe o que se espera dele e pode se sentir inseguro. Mas não se preocupe. Depois que entrar na rotina e compreender do que se trata, ele vai brilhar. Cuide para ele que não se preocupe demais. Ele pode ficar preocupado — em silêncio — com medo de não conseguir chegar à escola na hora!

Lições para o capricorniano crescer melhor: Esteja sempre presente para ele, como o progenitor amável e atencioso que você é. Dê-lhe os elogios que ele merece e a responsabilidade a que ele aspira. Proporcione a ele uma visão da realidade baseada na prática, mas ensine-lhe o valor da moral, da ética e da espiritualidade para que ele desenvolva a sabedoria. Se fizer isso, você dará à sua maravilhosa criança capricorniana um presente imenso. Você será uma companhia adorável, ajudando-o a enfrentar as estradas íngremes e as montanhas da vida. Você será um progenitor respeitado e um guia sábio. Você vai ajudar seu bebê de Capricórnio a florescer e a se tornar a pessoa atenciosa, consciente, confiável e honrável que na verdade ele é.

DIÁRIO DO SEU BEBÊ DE CAPRICÓRNIO

Bebê de Aquário
de 21 de janeiro a 19 de fevereiro

Seja como for que você se prepare para seu bebê aquariano, nunca será o suficiente. Você pode ter descoberto as melhores técnicas de criação de filhos e encontrado a babá mais eficiente; pode ter estabelecido rotinas para que tudo siga uma programação. Pode pensar, erroneamente, que tudo sairá segundo seus planos e que você está no comando. Pense novamente! O bebê aquariano pode ser um pedacinho de gente com três quilos, mas sabe fazer sua presença ser notada.

Esta é uma criança para a qual é instintivo virar caixotes de maçãs e incomodar vacas sagradas. Aquário é o signo do revolucionário, e isso começa desde o primeiro dia. Assim que puder piscar, sorrir, gorgolejar e encantar você, ele fará com que você perceba que não está no comando. Ao contrário de Capricórnio, ele não tem respeito pela autoridade — a menos que seja merecida. Não se dê ao trabalho de lhe dizer o que fazer, porque ele vai decidir o que é melhor. E pode ser algo radicalmente diferente daquilo que sua família tem feito há gerações; pode ir contra sua tendência mais tradicional, mas seguindo simplesmente o fluxo.

Eis uma criança completamente original, com visão e intuição. Você pode se preocupar achando que ele será um revolucionário. Não se preocupe com isso; aceite o fato de que ele será. Contudo o que você fizer agora para ajudá-lo vai determinar se ideias revolucionárias dele irão mudar o mundo para melhor ou fazer com que ele se meta em encrencas. Assim que começar a brincar com os outros e puder se comunicar, verá que as coisas normais não o impressionam. Enquanto as outras crianças sorriem docemente para a professora e lhe dão maçãs, seu pequeno aquariano só se impressionará se a professora corresponder a seus padrões de comportamento para um líder.

Seu bebê aquariano é como um ímã para tudo que é novo e incomum. Não pense que os esconderijos recônditos de doces e biscoitos podem deter esta criança. Embora tenha um espírito livre, é dotado de uma persistência férrea, permitindo-lhe atingir seus objetivos. Quando bebê, vai berrar pelos biscoitos até você desistir. Depois, assim que puder se comunicar, vai argumentar, com sua lógica sagaz, para convencer você de que precisa da barra de chocolate. E pode muito bem ter sucesso. Como os nativos de outros signos de ar, Gêmeos e Libra, ele é um hábil comunicador. Tem a força de vontade para apresentar e vencer uma discussão. Enquanto não dominar essa arte, porém, pode recorrer a fricotes para atingir seus objetivos.

Conheci uma senhora cujo Sol estava em Câncer e a Lua em Capricórnio. Ela se chamava Edna e seus valores eram a tradição familiar, a autoridade e a autodisciplina. Ela era conservadora por natureza e colecionava antiguidades. Era casada com um homem de Touro, Harold, ativo na política e bastião da hierarquia e da tradição. Quando tiveram os primeiros filhos — as gêmeas aquarianas Jane e Emily —, o mundo deles virou de cabeça para baixo. Quase fiquei com pena.

No começo, pensaram que todos os bebês deviam ser ruidosos, exigentes, destemidos e voluntariosos. Lembro-me do dia em que saí com eles. Estávamos passeando pelo interior, e as meninas tinham apenas 1 ano e meio. Logo à nossa frente, havia um riacho razoavelmente largo. Estávamos conversando e de repente ouvimos um som como algo caindo na água, seguido de outro. Jane e Emily decidiram atravessar o riacho e ficaram paradas no meio dele. Sem se abalarem com a reação dos pais e com as roupas molhadas, saíram correndo e rolaram na lama como dois bichinhos, gritando o tempo todo. Aparentemente, estavam gostando de chocar os pais, vestidos imaculadamente. E, com apenas 18 meses, conseguiram! Dali para a frente, as coisas só pioraram. Quanto mais Edna e Harold tentavam mantê-las em ordem, mais elas faziam o oposto!

Seu bebê aquariano não se interessa pelas convenções e se aborrece quando estas limitam a liberdade dele ou a dos outros. Se você estiver na fila de uma loja com seu aquariano de 2 anos e ele quiser ir ao banheiro, não imagine que ele vá esperar. Ele é desinibido, e por isso é melhor você também deixar de lado suas inibições pelo resto desta existência! O bebê aquariano gosta de chocar as pessoas. Quanto menos abertas ou mais ortodoxas forem, mais ele vai querer chocá-las. A menos que seu mapa natal esteja bastante compensado por outros componentes mais tradicionais, ele se divertirá fazendo com que os outros se espantem. Mas não é uma coisa maldosa; é um impulso profundo para ajudar as pessoas a melhorarem. Este é um dos seus maiores talentos.

Por favor, não leve as mãos à cabeça nem se desespere. Agora, vou lhe dizer que, se receber um apoio correto dos pais, seu pequeno aquariano pode se tornar uma das melhores pessoas que você poderia conhecer. O adulto aquariano consciencioso é um visionário, alguém à frente de seu tempo, com pensamento e ação independentes, corajoso, aberto, justo, humanitário, lógico, animado, fascinante, visionário e com um toque de gênio. Por que você esperaria que seu bebezinho fosse "normal" com todo esse potencial em seu interior?

Apesar da sua independência dele, você deve lhe ensinar, desde cedo, o valor de certos limites e que não há nada de errado em confiar nos outros. Ele sente um medo inato de que, se o fizer, pode comprometer a própria liberdade, o que não precisa acontecer.

Um amigo aquariano, Michael, disse-me que, quando tinha uns 3 anos, fazia cena todos os dias quando a mãe o levava à escola. Ela nunca compreendeu por que isso o incomodava tanto. Mais tarde, ele revelou que se sentia envergonhado pelo fato de sua mãe levá-lo de carro à escola. Mesmo tão pequeno, esse ato fazia com que se sentisse indefeso! São crianças inteligentes. Procure explicar com cuidado as razões para as coisas. Michael disse que, se a mãe dele tivesse explicado que não se sentiria segura se ele fosse andando sozinho até a escola (e que não tinha tempo para levá-lo a pé), ele teria gostado de ir de carro e não ficaria magoado. Noutras palavras, se ela tivesse explicado que o levava de carro porque era melhor para ela, ele teria se sentido bem melhor!

Se você passa pela vida sem perceber as coisas ou as pessoas, prepare-se. Seu bebê aquariano vai acordar você! Ele é um eterno observador da natureza humana e, assim que puder se comunicar, vai imitar o jeito engraçado de andar do carteiro ou a voz esganiçada da sua melhor amiga. Se tiver sorte... ele só fará isso quando não estiverem olhando!

Apesar de não ser a criança mais fácil para se lidar, certamente é uma das mais singulares e criativas. Ethan tinha apenas 9 meses quando descobriu como impedir seu labrador amarelo de comer a comida que caía da bandeja no chão. Ele observou a cena durante alguns momentos e, como se uma lâmpada tivesse se acendido em sua cabeça, recolheu os pedacinhos escorregadios de banana e levou-os até a beirada da bandeja. Depois, para impedi-los de caírem na boca do cão, ele se dobrou, aproximou a boca da beirada da bandeja e comeu os pedacinhos!

Apesar de ele ser singular, não é uma criança solitária, e fica muito contente quando tem outras crianças à sua volta. Este bebê sempre buscará atividades em grupo. Sua natureza é voltada para o mundo como um todo e ele pode, desde cedo, mostrar que deseja melhorar o grupo do qual participa.

Não se surpreenda se seu pequeno aquariano chegar em casa da escola comentando que a professora mandou Suzie ficar quieta. Ele se preocupa muito com os problemas alheios e gosta que as coisas sigam uma justiça social. Incentive esta característica, pois seu bebê aquariano pode se tornar um dos seres humanos mais tolerantes que você pode encontrar, e pode até ensinar algumas coisas aos adultos. O fato de aceitar todo mundo e de extrair grande satisfação com o contato humano — a despeito de formação, crenças, cores, religiões e ideias diferentes — não vai diminuir com a idade. Por isso, apesar de parecer uma criança meio quieta e distante, com um quê de rabugenta, brincalhona e obstinada, sempre terá muitos amigos. Vai compreender suas habilidades e suas fraquezas e vai se deleitar tanto com o seu sucesso quanto com o dele próprio. Vai compartilhar generosamente os brinquedos (a menos que tenha a Lua ou o Ascendente num signo mais possessivo) com naturalidade e facilidade.

Você pode achar que seu bebê aquariano vai se tornar um gênio, compassivo e atencioso. Bem, é quase isso. Ele deve se tornar uma pessoa com ideais elevados e um profundo senso de justiça e de igualdade para todos. Não se surpreenda se, desde cedo, flagrá-lo defendendo a irmã caçula ou algum amigo. Mesmo não conhecendo as maneiras da sociedade, no que diz respeito ao lado humano, a maturidade dele deve se mostrar como algo inato desde o primeiro dia. Uma área na qual você pode ajudá-lo muito, porém, é a das emoções humanas. Apesar de ser muito sensível, demonstra um distanciamento impressionante das emoções. Pode sofrer desapontamentos imensos e depois mostrar-se muito bem, como se tivesse fechado uma torneira. Esse distanciamento pode ser bom e pode ser mau. Do lado negativo, ele pode se fechar e bloquear os sentimentos. Do positivo, essa habilidade pode ajudá-lo a atingir o amor incondicional.

Tessa, sobrinha de uma amiga, perdeu seu gato querido quando tinha 3 anos. O gato era dois dias mais novo do que ela, e eles eram inseparáveis. Infelizmente, o gato foi atropelado na avenida movimentada diante de sua casada casa dela. Tessa se recusou a chorar e começou a fazer algazarra, rindo e brincando em volta da casa. A mãe ficou chocada, mas eu lhe expliquei que isso era a forma de Tessa se desapegar das emoções. Sugeri-lhe que ambas conversassem sobre isso para que Tessa pudesse compreender melhor sua própria natureza emocional e a melhor maneira de lidar com ela.

GUIA DE SOBREVIVÊNCIA DO SEU BEBÊ DE AQUÁRIO

Do Nascimento ao Primeiro Ano

Alimentação — Lembre-se de que seu bebê aquariano é imprevisível de nascença. Não espere que os horários de refeição dele sejam regulares, como os dos bebês capricornianos ou taurinos. Espere a irregularidade, e você ficará em paz. Não se surpreenda se o seu pequeno aquariano não comer por várias horas e depois exigir comida duas vezes no espaço de uma hora. No começo, acompanhe essa rotina irregular, mas, com o tempo, tente regularizar seus hábitos alimentares de forma gradual e suave.

Sono — Só posso dizer que os padrões de sono dele vão seguir um curso igualmente irregular, a menos que seu bebê tenha uma Lua em Touro, mais firme, ou algo similar. Você pode vir a descobrir que antes mesmo de ele nascer você também tinha a propensão a se comportar de maneira irregular! O mesmo acontece com seus hábitos alimentares. Não force nada, tente apenas regularizar com suavidade esses hábitos ao longo do tempo.

Habilidade motora — Este pequeno gênio pode ser bem sagaz. Ethan tem a Lua em Aquário e adora jogar bola com um parceiro, sentado firmemente no chão. Às vezes, fica tão excitado que cai para trás, sem conseguir se levantar. Mas ele não permite que isso detenha seu jogo. Ele continua a brincar pegando a bola com os pés e transferindo-a para as mãos, para que possa tornar a jogá-la!

Linguagem — Na maioria dos bebês, você verá sinais de que eles compreendem suas palavras entre 8 e 10 meses, mas não se surpreenda se o seu aquariano demonstrar entendimento antes disso. Na verdade, não se surpreenda com nada do que ele faz. Quando o vir olhando para o cachorrinho quando você estiver falando do Totó, saiba que isso é o começo da compreensão. Talvez ele ainda não entenda as palavras, mas ele vai captar o sentido daquilo que você está falando.

Aprendizagem — Ele é brilhante como um espelho. Pode não ser particularmente ágil, a menos que tenha a Lua em Virgem ou algo similar, mas a mente dele é boa. Você vai perceber que ele aprende e compreende rapidamente as coisas, mesmo nessa idade.

Socialização — A inteligência inata do aquariano brilha quando ele está com as pessoas. Fascina-se com elas e sente-se à vontade em grupos de amigos ou familiares. Não se surpreenda se ele tentar participar das conversas dos adultos interrompendo-os com seus comentários: ele está desfrutando da interação social.

Um a Dois Anos

Alimentação — Como os nativos de outros signos de ar, ele não mantém muito contato com o corpo nem com as necessidades físicas. Comer não é sua maior preocupação, e você terá de estabelecer padrões para a alimentação dele. Peça-lhe para dizer quando estiver com fome. Provavelmente ele não saberá dizer, mas isso vai incentivá-lo a se sintonizar com as necessidades físicas e, no mínimo, a pensar nelas.

Sono — Não espere noites de silêncio e não irá se desapontar. Ele está sintonizado com o mundo mental e precisa de repouso para revigorar a mente atarefada. Contudo o sono dele pode ser agitado.

Habilidade motora — Seu bebê aquariano é irrequieto, e provavelmente não é por acaso que se sente atraído por coisas eletrônicas e técnicas. Elas encantam sua mente avançada. Observe-o quando ele começar a andar pela casa, pois provavelmente ele vai fazer uma bela bagunça com os fios dos telefones, do televisor ou do computador. Ofereça-lhe um objeto igualmente interessante, mas seguro.

Linguagem — Este pequenino sabe comunicar o que está sentindo. É voluntarioso e não gosta de ser pressionado, nem por você nem por ninguém. Você pode se encantar pelo fato de que ele arrulhou pelo jantar e pediu mais comida. No entanto não espere que servir-lhe o mesmo prato todas as terças-feiras funcione. Ele não gosta de ser previsível. Conheço um aquariano de 2 anos, Yanni, que só comia ovos cozidos durante dias a fio, até decidir repentinamente que detestava os ovos, passando a comer feijões cozidos com torradas. Sua pobre mãe teve um acesso tentando acompanhar as mudanças radicais dele até aprender a tratar Yanni como adulto. Ela se sentou e explicou os prós e os contras daquela dieta e sugeriu alternativas. Talvez ele não goste de ser forçado, mas é inteligente o suficiente para aceitar conselhos.

Aprendizagem — Os bebês de Aquário são muito mais curiosos do que a maioria de seus contemporâneos, "ligados em tudo". Quando seu pequeno aquariano arrancar os fios da tomada ou investigar as conexões do computador, afaste-o fisicamente e forneça-lhe um rolo de fita adesiva ou algum outro objeto "adulto" seguro, com o qual nunca tenha brincado antes.

Socialização — Ele não nasceu para ser um solitário. Faz parte da sociedade e sabe disso. Se for filho único, faça-o participar de várias reuniões familiares, ou convide os amigos para visitar vocês com regularidade. Mesmo que seja um aquariano tímido com a Lua em Câncer, ele ainda vai se sentir à vontade num grupo de pessoas, apesar da timidez. Isso faz bem para a alma dele.

Dois a Três Anos

Alimentação — Ele terá coisas mais importantes a fazer do que comer; pode estar pensando se o seu novo amiguinho virá brincar amanhã, por exemplo. Vai ficar sentado alegremente diante da televisão com um sanduíche. Não é o ideal, mas às vezes pode ser uma bênção para os pais cansados.

Sono — Não se preocupe em apressá-lo a ir para a cama. Ele nem vai perceber se for dormir uma ou duas horas mais tarde ou mais cedo do que o normal! Talvez ele tenha dificuldade para acordar de manhã e fique contente se puder permanecer na cama até meio-dia, nutrindo seus sonhos. Explique-lhe que é importante acordar e se levantar. Ele sempre se interessa por explicações inteligentes, mesmo que não concorde com elas.

Habilidade motora — O desenvolvimento das habilidades motoras dele, como escovar os dentes, vestir-se e amarrar os cordões dos sapatos, será, como tudo o mais, irregular. Às vezes, ele insiste em fazer tudo sozinho e aparece com os sapatos mal amarrados e a boca coberta de pasta de dentes. Tolere isso ou ajude-o sem fazer muito alarde. Se ele não sentir uma ameaça à sua autonomia recém-conquistada, sem dúvida vai pedir ajuda a você no dia seguinte.

Linguagem — Depois de se acostumar com a natureza contraditória dele, você não se surpreenderá com o fato de ele fazer comentários meigos num minuto e ter acessos no seguinte. A melhor maneira de lidar com isso é estabelecer comunicações honestas e abertas. Ele nunca será jovem demais para isso. O mundo não vai tolerar uma *prima Donna*, mas admirará e respeitará um gênio em crescimento. Isso vai depender muito de sua influência. Ele não tem um respeito natural pela autoridade, mas vai respeitar você para sempre caso faça por merecer. Se o fizer, ele será uma das crianças mais prestativas e leais.

Aprendizagem — Ele está conhecendo o mundo e entendendo como se encaixa nele. Por isso, testa constantemente seus limites. Ele pode incomodar você, mas lembre-se de que está aprendendo o que pode e o que não pode fazer. Ele vai querer ficar acordado até tarde para assistir a um programa de televisão ou para ficar com o irmão mais velho. Ele vai querer ir ao cinema com você e assim por diante. Uma coisa que você não deve fazer é ficar dizendo *não*. É preciso explicar as razões e, quanto mais você as explicar, melhor ele entenderá o funcionamento do mundo.

Socialização — Com 3 anos, provavelmente ele será sofisticado em termos sociais. Ele pode liderar o grupo ao qual pertence. Quando Tommy, filho da minha amiga Irma, foi para o maternal, tornou-se o mediador de discussões sobre quem tinha os melhores gizes de cera nomeando-se o monitor dos gizes de cera. Na hora de desenhar, ele entregava um giz amarelo para cada colega, depois um azul, depois um vermelho e assim por diante, até todos terem sua cota. Ele chegou a ter dois assistentes voluntários para auxiliá-lo nessa tarefa!

Lições para o aquariano crescer melhor: Qual o melhor modo de ajudar seu pequeno aquariano a se desenvolver e se tornar o ser humano maravilhoso que ele é? Primeiro, aprenda a conhecer seu lugar como progenitor. Perceba que seu filho ou sua filha vão aceitar mais facilmente você como companheiro do que como progenitor. Quando você amarrar os sapatos dele, saiba que ele vai achar que pode fazê-lo melhor do que você (apesar dos seus trinta anos de experiência amarrando sapatos). "Eu quero fazer!" é o refrão constante dele, seguido de "Isso não está certo!". O companheirismo é aceitável; a orientação, não.

"Não é assim" é outra frase favorita diante de afirmações simples feitas pelos pais. Apesar de essa rejeição teimosa da autoridade ser esperada em crianças pequenas, nos aquarianos é uma postura mental vitalícia. E mesmo que ela possa ser um problema mais tarde, quando tentarem operar dentro de uma ordem estabelecida, também é uma de suas virtudes. O papel dele no mundo é descortinar modos de vida nunca imaginados antes.

DIÁRIO DO SEU BEBÊ DE AQUÁRIO

Bebê de Peixes
de 20 de fevereiro a 20 de março

Seu bebê de Peixes é uma criança mágica e mística que fica mais feliz num mundo de devaneios e raios de luar do que no cotidiano rude da vida infantil. Ele é imprevisível, mas não à maneira doida do bebê aquariano. Ele é interessado, impressionável e absorve as vibrações ao redor dele, refletindo-as de volta. É vulnerável, tímido e sensível a qualquer humor ou nuance. Às vezes, pode se recolher em seu próprio mundo. Noutras ocasiões, vai dançar e se divertir com exuberância.

Sua complexa natureza emocional tem tantos lados quanto um diamante tem facetas. Lembre-se sempre de que o motivo disso é a sensibilidade extrema a todas as correntes sutis e vibrações invisíveis da vida. Se a realidade é dura demais, ele se recolhe em seu mundo de faz de conta, onde pode permanecer por horas, dias ou uma vida inteira. Para esta criança, é particularmente importante estar cercada por amor, paz e harmonia. Ela vai precisar muito destes elementos durante a vida toda e, se não os encontrar no mundo que a rodeia, vai criá-los num mundo de devaneios.

Como você pode imaginar, esta criança é uma atriz natural. Como um camaleão, pode mudar a expressão facial, o humor e a postura de segundo para segundo. É dotada de empatia natural, o que significa que as vibrações das pessoas que a rodeiam passam para ela. Apesar de ser tão animada quanto as mais animadas crianças, precisa de muitos momentos de paz. Se nasceu numa família extrovertida e agitada, vai precisar de mais sono do que os outros filhos. Se a realidade cotidiana afeta sua natureza sensível, ela se desliga e se refugia em seu mundo onírico do sono.

Conheci uma pisciana, Carmen, que adorava ir para a cama. Se os pais saíssem para passar o dia com parentes ou amigos, logo após o jantar Carmen puxava a manga da blusa da mãe e murmurava que estava cansada e que queria ir para casa dormir na cama dela. Mesmo que fossem apenas cinco ou seis da tarde, ela sabia que sua constituição delicada precisava de descanso, e ela não lutava contra o sono como outras crianças.

Esta é uma criança que pode literalmente se agarrar e se esconder atrás da barra da saia da mãe, com o polegar na boca. Tente não se irritar com esse comportamento, compreendendo que ela é uma criança mágica com emoções tão profundas que fazem com que se sinta confusa. Ela não sabe como estabelecer seus próprios limites (a menos que tenha uma Lua ou um Ascendente mais prático), e por isso sua vulnerabilidade é bem real. É especialmente importante compreender este lado da natureza do seu bebê pisciano, dando-lhe muito carinho e espaço para que desenvolva sua maravilhosa natureza artística e amorosa.

O mais leve comentário negativo que outra criança, um professor ou parente fizer pode magoá-lo. Ele reage emocionalmente ao mundo, assim como o fazem os nativos dos outros signos de água — Câncer e Escorpião. Entretanto, o pequeno pisciano não conta com a resistência de Escorpião nem com a casca protetora de Câncer. Por isso, as lágrimas são a maneira dele de expressar a dor. Não se alarme demais se ele chorar constantemente por pequenas coisas. É uma forma de lidar com elas.

Stephanie, a filha pisciana de uma colega de trabalho, chorava todos os dias. Qualquer coisinha a abalava. Quando pisou sem querer numa lesma, soluçou descontroladamente. Quando derramou molho de tomate no vestido novo da mãe, o coraçãozinho dela se partiu. Quando o pai gritou com Spot, seu cachorrinho, ela derramou rios de lágrimas. A bondade é como um tônico para ela, que a distribui melhor do que qualquer um.

Neste mundo duro e dinâmico em que vivemos, seu bebê pisciano corre o risco de se sentir sufocado, e é importante que você o leve a compartilhar os sentimentos. Em vez de lhe perguntar o que ele fez, pergunte-lhe como se sentiu nesse dia. Para esta criança, é muito terapêutico compreender os próprios sentimentos e aprender gradualmente a controlá-los.

Uma cliente minha começou um ritual de "histórias sentimentais" com sua filha como uma extensão das leituras noturnas de contos de fadas. Elisa ansiava pela hora de compartilhar com a mamãe seu mundo mágico de sentimentos e encenava as emoções do dia com lágrimas de verdade, risos, olhares tristes e alegres. Quando Elisa cresceu, decidiu que queria ser enfermeira. Quase vinte anos depois, ela é uma excelente enfermeira, uma musicista e artista talentosa, curadora e voluntária na comunidade local. Em breve, vai se casar com um homem maravilhoso e amável que adora seus modos gentis e bondosos e seu charme sutil e romântico.

Não se surpreenda se seu bebê pisciano compartilhar o afeto com todas as criaturas vivas, como animais de estimação, aves e até insetos. Ele vai beijar muito sua tartaruga e passar horas infindáveis brincando com uma criatura aparentemente monótona. Um pequeno pisciano, Scott, ficou inconsolável ao ver um pescador em ação. Ele se aproximou do sujeito dizendo "Homem mau! Homem mau!" e chorou com vontade até os pais dele explicarem ao envergonhado pescador que Scott não gostava de ver nenhuma criatura viva sendo ferida.

Apesar dessa afinidade com os bichos, não cometa o erro de dar ao pequeno pisciano a responsabilidade de alimentar o bicho de estimação da família. Ele pode começar com as melhores intenções, mas ainda não é suficientemente organizado para manter qualquer tipo de rotina. Pode ser o bebê mais meigo e a criança mais generosa do quarteirão, mas a rotina não costuma ser o ponto forte dele.

Um dos maiores talentos dele é a imaginação. Nunca lhe diga que a imaginação não é real. Ele sabe que você se enganou. Seu filho pode, porém, ficar tão imerso no mundo da fantasia, especialmente se considerar o mundo que o cerca como um lugar rude, que vai precisar entender que ele não precisa viver na realidade o tempo todo.

Quando ele correr até você para lhe falar das fadas do jardim, não insista em afirmar que fadas não existem. Certamente existem, e, como criança sensitiva, ele pode vê-las muito bem. O pior que você pode fazer com uma pessoa psiquicamente dotada é forçá-la a acreditar que a experiência dela não é real. Se for o caso, talvez você precise se abrir para os mundos invisíveis à sua volta. Incentive seu pisciano a explicar o que viu e mantenha uma abertura para acreditar nele. Estude os mundos invisíveis para poder guiá-lo com sabedoria. Incentive-o a expressar e a usar os talentos psíquicos naturais dele de maneiras construtivas, positivas, em vez de reprimi-los. Com seus conselhos sábios, seu pequeno pisciano pode se mostrar como uma das pessoas mais intuitivas e perceptivas que você poderia encontrar.

Outra forma de canalizar a imaginação dele é por meio das artes visuais, da música e da dança. Estimule-o nessas formas de arte. Dê-lhe papéis, lápis de cor e não se surpreenda se ele demonstrar talento de fato assim que começar a riscar a folha com o lápis. Ele pode ter uma capacidade visual que lhe permite criar através de meios artísticos como a pintura e, mais tarde, a fotografia. Leve-o para ter aulas de música e dança. Incentive ao máximo os talentos naturais dele e ele pode se tornar um artista ou instrumentista talentoso. Mesmo sendo tímido por natureza, ele pode se revelar quando se apresentar diante de outras pessoas.

Julian, que tem a Lua em Peixes, era tão tímido quando bebê que desviava o olhar e se escondia atrás da saia da mãe a cada oportunidade. Ele temia a escolinha maternal e a atenção da professora e até dos colegas. Os pais dele estavam preocupados com a timidez excessiva — até a sábia professora dar-lhe um papel de destaque no teatrinho da escola. Julian decorou a fala como um veterano e ficou representando pela casa durante horas. Quando a peça foi encenada, ele brilhou. O talento dramático latente e a autoexpressão dele ficaram evidentes. Enquanto as outras crianças davam risinhos nervosos ou tropeçavam nas falas, Julian mostrou-se magistral e confiante. Com 3 anos de idade, tinha encontrado sua vocação!

Seu bebê de Peixes será um bom teste para você. Lembre-se de que ele está ciente não apenas das suas palavras, mas também das suas vibrações. Por mais que alguma coisa perturbe você, tente mostrar calma, equilíbrio e positividade para o seu filho, especialmente enquanto ele não souber falar e não conseguir entender o que está acontecendo. Mantenha seus comentários sobre terceiros positivos e amáveis. Se estiver passando por momentos difíceis em sua vida pessoal, lembre-se de que ele vai absorver suas dificuldades como se fossem dele. Apesar de ser impossível envolver seu filho em chumaços de algodão, defenda-o ao máximo de atitudes negativas e mesquinhas. Alimentar a alma do seu pisciano com elementos positivos é tão importante quanto dar ao corpo dele alimentos nutritivos. Se você enfatizar o que é bom, ele vai crescer forte e saudável.

Você não vai demorar a descobrir que, apesar de ter uma natureza flexível, ele é tão voluntarioso quanto qualquer criança da idade dele, e pode bater o pé e gritar como os demais quando quiser que as coisas saiam ao seu modo. Dê-lhe muita segurança, abraços e beijos — mas não lhe dê muita trela. Ele precisa aprender que não dá para "brincar" com você.

GUIA DE SOBREVIVÊNCIA DO SEU BEBÊ DE PEIXES

Do Nascimento ao Primeiro Ano

Alimentação — Estas delicadas alminhas desfrutaram a paz e a tranquilidade dos últimos nove meses e agora foram lançadas ao mundo duro das formas. Isso é difícil para elas, que agora precisam ser apaziguadas por meio da amamentação, de música suave e de afagos gentis. Saiba que ele gosta de ser amamentado por longos períodos. Em pouco tempo, você descobrirá que a paciência é, de fato, uma virtude.

Sono — Apesar de ter não ter gostado de ter sido lançado a um mundo severo e luminoso, talvez você se sinta aliviada ao saber que esse bebê nervoso gosta de dormir. Diferente dos bebês aquarianos, ele gosta tanto de um aconchego quanto você (a menos, é claro, que esteja cansado ou com fome, o que acontece na maior parte do tempo!). Tente tocar músicas suaves em casa em vez de sua banda de rock predileta.

Música agitada ou ruídos em alto volume abalam facilmente esta alminha sensível.

Habilidade motora — Como os nativos dos outros signos de água — Câncer e Escorpião —, ele adora o elemento água. Vai gostar do ritual do banho e vai espalhar água com vontade, desde que se sinta seguro e o ambiente seja calmo e pacífico, e não agitado e estressante. Uma colega transformou o banho do seu bebê, Annalisa, numa meditação pessoal. Ela acendia uma vela no banheiro, punha música suave e repousante e até fazia uma pequena prece. Annalisa gostava da serenidade e dormia logo em seguida, e a mãe se acalmava após um dia caótico. Ela também reservava um tempo no meio do seu dia agitado para longas caminhadas com o carrinho até o lago próximo da casa dela e ficavam sentadas observando juntas os patos, sonhando e aumentando o vínculo entre elas.

Linguagem — Seu bebê pisciano pode aprender rapidamente, pois tem muita empatia e, por isso, é excelente mímico. Passe algum tempo conversando com ele; mesmo que não entenda você, ele vai sorrir quando você sorrir e se divertirá muito. Além disso, leia muitos contos de fadas para ele. Ele nunca vai se acostumar com o lado mais duro da vida cotidiana e manterá uma imaginação fértil pela vida toda.

Aprendizagem — Este bebê também aprende através da mímica. Se quiser ensiná-lo a falar, diga-lhe algumas palavras e peça que as repita. Você se surpreenderá com a capacidade de aprendizagem dele. Ele também vai aprender a imitar os hábitos de outras pessoas e até o riso delas. Como seu mundo imaginário é tão rico e real, você precisa ensinar-lhe a diferença entre o tigre de pelúcia dele e o tigre de verdade do zoológico. Isso vai ajudá-lo a distinguir entre o mundo das formas e o mundo da imaginação desde cedo (não estou dizendo que o mundo da imaginação é menos real do que o mundo das formas, só que são diferentes).

Socialização — Como os outros nativos dos signos de água, ele se apega muito àquilo de que gosta e que conhece, especialmente nessa fase da vida. Os piscianos têm uma natureza afetiva muito desenvolvida. Isaac sente ciúmes quando a irmã recebe mais atenção do que ele.

Mesmo com 8 meses, ele demonstra que está zangado com resmungos e a afasta com as duas mãos. Além disso, quando mamãe e papai a beijam e abraçam, ele fica bravo e aflito.

Um a Dois Anos

Alimentação — Ele é muito sensível e sintonizado com o mundo invisível das vibrações e atmosferas. De todos os signos de água, Peixes é o mais vulnerável e sensível. Procure sempre criar uma atmosfera repousante na hora das refeições e ponha para tocar músicas suaves e regeneradoras.

Sono — Ele precisa de mais descanso e recuperação do que os nativos dos outros signos, a menos que o signo lunar dele seja mais turbulento ou que outros fatores do mapa indiquem o contrário. Ele gosta de ficar aninhado na cama e que ajeitem suas cobertas, longe da preocupação e dos problemas do dia.

Habilidade motora — Não vai demorar até você perceber que ele tem habilidades artísticas e um forte senso de ritmo. Aos 2 anos, Russell ouve as folhas batendo na janela e raspando as paredes e ondula os braços no ritmo dos sons. Ele corre para o jardim na chuva se a mãe deixar e dança alegremente tentando pegar as gotas.

Linguagem — Incentive-o a compartilhar histórias e fantasias com você. Ele pode demonstrar tanta habilidade para explicar seus amigos imaginários que talvez você tenha dificuldade para diferenciar o que é real do que é faz de conta. O jovem David costumava falar de seus "jarnomos" (gnomos do jardim). Durante um bom tempo, os pais acharam que ele estava inventando histórias, até que um dia, quase quinze anos depois, David disse à mãe que realmente via gnomos e elfos no jardim. Ele tinha uma paranormalidade natural, e para ele o mundo dos devas e dos espíritos da natureza fazia parte da vida. Ele também via as auras das pessoas e as descrevia como se tivessem cores diferentes. Você precisará se valer de bons critérios com esta criança sensível.

Aprendizagem — Dê-lhe muitos brinquedos para estimular a imaginação e criatividade, além de reforço positivo. Seu pequeno pisciano pode se sentir inseguro depois de aprender a andar e pode até voltar a engatinhar. Como é muito sensível, não gosta de barulho e se retrai quando alguém liga o aspirador ou a batedeira. Ele está aprendendo rapidamente que o mundo é um lugar imenso, e ele prefere se refugiar quando enfrenta situações desagradáveis. Ele não gosta de responder à altura quando o garoto do vizinho tenta tirar o brinquedo preferido dele. Sua reação é choramingar ou resmungar. Noutras ocasiões, ele pode ter um chilique, e você descobrirá que isso resulta do fato de ele se sentir inseguro ou espantado diante das ações de outra pessoa.

Socialização — Ele não é a mais sociável das crianças, mas é adaptável por natureza e por isso sabe se ajustar a novas situações ou se adequar às pessoas com facilidade. No entanto, se ele se retrair, você deve saber que em algum nível ele está com medo e precisa se sentir seguro novamente. As mudanças de humor dele nem sempre são fáceis de entender, mas preste atenção nelas, pois esta criança tem uma espécie de antena psíquica para as pessoas e as situações. Ele é muito afetuoso com as pessoas que ama, e adora a proximidade e abraços, bem como manifestações de afeto. A pequena pisciana de uma cliente pedia para ir dormir assim que acabava de jantar, para desfrutar do conforto de ser colocada na cama, de ser beijada e abraçada e de ter ao lado seus bichos de pelúcia, cujo número aumentava cada vez mais.

Dois a Três Anos

Alimentação — Ele está tão atento às flutuações de humor dele quanto às suas, e por isso é do interesse de todos que você se acalme antes da hora das refeições, ou ele pode ter problemas alimentares. Dê-lhe alimentos simples e saudáveis. Ele adora açúcar e todas as coisas que mais tarde o afetarão e que são particularmente nocivas para sua disposição sensível.

Sono — Ele gosta de se sentir confortável na hora de dormir. Afague suavemente a testa e a cabeça dele enquanto lê para ele à noite. Ele vai adorar isso. Na agitação da vida cotidiana, ele se confunde todo e precisa de calma e tranquilidade antes de dormir.

Habilidade motora — Talvez você o flagre dançando sozinho ao som de uma música que nem sequer se escute, como os sons da natureza lá fora ou uma canção tocando na casa do vizinho da frente. Por outro lado, às vezes, os ouvidos sensíveis dele são incomodados por sons confusos que ninguém percebe, outra indicação de um talento natural para a música. Incentive-o a dançar e a praticar esportes aquáticos, como natação ou ginástica. Mantenha sempre um bom estoque de lápis e tintas, pois ele pode ter talento artístico.

Linguagem — Lembre-se de que ele é impressionável. Enquanto estiver aprendendo a linguagem, faça com que não fique tempo demais exposto à televisão, ou ele vai aprender gírias e palavrões e usar essas expressões sem grandes problemas. Ele vai conversar longamente com os brinquedos e bichos de pelúcia, que terão nomes e serão reais para ele. Ele pode até discutir com eles de vez em quando, dizendo-lhes algo com sua voz e respondendo numa voz ainda mais esganiçada (a dele!). Se ele não tiver irmãos, será um bom modo de aprender a se comunicar, e você pode até pensar em incluir os convidados dele para jantar à mesa de vez em quando.

Aprendizagem — Seu pisciano tem um modo singular de aprender. O estilo dele consiste em se sintonizar nas pessoas e nas informações para aprender coisas e absorvê-las, por assim dizer, em vez de aprender decorando. Por isso, você deve tomar cuidado para não deixá-lo largado na frente da televisão. Programe um horário para que assista à TV com você, e assim você poderá lhe explicar as coisas. Ele não se sente à vontade diante de situações novas e pode ficar preocupado durante semanas com a ida à pré-escola. Você deve conversar com ele sobre isso e até levá-lo à escola de carro algumas vezes antes de começarem as aulas. Converse com ele sobre a professora e as crianças que ele irá conhecer. Como tem uma imaginação muito boa, ele será capaz de visualizar o cenário; assim, quando for mesmo à escola, terá um bom começo.

Socialização — Dê-lhe muitas oportunidades para brincar com outras crianças da idade dele porque ele tem a tendência a entrar em seu mundo interior, preferindo brincar com seus brinquedos. Ajude-o a desenvolver a bondade e a compaixão que são fatores motivadores para o signo espiritual de Peixes, dando-lhe um peixinho dourado para ele cuidar.

Lições para o pisciano crescer melhor: Como o signo de Gêmeos, Peixes é um signo duplo. Você pode ver seu bebê pisciano crescer com um pé neste mundo e outro no mundo mágico dos sonhos. Compreenda esta criança complexa e dê-lhe todo o seu amor e orientação sábia. Cerque-a de positividade e incentive-a a expressar todos os seus talentos. Se fizer isso, ela retribuirá o seu amor multiplicado por mil e crescerá, tornando-se um adulto amável, com o coração cheio de compaixão por todas as coisas vivas. Seu pequeno bebê pisciano pode, com seus cuidados sensatos, tornar-se um gigante espiritual e criativo, que estimula e inspira as pessoas ao redor dele com bondade, amor e sabedoria.

DIÁRIO DO SEU BEBÊ DE PEIXES

PARTE II
UMA VISÃO MAIS AMPLA

CAPÍTULO TRÊS

O Passado do seu Bebê

Nosso nascimento é como um sonho e um esquecimento:
A Alma que se ergue conosco, nossa estrela da vida
Teve morada noutro lugar,
E veio de longe:
Não em total esquecimento,
Nem em total nudez,
Mas trilhando nuvens de glória
Viemos de Deus, que é nosso lar:
O céu nos reveste em nossa infância.

— **William Wordsworth**

Até agora, tratamos dos padrões psicológicos, das necessidades emocionais, da personalidade e dos padrões de crescimento do seu bebê. Agora, com o uso da astrologia, vamos olhar para seu bebê como uma alma — com um passado e com um futuro.

Como pais, vocês oferecem o maravilhoso dom de um corpo, mas vocês não criam o "ser" essencial e único que é seu filho. Esta alma humana já existe, uma entidade viva que entra nas células e cresce, proporcionando o corpo físico de que ele necessita para viver e ganhar experiências.

Os astrólogos acreditam que o mapa astral delineia não apenas o presente e futuro, como também as vidas passadas. Apesar do assunto das vidas passadas não ser o foco deste livro, deve ser mencionado como parte essencial da evolução da alma.

Embora a maioria das pessoas da Terra acredite em vidas passadas e em reencarnação, e essa crença seja um tema central de diversas religiões do mundo, no hemisfério ocidental muitos ainda não as aceitam.[9] Crer ou não na reencarnação depende inteiramente de você. No entanto devo reiterar que, como astróloga, levo em consideração as vidas passadas. Devo acrescentar que existe hoje um corpo maciço de provas a favor da realidade da reencarnação, graças, em parte, à obra do brilhante estudioso, médico e psiquiatra doutor Ian Stevenson,[10] que dedicou os últimos quarenta anos de sua vida à documentação científica das lembranças de vidas passadas de crianças do mundo todo. Ele tem mais de três mil casos em seus arquivos. Muita gente, inclusive céticos e estudiosos, concorda que estes casos representam até hoje a melhor evidência para a reencarnação.

O notável e meticuloso trabalho do doutor Stevenson com crianças pequenas que falam de vidas anteriores proporciona informações detalhadas e precisas sobre pessoas que morreram antes do nascimento dessas crianças, além de descrições detalhadas de lugares e casas que estas nunca tinham visitado na vida atual. É incrível, mas o notável conjunto de informações reunido por ele tem sido, na maioria das vezes, ignorado por seus colegas, apesar da ilustre carreira acadêmica do doutor Stevenson e de suas qualificações. Entretanto, quem quer que estude seus livros com a mente aberta percebe que ele apresenta provas inegáveis da reencarnação.

Outro estudioso, o doutor Brian Weiss,[11] psicoterapeuta tradicional, ficou espantado quando uma de suas pacientes começou a recordar traumas de vidas passadas. Porém, quando ela começou a dar ao doutor Weiss informações sobre a família dele e sobre um filho que perdera, obtidas em outras realidades ou no "espaço entre vidas", seu ceticismo começou a desmoronar. Isso o levou à notável etapa seguinte de sua carreira com o emprego da terapia de vidas passadas, documentada exaustivamente em seu livro *Many Lives, Many Masters*, que se tornou um *best-seller* internacional.[12]

Preparando-se para Nascer

Se aceitar o fato de que seu bebê viveu antes, isso vai explicar por que vocês podem ter passado meses tentando escolher o nome certo para seu filho e, pouco antes de ele nascer, o nome certo ter aparecido subitamente na sua cabeça.

Foi isso que aconteceu com meus pais, que tinham preparado uma longa lista de nomes (dos quais, por sinal, eu não teria gostado!). Pouco antes de nascer, o nome *Christina* apareceu na mente da minha mãe com muita clareza e permaneceu lá. Não era um nome que meus pais tinham cogitado ou discutido antes, e eles ficaram surpresos por ele ter aparecido. Nas palavras da minha mãe, "O nome persistiu e não ia embora. Tive a impressão de que a alminha que ia nascer estava anunciando sua chegada de maneira bem clara!".

Seu nome não é algo aleatório. Ele reafirma constantemente quem você é. Segundo a numerologia,[13] que estudei e pratiquei por mais de vinte anos, todas as letras do alfabeto têm sua vibração, e as letras totais do seu nome irradiam ao universo quem e o que você é, atraindo por sua vez as experiências de que precisa para cumprir seu destino.

Os numerólogos podem dizer muita coisa sobre seu filho valendo-se apenas do nome dele, pois cada letra representa determinado valor ou propriedade. Por exemplo, se você der ao seu filho o nome de Alexander, ele vai lidar com a vida de frente, com uma postura mental e analítica; se sua filha se chamar Irene, terá uma abordagem mais emocional. Na numerologia, a letra "A" tem qualidades como iniciativa, independência e criatividade mental; a letra "I" é mais emotiva; tem uma postura universal de autossacrifício diante da vida.

Esta é apenas uma visão superficial do fascinante e complexo estudo da numerologia, mas, para um numerólogo, escolher um nome pode ser uma tarefa complexa! Todavia, se sua sábia alminha lhe mostrar um sinal de "positivo" antes mesmo de nascer, leve a sério. Ela já terá escolhido o nome dela, talvez com a colaboração de seus guias ou mestres do outro plano, para que receba as lições de que necessita na vida atual.

Como sabem os pais, há muitos preparativos que precisam ser feitos para a chegada do bebê. Escolher o nome é apenas uma pequena parcela desse processo. A atividade que você exercerá antes de ele nascer é outra. Conheço muitas mães que gostam de trabalhar até o último minuto antes do nascimento dos filhos e consideram isso uma espécie de medalha de honra, mostrando dedicação a seu trabalho. E depois que o bebê nasce, desaparecem e nunca mais voltam. Parece estranho, mas tenho visto que as mães que tiram férias antes do nascimento dos filhos e se orientam para a vida doméstica têm menos problemas após o parto e podem até voltar a trabalhar se acharem apropriado.

Ter um filho é um grande evento, uma mudança importante na vida de qualquer um, e a preparação é essencial. Como pais, vocês não estão se preparando apenas para o nascimento físico do bebê, mas para a alma que está encarnando, com todas as lições e os desafios que traz de seu passado. Até agora, olhamos para o possível desenvolvimento do seu bebê em sua existência atual. Agora, vamos olhar para trás — para as experiências e os desafios do passado desta alma que encarna.

No mapa natal do seu bebê, o caminho da alma dele é ilustrado por aquilo a que damos o nome de Nodos Lunares ou Nodos da Lua.[14] Para descobrir onde estavam esses Nodos quando seu bebê nasceu, consulte o Apêndice III na página 312. Você verá que há dois Nodos Lunares: um Nodo Sul e um Nodo Norte, ambos representados por símbolos. O Nodo Sul é representado pelo símbolo ☋ e o Nodo Norte é representado pelo símbolo ☊. Estes pontos matemáticos (não são corpos físicos como os planetas) são extraordinariamente importantes para o astrólogo.

Em termos simples, o Nodo Sul representa os talentos e as habilidades que seu bebê desenvolveu no passado; o Nodo Norte, os desafios futuros. Conhecendo sua localização no mapa natal, o Nodo Sul representa os dons que a alma do seu bebê trouxe consigo para encarnar nesta vida. Esses dons abrangem as experiências, os talentos, as habilidades e recordações do seu bebê. Noutras palavras, as lições e habilidades com que seu bebê se defrontou e as quais ele aprendeu ao longo de muitas existências ainda estão disponíveis para ele mediante a influência do Nodo Sul.

Quando morremos, todas as experiências valiosas que reunimos não se perdem subitamente, apesar de a maioria das pessoas não ter uma lembrança direta dessas experiências. Essas experiências, e nossa reação a elas, formam aquilo que chamamos de "padrão kármico".[15] Depois que morremos, nosso Eu Superior decide o lugar e o momento em que iremos renascer, quem serão nossos pais etc., para que tenhamos as experiências corretas de que precisamos para continuar nosso caminho evolucionário, segundo as lições exigidas pelo nosso *karma*.

Pense no Nodo Sul como o boletim do seu bebê. Ele pode ilustrar para os pais ou guardiões as lições que já aprendeu e os exames que prestou e nos quais passou.

Assim como o Sol, a Lua e os planetas do mapa do seu bebê, os Nodos estarão em signos e áreas diferentes do mapa natal. Neste capítulo, vamos analisar o significado do Nodo Sul do seu bebê em cada um dos signos do Zodíaco, de Peixes a Áries. Com isso, você pode ter uma ideia do passado do seu bebê. Além disso, ele pode indicar os talentos e as primeiras predisposições.

O NODO LUNAR SUL NOS SIGNOS DO ZODÍACO

Nodo Sul em Áries

Nasceu independente e briguento. Foi forçado a se manter em pé por conta própria em existências anteriores e está armado com a coragem e a competitividade de um pequeno guerreiro. Ele é naturalmente atlético e vai gostar da emoção e do desafio dos esportes competitivos.

É durão, esperto, nobre, corajoso e autocentrado, com talento natural para a liderança. É aquela menininho que morde a língua quando está nervoso ou com medo, pois não gosta de demonstrar seus sentimentos e nem de parecer vulnerável. Tem o desejo inato de ser visto como alguém forte e destemido, embora por dentro esteja tremendo. Mesmo que tenha um signo solar ou lunar suave e artístico, haverá um quê de militar nesta criança voluntariosa. Vai apreciar regras e regulamentos, sendo pontual e esforçado. Você pode se orgulhar da força, independência e ambição dele, mas mostre ao seu filho que há outras pessoas no mundo além dele. Nesta existência, ele vai buscar lições como cooperação e espírito de equipe, colocando as necessidades dos outros à frente das próprias para poder aprender a compreensão, a tolerância e o altruísmo. Incentive-o nesse processo de crescimento e dê-lhe todo o amor e afeto de que precisa. Quando adotar esse caminho superior, ele se tornará um diplomata sábio, defensor da justiça social.

Nodo Sul em Touro

Um dos objetos prediletos dele pode ser aquele saquinho de pano cheio de moedas douradas de chocolate. Primeiro, ele nasceu para apreciar o dinheiro e o conforto material que ele pode adquirir; segundo, ele adora comida e coisas dos sentidos. Em existências anteriores, aprendeu o valor das coisas e agora vem com seu próprio código moral. Isto o torna autossuficiente, justo e confiável, com um toque de teimosia. Ele gosta da rotina e tende à preguiça, preferindo ficar na cama pelo maior tempo possível em vez de se levantar e enfrentar o novo dia. É leal e firme, com maneiras agradáveis e encantadoras, e tem propensão artística. Gosta que você o apoie, e estará sempre do seu lado. É popular, tanto com colegas quanto com adultos; com um belo sorriso, atrai passarinhos e faz com que ele consiga exatamente o que quer! Nesta vida, ele pode se dedicar a empreendimentos especulativos arriscados. Incentive-o, ao mesmo tempo que o ajuda a manter uma base segura. Apesar de precisar de segurança, há nele uma parte mais profunda que sabe que tudo é ilusão e que o leva a explorar caminhos desconhecidos e inéditos de poder, desafio e aventura.

Nodo Sul em Gêmeos

Ele traz consigo do passado entusiasmo e alegria pela vida e por tudo aquilo que ela oferece, o que o torna um bebê feliz e animado que gorgoleja e arrulha diante de cada experiência diferente. Ele adora aprender e se entusiasma com a riqueza e a diversidade da vida. Na idade escolar, pode se mostrar excelente em esportes, culinária e estudos. Pode demonstrar um interesse discreto por diversos assuntos, desde economia doméstica e caratê até latim e filosofia. Ele vai passar por diferentes caminhos e várias doutrinas religiosas e vai gostar de todos. É um eterno, inquisitivo e animado estudante da vida, e assim que souber falar, as frases dele vão sempre começar com um "Por quê?". Em algum momento, ele pode se sentir atraído por um país estrangeiro. Ele vai adorar viajar e pode morar em vários lugares diferentes, absorvendo culturas e línguas. Pode se ver abrindo mão da vida cotidiana normal para morar num retiro, dedicando-se a estudos superiores ou a conhecimentos espirituais antigos. Mais tarde, pode desejar que sua eterna busca pelo conhecimento se torne uma jornada bem definida na direção da verdade maior. Desse ponto em diante, ele vai repartir os conhecimentos com os outros e pode se tornar um professor brilhante e talentoso.

Nodo Sul em Câncer

Assim que você pegar as panelas, ele estará lá com a colher de pau na mão, pronto para acompanhá-la na culinária e na comilança. Ele gosta de ambas. Em vidas passadas, aprendeu a nutrir, a cuidar e a proteger a si mesmo e à sua família, a ser sensível e a gostar da vida doméstica. É dedicado à mãe e, quando bebê, vai literalmente se pendurar no seu avental para se sentir mais próximo. Está sempre disposto a beijos e abraços, pois adora se sentir íntimo e querido. Do mesmo modo, estará presente quando os pais estiverem cansados e estressados. Ele vai pressentir quando vocês não estiverem bem e vai abraçá-los, fazendo com que tudo pareça melhor. O lar é o lugar onde o coração dele estiver, e ele gostaria de ficar para sempre com você. Quando tiver idade suficiente para ter o seu primeiro emprego, pode optar por montar um escritório ou uma empresa em casa; entretanto, em algum momento desta vida, vai sentir um impulso para se afastar dos confortos domésticos. Incentive-o em sua determinação e ambição e ajude-o a compreender o valor de ter metas elevadas e nobres desde cedo. Ele pode se tornar o principal executivo ou o presidente de uma empresa, que se interessa pessoal e paternalmente pela vida, pelas ambições e pelos problemas de todos os seus funcionários. Pode se tornar o sacerdote que nutre a alma de seus paroquianos e cuida deles.

Nodo Sul em Leão

Ele vai gostar de coisas brilhantes e se sentirá atraído por joias e roupas glamorosas. A menina com Nodo Sul em Leão vai andar pela casa com seus sapatos e vestidos de noite, provocando risos e comentários de admiração em toda a família. Esta adoração é o que esta criança busca, e ela vai alegrar sua vida com suas micagens. Numa vida passada, este bebê foi o centro da atenção e o líder do grupo, distribuindo generosamente amor, riso e favores aos que o rodeavam. Ele encarnou com uma aparência imperial e sabe dominar uma plateia com facilidade. Ensine-lhe a beleza da simplicidade, da modéstia e da humildade e ajude-o a reconhecer o valor das outras pessoas. Na escola, não tardará a se tornar representante de classe e capitão da equipe, pois gosta de ter bom desempenho. Tem um pendor natural para teatro amador e aprende a sublimar seu ego bem definido com o objetivo de formar um grupo, beneficiando-o. Assim que aprender a fazê-lo, vai emergir como o líder popular da turma, tornando-se alguém que procura realçar o que cada um tem de melhor por meio de sua generosidade e seu amor. Ao procurar compreender as pessoas que o rodeiam, vai aprender o significado da verdadeira amizade.

Nodo Sul em Virgem

Ele se sentirá atraído pela organização e pela estrutura e vai gostar particularmente de Lego e de outros brinquedos com os quais possa construir e organizar. Você pode mantê-lo quieto por horas deixando-o brincar com pedaços de papel, pastas e lembretes Post-It. Existe nele o desejo inato de ordem e talento para trabalhos meticulosos e artesanais, que ele aprendeu em seu passado. O mundo indomável no qual vivemos pode parecer excessivo para seu pequeno bebê, mas, à medida que crescer, ele vai se destacar no mundo material, podendo ter muito sucesso na escola, na faculdade e nos negócios. Ele é particularmente hábil com números, com trabalhos detalhados que exigem grande concentração ou com qualquer atividade minuciosa como a escrita. Pode se mostrar muito astuto, diligente, bom em provas e exames e hábil com as palavras. Pode ser um pouco tímido e sinceramente modesto. Dê-lhe muitos abraços e beijos e fale-lhe do amor e da bondade. Mais tarde, ele vai buscar um mundo além de seus parâmetros tão bem traçados e pode ansiar por um refúgio espiritual. Ele pode usar seus talentos e sua arte para aperfeiçoar uma causa caridosa ou um empreendimento artístico. No íntimo, deseja levar mais amor e compreensão para o mundo, e vai se esforçar para que isso aconteça.

Nodo Sul em Libra

Seu pequenino é meigo, gracioso e sociável, e todos o adoram. Ainda bebê, vai seguir você por toda parte, pois não gosta de ficar sozinho. Em vidas passadas, trabalhou muito bem em equipe e apoiava, de maneira amável e compreensiva, todos que o rodeavam. Agora, esses maravilhosos atributos virão facilmente para ele. Além disso, ele tem um talento inato para a harmonia, seja na música, na arte ou na linguagem. Se você costuma discutir e tem um temperamento exagerado ou explosivo, tente controlar-se quando estiver perto dele. Quando sente que a paz está sendo ameaçada, ele fica temeroso e faz o que pode para apaziguar as pessoas. Seus modos gentis vão atrair as pessoas, que o procurarão para ajudá-los em seus problemas por conta de seu senso de justiça e correção. Ele está aberto para os dois lados de uma questão e pode ter dificuldade para tomar decisões. Em vez de lhe apresentar opções e mais opções, ajude-o a fazer escolhas; se ele tiver alguma objeção, você vai ficar sabendo. Ele pode ser meigo, mas não é fraco. É o "punho de ferro na luva de veludo", e você conhecerá a força de vontade dele desde o instante em que ele nascer. Canalize-a para atividades desafiadoras e fale-lhe de força e liderança. Quando crescer, ele vai buscar a independência; não se espante se ele romper com amigos e familiares para se aventurar no desconhecido. Significa que a alma dele está pronta para lhe mostrar as lições necessárias para que consiga se sustentar nos dois pés. Aprendendo isto, ele pode realizar o que desejar graças ao seu foco pontual e à sua vontade férrea.

Nodo Sul em Escorpião

Este poderoso pequenino vai fazer sua presença ser sentida graças à força dos sentimentos. Pode não ser muito de falar, mas as "vibrações" pessoais dele vão permear a atmosfera de qualquer ambiente. Ele pode encantar a todos com um sorriso delicioso e um olhar mágico, ou pode fazer com que você deseje não estar no mesmo recinto. O poder é algo natural para ele, pois ele o deteve com facilidade, graciosa ou forçadamente, em muitas existências. Para ele, poder e magnetismo são naturais e inatos. Mas cuidado: assim que ele descobrir as garotas, elas se sentirão atraídas. O mesmo ocorrerá com as meninas. Ele pode crescer e se tornar magricela ou ter o rosto cheio de pintas e dentes de coelho, mas seu pequeno será o eterno "ímã do sexo oposto". Quando bebê, a palavra *fascinante* vem à mente. As senhoras mais velhas vão se derreter por ele e as adolescentes vão achar que ele é o bebê mais bacana do mundo. E quais são os talentos dele? A mente dele penetra como *laser* em seus segredos mais sombrios: assim que aprender a falar, vai passar por cima de suas desculpas esfarrapadas e em pouco tempo *você* o estará acompanhando. O talento dele com pessoas é notável. Ele virá para esta vida com inclinações para ser mentor, professor e guardião de segredos. É o ombro no qual se chora e um ouvinte sábio. Pode chegar longe e vai gostar de estar perto de pessoas poderosas e bem-sucedidas. Mais tarde, a alma dele vai almejar um caminho menos desafiador, e o poder pessoal pode deixar de ser interessante. Ele vai ansiar pela paz da segurança emocional, material e espiritual. Incentive-o a descobrir a serenidade e as alegrias da natureza e a cortar os exageros passionais para encontrar um caminho cotidiano mais pacífico.

Nodo Sul em Sagitário

Quando vir este Nodo Sul, saiba que seu bebê é um aventureiro; por isso, mantenha as portas trancadas e os armários fechados. No passado, ele pode ter sido um aventureiro destemido que percorreu a selva amazônica e escalou o monte Kilimanjaro só pela emoção que isso proporcionou. Suas tendências corajosas ficarão evidentes em pouco tempo. Ele não gosta de ficar preso no cercadinho, e você verá que as cobertas do berço estão sempre fora de lugar, pois ele se retorce e luta com elas, frustrado pelo fato de sua vida ainda ser monótona e rotineira. Todas as crianças fazem perguntas, mas esta vai atormentar você com algumas que são impossíveis de responder. A postura dele diante da vida é destemida, tanto em termos mentais quanto físicos. É melhor não lhe dizer que ele não pode fazer alguma coisa. Ele vai adorar o desafio. A mãe de uma menininha que conheço e que tem o Nodo Sul em Sagitário a desafia dizendo coisas como "Aposto que você não consegue comer o espinafre hoje... dou-lhe dez centavos se você puder ficar aqui até eu voltar". À medida que ele crescer, não tente doutriná-lo com seus sistemas de crenças. Dê-lhe toda a liberdade do mundo para que ele encontre o próprio caminho na vida, com muita orientação sábia, e ele vai surpreender você mantendo-se por perto. Quando você tentar limitá-lo, ele vai sair correndo. Ao amadurecer, ele pode decidir escrever as próprias aventuras como um roteiro de cinema ou um livro, ou mandar-lhe cartas extensas de todos os quadrantes do planeta.

Nodo Sul em Capricórnio

Mesmo quando ainda era um bebê, você pôde sentir a seriedade dele. Ao contrário dos rebeldes sagitarianos, seu bebê vai gostar da rotina e de estrutura. Em vidas passadas, ele aprendeu o poder da disciplina e a realização que o trabalho árduo, a ambição e o sucesso podem trazer. A cautela é mais espontânea para ele do que a aventura. Ele vai aprender de forma lenta e firme, um passinho de bebê de cada vez. No entanto, não subestime o amor inato que ele tem pela realização. Incentive-o muito quando ele pronunciar a primeira palavra, quando der os primeiros passos e começar a comer alimentos sólidos. Ele não aceita mudanças facilmente, e seu estímulo vai ajudá-lo a superar os traumas cotidianos enquanto ele for forçado a conhecer a vida. Embora goste de se agitar e de brincar como qualquer bebê, seus brinquedos prediletos podem ser aqueles úteis e não os meramente decorativos. Quando ele gritar no supermercado, lembre-o de que esse não é um comportamento aceitável na presença de outras pessoas. Você vai tocar no conservadorismo inato e no senso de responsabilidade dele. Ele vai perceber isso rapidamente, e, como você dará sempre uma orientação correta e sábia, ele vai se tornar uma criança atenciosa e um ser humano solícito. Mais tarde, quando ele chegar ao ápice da carreira, pode desejar conforto e segurança, adiando os filhos para um momento tardio e desfrutando os confortos domésticos que antes rejeitou. Ele pode se tornar um *chef gourmet* ou assumir o papel de cuidador, aprendendo as lições da sensibilidade, do sentimento e dos cuidados com o corpo, a mente e a alma de todas as pessoas próximas a ele.

Nodo Sul em Aquário

Rebeldia é o nome do meio deste bebê. Apesar de ser um pouco difícil de ser compreendido pelos pais ou guardiões, é preciso compreendê-lo. Acima de tudo, seu bebê vai requerer compreensão — e muita — para que sua genialidade latente se revele. Quando ele começar a andar pela casa, você pode se perguntar por que ele não gosta de obedecer às regras como seus irmãos. Ele não é pior do que eles; acontece que ele não tem tendência ao conformismo. Ele passou vidas e mais vidas tentando fazer da sociedade um lugar melhor e nesse processo defrontou-se com autoridades e com a convenção. Enquanto ele for bebê, você não vai perceber isso. Mas à medida que o observar gorgolejando e arrulhando, talvez note um pouco da percepção aguda e da inteligência nos olhos desta criança. Às vezes, você pode achar que ele é mais velho do que você. Quem sabe? Como todo bebê, este precisa de estímulo. Mas as pessoas com o Nodo Sul em Aquário não apreciam muito os abraços e beijos (a menos que tenham a Lua em Câncer ou algo similar); elas precisam de incentivo para expressar suas ideias e iniciativas malucas. À medida que crescer, ele vai buscar os holofotes, vai tentar ser líder e ser bem-sucedido. É a alma levando-o a definir o próprio ego, pois durante muitas vidas ele colocou as necessidades alheias antes das dele. Incentive-o a explorar sua criatividade por meio de coisas como desenho, dança ou faz de conta.

Nodo Sul em Peixes

Um bebê nascido com o Nodo Lunar Sul no signo de Peixes vai encarnar como alguém sensível e artístico, muito aberto às emoções e impressões. Com a criação e os cuidados apropriados, esta criança vai aprender a lidar com o mundo e a trazer inspirações do passado por meio de canais apropriados. Você vai precisar isolar este pequenino de ruídos excessivos, chiliques e vibrações negativas de modo geral. Ele será forçado a lidar com tudo isso em pouco tempo, mas, nessa idade sensível, ele vai precisar de mais apoio do que muitas crianças a fim de se tornar a alma atenciosa e radiante que é. Ele está muito aberto para a espiritualidade e a harmonia. Tente enviar-lhe uma energia de cura e verá que ele parece desfrutar das energias pacíficas. Ele as absorve, pois elas são um alimento para sua sensível alma artística. Ele é impressionável e empático. Cuidado com o que se diz perto dele e com o modo de falar. Todos os bebês aprendem com o mundo que os cerca, mas este pequeno *torna-se* o mundo que o rodeia. Como foi uma alma artística no passado, ele está acostumado a absorver vibrações e a canalizá-las. Faça com que esteja rodeado por vibrações positivas; isso vai ajudá-lo a atingir seu potencial pleno. Com a maturidade, ele pode se interessar pela arte da cura e tornar-se um médico, enfermeiro ou curador maravilhoso, ou trabalhar em qualquer área na qual possa canalizar sua compaixão e ser útil para os demais.

CAPÍTULO QUATRO

O Presente do seu Bebê

Alimentação da Alma

Este capítulo enfoca a importância de nutrir a pequena alma do seu bebê, física, mental, emocional e espiritualmente, e ensina como compreendê-lo como parte de uma geração de almas que estão encarnando ao redor do planeta nesta época.

Nutrindo seu bebê em todos os níveis, você pode ajudá-lo a enfrentar o trauma do nascimento e a fazer os ajustes necessários após emergir do suave mundo aquático do útero e sair no duro mundo concreto da Terra. Bebês com o Sol, a Lua, o Ascendente ou alguns planetas em signos de terra, ou seja, Touro, Virgem e Capricórnio, podem se ajustar mais depressa à vida no plano material. Entretanto todos os bebês, por mais que tenham o elemento terra em seus mapas natais, precisam de um período de ajustes.

A encarnação desta pequena alma no mundo material pode ser bastante chocante. Seu primeiro vislumbre deste reino costuma ser um ambiente barulhento e estéril, com médicos e assistentes com máscaras. Ela passou nove meses num ambiente cálido, repousante e confortável, e agora se vê forçada a vir para este mundo duro, ruidoso e frenético. Não é à toa que ela chora! Segundo o cientista e professor espiritual Rudolf Steiner, é particularmente importante os pais darem atenção especial aos seus bebês durante as primeiras seis semanas ou os primeiros quarenta dias de vida.[16]

Esse período de seis semanas é de adaptação, tanto para os pais como para o bebê. Em algumas culturas, depois do parto, um galho era posto e permanecia por seis semanas acima da porta da casa que recebia um bebê recém-nascido. Era um símbolo que significava *Não Perturbe*, conhecido e respeitado por todos.

Quantas vezes você esteve num cinema recentemente e viu pais com bebezinhos? Os sons extremamente altos dos cinemas, além do ambiente infestado de germes, podem ser prejudiciais para um pequeno bebê. Com certeza, nas primeiras semanas, é prudente evitar levar seu recém-nascido em passeios para *shopping centers* lotados ou para grandes reuniões de família, sempre que possível.

Além disso, evite os ruídos domésticos, como os do liquidificador ou do aspirador de pó. Podem ser uma parte essencial da vida cotidiana, mas lembre-se da sensibilidade de seu recém-nascido a todas as coisas intangíveis que o cercam — bem como à influência dos planetas — como sons e atmosferas. Sabemos que a influência dos planetas afeta o comportamento humano; devemos nos lembrar ainda de que o som é uma vibração que afeta todas as coisas vivas. Sabe-se também que pensamentos e sentimentos são reais e influenciam fisicamente não apenas os adultos como os bebês — na verdade, todas as formas de vida.

Já na década de 1960, Cleve Backster[17] realizou alguns dos mais notáveis experimentos com plantas. Ele descobriu que elas têm uma capacidade de percepção que ele denominou de "percepção primária". Esta "percepção primária" atua independentemente da distância e se estende até o nível unicelular. Backster obteve reações de frutas e vegetais até mesmo quando estavam podres, de diversos organismos unicelulares e até de minerais, metais e água destilada. Seus experimentos provaram que essa percepção existe também no mundo aparentemente "inanimado".[18]

As plantas de Backster registraram nitidamente a sensação dos eventos à volta delas, demonstrando uma rica vida interior. Num de seus experimentos, Backster deixou de obter uma resposta ao mergulhar uma folha numa xícara de café escaldante, e por isso pegou um fósforo para queimar a folha que estava sendo examinada. Antes mesmo de fazê-lo, no instante em que tomou a decisão, houve uma mudança drástica no padrão do polígrafo, sugerindo que o traço fora provocado pelo simples pensamento de queimar a folha! Ele descobriu que até plantas reagem fisicamente aos pensamentos e sentimentos de quem as rodeia.

Noutro experimento, Backster usou camarões-de-salmoura vivos mergulhados em água fervente em momentos aleatórios, determinados por um equipamento automático para afastar qualquer possibilidade de interferência humana. Numa série de experimentos com três filodendros, cada um deles situado num cômodo diferente, as leituras dos polígrafos mostraram que, de cinco a sete segundos depois de os camarões serem mergulhados na água fervente, os instrumentos registraram uma grande explosão de atividade das plantas, e Backster concluiu que a origem só poderia ter sido o camarão. Foi como se as plantas sentissem pesar pela morte dos camarões e registrassem um gesto silencioso de desespero e empatia.

Em experimentos subsequentes com muitas outras coisas, desde verduras e frutas frescas a amebas, Backster constatou o mesmo tipo de percepção primária. Os resultados demonstraram que além de alguma espécie de sistema de comunicação telepática as plantas também têm algo bastante similar a sentimentos ou emoções.

Amamos nossas plantas e sabemos que elas gostam de água e de atenção. Os experimentos científicos de Backster provam que temos razão. Aparentemente, nossas pobres plantas se preocupam até quando um cão se aproxima delas ou quando a violência ameaça seu bem-estar. Desde o espantoso trabalho de Backster, muitos outros experimentos foram realizados, todos igualmente bizarros e empolgantes.

Recentemente, o fascinante livro *Messages from Water* [Mensagens da Água], de Masaru Emoto,[19] provou que até a água reage a vibrações. Ele colocou água destilada entre alto-falantes que tocavam diversos tipos de música, que iam desde a clássica até *heavy metal*. A água foi congelada e seus cristais foram fotografados. Foram feitos ainda outros experimentos com palavras positivas e palavras neutras, e com emoções como amor e reconhecimento. Os resultados foram espantosos, provando que vibrações harmoniosas e relaxantes e vibrações negativas e desarmônicas afetam até mesmo gotas de água.

Se a água e as plantas são tão afetadas, imagine quanto será afetado seu bebê recém-nascido, pois esses experimentos ilustram a incrível sensibilidade de todas as coisas vivas. Seu bebê acaba de ser lançado neste rude ambiente chamado vida. Assim como suas plantas e seus animais de estimação reagem a cada som e emoção, que dirá esta pequena alma sensível e ainda não condicionada?

Entretanto isso não quer dizer que você deva se preocupar, mas sim ficar alerta. Seu bebê não deve estar cercado por ansiedade, mas por uma atmosfera de amor, paz e espiritualidade, na qual ele possa florescer e desabrochar de fato.

Esta é uma época maravilhosa para firmar seu vínculo com seu bebê e envolvê-lo em vibrações positivas. Você pode protegê-lo fisicamente mantendo-o aquecido e confortável, pode massageá-lo e abraçá-lo. A seguir, apresento alguns exercícios espirituais que você pode fazer para sensibilizar sua família e a atmosfera da sua casa, a fim de proporcionar a nutrição de que seu bebê necessita no nível espiritual.

Os exercícios simples, apresentados a seguir, vão gerar um alimento para a sua alma e a do seu bebê.

Um Lugar de Paz

Todos precisam de um lugar de paz no qual possam se refugiar, mesmo que seja por uns poucos minutos por dia. Isso lhe trará paz e força, além de oferecer proteção a você, ao seu bebê e à sua família, bem como ao seu lar.

- Encontre uma área em sua casa que possa ser reservada exclusivamente para suas práticas espirituais, para que, com o tempo, ela se torne imbuída das agradáveis e rejuvenescedoras vibrações de suas meditações e preces.
- Quanto mais você visitar esse lugar sagrado, mais acenderá uma chama espiritual que vai nutrir você e se espalhar, alimentando seu lar, sua família e o mundo como um todo. Não precisa ser um cômodo inteiro, apenas um canto. Não é preciso passar horas lá, apenas alguns minutos por dia. Faça deste o lugar onde você pode se sentar em silêncio e refletir sobre sua vida, agradecendo pelo bebê que está aos seus cuidados e pedindo inspiração para ajudar sua família na preciosa tarefa da paternidade ou da guarda.
- Como esta área da sua casa e da sua vida se tornará seu retiro espiritual, o lugar no qual você pode encontrar amor e paz, é importante que você o escolha com cuidado. Encontre um lugar que pareça bom para você e no qual possa ficar de frente para o leste, se possível. Esta direção está associada ao poder místico.
- Você pode selecionar objetos preciosos que ficarão em seu pequeno retiro, objetos com significado para você e que possam inspirar e elevar seu espírito.
- Se quiser, use cores. Toda cor é um modo de vibração da luz. A matéria irradia luz, e toda matéria tem uma vibração colorida. Esta pode ser repousante, energética, motivadora ou perturbadora, dependendo da qualidade da vibração. Uma cor repousante e agradável que pode ser usada para acalmar você após a aventura caótica de ter um bebê é o verde vibrante, como o verde da natureza. Coloque um tecido ou uma luz verde nessa área e mergulhe nessa cor através dos seus olhos. Quando não podemos estar na natureza, isso é o melhor que podemos fazer. Em sua vida agitada, talvez você não tenha tempo para passear pelo campo, mas você pode passar alguns minutos do seu dia neste pequeno retiro místico.

- Outras cores que podem ser usadas são violeta, magenta ou púrpura. Essas cores têm vibração espiritual e, contemplando-as na forma de um tecido de cor intensa, você pode se elevar acima das irritações da vida cotidiana nesse seu lugar tranquilo de concentração.

Respiração Natural

A respiração correta é de uma importância vital para sua saúde e para a saúde do seu bebê.

- Sente-se confortavelmente com seu bebê, seja em seu retiro, seja numa cadeira. Se tiver uma cadeira de balanço, melhor ainda. Respire profunda e uniformemente usando o diafragma, o peito e os pulmões.[20] Primeiro, encha a parte inferior, depois a intermediária e finalmente a superior de seus pulmões. Esta é a chamada respiração completa ou natural. Segure a respiração por alguns segundos e expire lentamente. Mantenha o peito numa posição firme e contraia levemente o abdômen, erguendo-o lentamente enquanto o ar sair. Quando tiver expirado, relaxe o peito e o abdômen. Ao final de cada respiração completa, seu abdômen deverá estar levemente contraído.
- Ao aprofundar a respiração, automaticamente você terá mais calma e equilíbrio. Seu bebê perceberá essa mudança, o que pode ajudá-lo a se sentir bem cuidado e tranquilo. Observe-se da próxima vez em que sentir ansiedade ou preocupação, e verá que sua respiração também fica mais superficial. Isso ilustra a conexão entre mente, corpo e espírito. A mente é instável por natureza, sendo afetada por nossos sentidos, por aquilo que vemos, ouvimos, sentimos etc. a cada momento do dia. Quando concentramos a mente, percebemos que a respiração fica automaticamente mais profunda e lenta. Quando recebemos más notícias, que nos causam tristeza ou raiva, a respiração fica irregular, o oposto do fluxo lento e suave da respiração quando a mente está calma. Isso prova que a mente e a respiração são

interdependentes e que uma não consegue atuar independentemente da outra. A respiração correta nos dá equilíbrio fisiológico e psicológico.

- Respire usando esse método natural durante alguns minutos por dia, e com o tempo ele vai se tornar automático. Comece a respirar corretamente agora, usando a respiração natural, e automaticamente você vai ensinar ao seu bebê métodos corretos de respiração, que irão sustentá-lo ao longo da vida.

Criando Harmonia

Positividade, alegria e pensamentos animadores criam um ambiente amoroso para seu bebê.

- Passe um dia dizendo apenas coisas positivas e construtivas a seu respeito e a respeito dos outros. Depois estenda a atividade para uma semana.
- Controle seus pensamentos; faça com que eles, bem como suas palavras, sejam positivos e amáveis, lembrando-se de que quando você pensa, está criando "formas mentais" que podem prejudicar ou fazer bem.
- Quando estiver com seu bebê, leia textos inspiradores de sua obra sagrada preferida. Mesmo que ele não entenda as palavras, a verdade tem uma vibração positiva que ajuda a abrir a intuição e a inspiração. Não existe isso de ser jovem demais. Nascemos como criaturas espirituais e estamos aqui para desenvolver nosso potencial divino.
- Perceba como seu bebê parece pacífico quando você faz isso. É algo que não só o ajudará como ajudará você a criar uma atmosfera harmoniosa em seu lar. Pode parecer difícil fazer isso em meio ao estresse e à tensão das atividades familiares, mas experimente para ver o que acontece.

A Prática da Chama Violeta

Uma das práticas mais simples, porém mais sagradas, que podemos usar é a da Chama Violeta. É uma antiga prática mística que foi apresentada para a humanidade pela Hierarquia Espiritual da Terra com o objetivo de ajudar-nos a crescer espiritualmente. É a hierarquia dos adeptos, mestres e mestres ascensionados que vivem em retiros espalhados pelo mundo, cuja principal tarefa é a preservação e o crescimento da espiritualidade na Terra. Aprendi esta maravilhosa prática com meu próprio mestre, o doutor George King.[21] A Prática da Chama Violeta traz grandes benefícios, incluindo limpeza, purificação e fortalecimento da aura, o que lhe proporcionará diversas formas de proteção. Uma aura forte e saudável vai proteger você e seu bebê de doenças e dos pensamentos negativos dos outros. Além disso, como eu disse antes, a cor violeta é a mais elevada vibração da luz e ajuda a abrir o caminho para a alma — a mente superconsciente —, para que a inspiração e a intuição superior possam se manifestar.

A Chama Violeta é distribuída graciosamente, sempre mediante nosso pedido, pelo Logos* da própria Mãe Terra. Esta grande deusa viva sob nossos pés, que nos sustenta e permite que continuemos com nossas experiências, é uma forma de vida extremamente avançada, bem mais avançada do que nós. Esta é uma grande dádiva ensinada nas antigas escolas de mistério e que agora se tornou disponível para todos. A Prática da Chama Violeta pode ser realizada em qualquer lugar, a qualquer momento; contudo, por ser uma prática sagrada, deve ser realizada com respeito. Quanto mais você a usar, melhores serão os seus efeitos. É, de fato, um presente espiritual e deve ser usado sempre com amor e reverência.

- Feche os olhos e relaxe a área do pescoço e dos ombros. Pratique a respiração completa[22] e deixe os pensamentos do dia virem e

---

* Conjunto harmônico de leis que comandam o universo, formando uma inteligência cósmica onipresente que se torna plena no pensamento humano. (N.R.)

irem até você sentir que se desligou deles, concentrando-se no presente. Então, usando seu poder de visualização ou imaginação, pense na bela Mãe Terra vivendo em silêncio sob seus pés. Deixe-se impregnar de gratidão e de reconhecimento por essa grande deusa.
- Agora, com amor no coração, visualize uma bela e vibrante chama violeta flutuando à sua volta e através de você. Veja e sinta esse fluxo vindo diretamente da Terra, preenchendo e purificando cada aspecto do seu corpo físico e da sua aura. Com a "visão mental", leve essa chama a até uns 12 ou 15 metros acima da sua cabeça, ou até o ponto que você consegue imaginá-la. Retenha essa visualização durante alguns instantes, sentindo que ela inunda e purifica você com sua bela luz azulada — a chama violeta.
- No início, talvez seja difícil visualizá-la. Algumas pessoas têm dificuldade para visualizar cores; outras conseguem vê-las, mas não senti-las. O segredo está em praticar, tendo fé no fato de que, quando você solicitar essa chama purificadora, ela estará lá.

Enviando a Cura

Somos todos agentes de cura. Meu mestre espiritual, o doutor George King, ensinou que a cura é um direito inato de todos os homens, de todas as mulheres e crianças da Terra.[23] Eu pratico a cura há mais de vinte anos e tenho obtido resultados notáveis, e você também pode obtê-los. Antes de começarmos a curar, precisamos desenvolver uma "consciência de cura". Experimente a prática a seguir. Você pode fazê-la individualmente ou quando estiver segurando seu bebê.
- Feche os olhos e lembre-se de uma época em sua vida em que sentiu que recebeu amor.
- Sinta-o como uma sensação quente e fervilhante ao redor da área do coração e mantenha essa visualização durante alguns instantes.

- Agora, usando o poder da sua mente, mova a sensação para os braços e para as mãos. Neste ponto, muitos sentem a "energia do amor" como um formigamento ou calor nas mãos.
- Você pode usar a mesma técnica quando alguma planta da casa parecer cansada ou um animal de estimação estiver doente. Pode energizá-los com uma dose de poder de cura. Obviamente, se o seu bebê estiver com algum problema de saúde, procure antes o pediatra.

Padrões de Saúde

Agora, você vai perceber que a astrologia pode ser útil de diversas maneiras. Além de ajudar você a compreender e a suprir as necessidades do seu bebê, ela pode ser usada para observar a tendência à fragilidade em algumas partes do corpo e para aplicar antídotos antes que essas tendências se manifestem como doenças. A mortalidade infantil poderia ser reduzida se os médicos soubessem ler mapas astrais.

O tamanho e o formato do corpo do seu bebê são condicionados geneticamente. A alma que entra é que incute no corpo tendências, hábitos e padrões específicos, tornando-o único. Os astrólogos consideram o corpo físico como o "templo" da alma; este plano terrestre no qual vivemos, crescemos e obtemos experiências é como uma terra estranha, e a alma precisa ter um veículo para sobreviver nela. A alma que encarna escolhe seus pais e, ao fazê-lo, seu corpo. O processo do nascimento em si pode ser bem chocante, e você pode ajudar seu bebê com algumas técnicas simples para que ele se ajuste à vida.

A astrologia e a saúde são temas complexos; aqui, vamos analisar um componente simples do mapa do seu bebê — o signo Ascendente — que pode indicar tendências de saúde e maneiras de ajudá-lo. Para calcular o signo Ascendente do seu bebê, consulte o Apêndice II na página 308.

Signos Ascendentes

Ascendente em Áries — Áries governa a cabeça. Seu bebê ariano pode ser particularmente vulnerável nesta área, e por isso lembre-se de cobri-lo com um chapéu, cuidando sempre de proteger sua cabeça. Além disso, a natureza impulsiva e a teimosia dele podem acarretar arranhões. Ele não é muito fã de abraços e beijos, mas a cura suave vai acalmá-lo.

Ascendente em Touro — Uma área vulnerável para seu bebê de Touro é a da garganta e do pescoço. Quando estiver frio, agasalhe bem essa área. As crianças desse signo terreno regido por Vênus têm natureza sensorial, adoram contatos físicos e vão relaxar com massagens suaves. Reagem bem a belas músicas, cores e aromas naturais, como flores e grama recém-aparada.

Ascendente em Gêmeos — Gêmeos governa os pares do corpo, como pulmões, pernas, rins etc. Procure cobrir o tórax dele com um pulôver quente e não deixe que ele respire ar frio ou que fique num ambiente enfumaçado. Converse com ele; você pode ter uma surpresa, pois ele parece compreender. A comunicação é como um bálsamo para sua disposição sensível.

Ascendente em Câncer — Um processo de parto estressante pode fazer com que ele se sinta abandonado no momento do nascimento, e ele vai precisar de muito apoio para compensar isso. Esta criança emotiva e sensível retém sentimentos no estômago ou na região do plexo solar, o que pode causar distúrbios gástricos. Faça com que o ambiente das refeições seja agradável.

Ascendente em Leão — Com este Ascendente, os problemas de saúde estarão associados ao peito e ao coração, lugares onde o estresse pode se acumular. Para que seu bebê seja feliz e não fique estressado, ele vai precisar desesperadamente se sentir amado e reconhecido desde o primeiro dia. Diga-lhe sempre como ele é maravilhoso, abrace-o e beije-o muito. Todo bebê precisa de amor, mas, para este pequenino, amor é o alimento da alma.

Ascendente em Virgem — Este bebê nasceu com intelecto aguçado e alma espirituosa. Seu maior problema de saúde, porém, pode ser a tendência a se preocupar. Ainda criança, a ansiedade pode se instalar, causando restrições ou bloqueios em alguma parte do corpo. Faça-lhe massagens relaxantes para reforçar a confiança dele e envie-lhe energia suave de cura quando ele ficar muito cansado ou ansioso.

Ascendente em Libra — Para este bebê, as manifestações físicas do trauma do nascimento podem se instalar nos órgãos de assimilação e eliminação. Ele precisa especificamente de um ambiente doméstico de paz, harmonia e beleza. A música relaxante será um deleite para os ouvidos e trará equilíbrio à sua alma.

Ascendente em Escorpião — Normalmente, o bebê com Ascendente em Escorpião enfrenta obstáculos no início da vida. Às vezes, você pode ter a sensação de que ele não queria nascer, por não demonstrar muito ânimo para enfrentar os testes que a vida costuma oferecer aos nativos com esse dinâmico e poderoso signo Ascendente. Você pode ajudá-lo oferecendo-lhe uma infância natural e livre, com muita diversão e brincadeiras para estimular sua imaginação ativa e aplacar as emoções profundas. Ele também vai reagir particularmente bem à cura, pois esta ajudará a liberar sentimentos acumulados.

Ascendente em Sagitário — O humor é essencial para seu bebê com Ascendente em Sagitário. Cerque-o de alegria; isto vai nutri-lo e elevar-lhe o ânimo. Talvez não seja fácil abraçá-lo e cobri-lo de beijos, mas estimule sua exuberância natural e ele vai se manter feliz e saudável. Não o deixe no cercadinho! Este bebê não suporta limitações.

Ascendente em Capricórnio — Esta pequena alma pode ter hesitado antes de entrar no plano terrestre, e por isso vai precisar de uma recepção e de um apoio muito especiais. Como os nativos de outros signos de terra — Touro e Virgem —, este bebê reage bem a massagens tranquilizantes e delicadas. Há uma predisposição à tensão que pode causar bloqueios do sistema todo, e a massagem na coluna e nos ombros pode ser particularmente útil.

Ascendente em Aquário — Este é um bebê singular, agitado, inquieto e impulsivo. Aquário governa o sistema nervoso, e por isso sua tarefa será levar calma à vida dele. Ele é extremamente sensível, e você pode descobrir que ele tem alergia a coisas como poeira e pólen. Às vezes, ele se esquece de respirar; por isso, leve-o para o jardim para que receba doses de prana.[24] Ele também é sensível à música, e os sons adequados serão curativos para esta alma sensível, bem como outras técnicas de cura, inclusive a cura com imposição de mãos ou a cromoterapia.

Ascendente em Peixes — Seu bebê com Ascendente em Peixes é extremamente sensível e pode ter tendência a infecções e outros problemas de saúde. Ele é muito receptivo à cura e ao amor, que são alimentos essenciais para sua alma. Envolva-o bem; ele vai gostar de se sentir num casulo quente e reconfortante, e isso será um bom antídoto para a sensibilidade do seu sistema imunológico.

CAPÍTULO CINCO

O Futuro do seu Bebê

Que a força
Seja despejada em meu sentimento;
Que flua o calor
Para meus pensamentos;
Que brilhe a luz
Em meu ser;
Que eu possa imbuir esta criança
De propósitos iluminados,
Dando-lhe sabedoria, amor, luz e alegria.
— *Chrissie Blaze*

Com a evolução da consciência espiritual em nosso mundo, faz-se necessária uma nova postura holística para os cuidados com bebês. Seu bebê recém-nascido pode ser pequeno, mas ele também é complexo, com mente e alma, bem como um corpo, que requerem cuidados.

Como pai ou mãe, você aceitou o maravilhoso e precioso presente, bem como a responsabilidade de educar e ensinar uma criança. Se criar seu filho com compaixão, instilando-lhe valores espirituais, você não só ajudará a desenvolver uma alma maravilhosa, como alguém que poderia inspirar e ajudar outras pessoas ou fazer com que nossa civilização progrida ainda mais. Você é uma parte essencial para que isso seja possível.

A Nova Geração

Muita gente tem falado da nova geração de crianças que estão nascendo, conhecidas de modo geral como Crianças Superdotadas, Crianças Criativas ou Crianças Índigo.[25] Os astrólogos acreditam que as características comuns de cada geração e de cada subgeração são reveladas pela posição e pelo movimento dos planetas "exteriores" ou "transpessoais", que são Urano, Netuno e Plutão. São os planetas que se movem mais lentamente pelo Zodíaco. Isso significa que os bebês que nascem mais ou menos na mesma época no mundo todo compartilham muitas características gerais, e suas atitudes são formadas por experiências comuns.

A configuração específica dos planetas exteriores nesta época de nossa história é a causa dos sistemas nervosos sensíveis e tensos que muitas dessas crianças exibem, tornando-as bastante adequadas para um futuro extremamente *high-tech*. A análise astrológica dessas crianças tem ajudado muitos pais irritados e esgotados a compreender por que elas são do jeito que são.

Essas meninas e esses meninos extremamente sensíveis e cheios de energias exibem um comportamento que nunca foi registrado antes. Segundo a National Foundation for Gifted and Creative Children [Fundação Nacional para Crianças Dotadas e Criativas],[26] algumas características comuns são a confiança e a certeza daquilo de que precisam e gostam. Entediam-se facilmente, desconcentram-se rapidamente e não gostam muito do que veem na escola, como memorizações ou autoridade. Não reagem bem à autoridade, a menos que esta tenha bases democráticas. Exigem respeito e discussões inteligentes e gostam de ser tratados como adultos. Têm seus próprios métodos preferidos de aprendizagem e suas próprias agendas, que são focadas e determinadas. Além disso, são muito compassivas. Do lado negativo, essas crianças não reagem bem ao fracasso e, se passam por ele, podem desistir facilmente, desenvolvendo bloqueios permanentes diante do aprendizado. Além disso, podem se retrair quando se sentem ameaçadas ou alienadas, sacrificando seus próprios talentos e sua criatividade a fim de se sentirem "enturmadas".

Com isso, dá para ver que pais e professores mais convencionais podem se sentir confusos diante do comportamento dessas crianças de difícil trato. E muitas, por isso, são medicadas para que se "encaixem" e sejam mais controláveis, apesar de mostrarem grande talento acadêmico quando testadas. É importante compreender isso para ver se o seu bebê se encaixa na descrição dessas crianças especiais. Você pode ajudá-lo a evitar fracassos escolares e o caminho da medicação, a menos que este seja absolutamente necessário.

Algumas dessas Crianças Superdotadas recebem diagnósticos como o do Transtorno de Déficit de Atenção (TDA) ou Transtorno de Déficit de Atenção e Hiperatividade (TDAH), e há casos autênticos desses transtornos, mas você deve se perguntar se esse diagnóstico é mesmo o de seu filho. Segundo o Drug Enforcement Administration (DEA, ou Agência Antidrogas dos Estados Unidos), a prescrição do remédio Ritalina, usado em casos de TDA ou TDAH, aumentou 600% nesta década, e 20% das crianças em idade escolar recebem medicação para ficarem mais controláveis.[27] Segundo Beverly Eakman, presidente do National Education Consortium 2001 [Consórcio Nacional de Educação], "esses remédios tornam as crianças mais controláveis, mas não necessariamente melhores. TDAH é um fenômeno, não uma doença mental. Como o diagnóstico do TDAH é fraudulento, não importa se o remédio funciona. Há crianças sendo forçadas a ingerir um remédio mais forte do que cocaína contra uma doença que ainda não foi comprovada".[28]

É claro que há controvérsias em torno do uso indiscriminado de Ritalina nessas crianças, que, segundo alguns acreditam, são apenas diferentes e por isso ainda não foram compreendidas pela sociedade como um todo. Muitos astrólogos acreditam que não é por acaso que as Crianças Superdotadas estão encarnando e juntando-se a nós na Terra neste momento crucial da história, trazendo habilidades e talentos que serão necessários no futuro incerto deste planeta.

Os astrólogos descobriram que muitas crianças da subgeração nascida entre 1988-1995 e 1996-2003 têm imenso potencial, com grandes talentos e capacidade intelectual, e creio que elas irão ajudar a assentar as bases da nova era de iluminação que está por vir. O primeiro grupo é forte, intenso, focado e ambicioso, e o segundo é mais extrovertido e exuberante, questionando rapidamente as normas convencionais e a autoridade de modo geral. É provável que essas gerações sejam reformadoras da sociedade, formada por inventores e grandes intelectuais.

As características de muitas crianças nascidas na subgeração seguinte, entre 2003-2010, serão similares, sendo os possíveis líderes do futuro. Se você tem um filho que nasceu nessa época, acompanhe seu crescimento para ver se ele desenvolve a natureza mais sensível e mística que também faz parte dessa geração.

Essas crianças cheias de energia, nascidas nesse período de 22 anos, estão destinadas, como grupo, a desenvolver uma imensa compaixão pela humanidade. Podem se tornar revolucionários espirituais, muito inteligentes e intuitivos, trazendo muita luz e amor para um mundo que precisa desesperadamente de ambas as coisas.

Depois de estudar os mapas natais de bebês e de crianças pequenas durante muitos anos, creio que essas crianças são almas avançadas ou "antigas", que estão renascendo neste momento da nossa evolução para ajudar a preparar a humanidade para a nova era de paz e de iluminação que está despontando.

Como se pode ver, essas "almas antigas" são mais sensíveis e inteligentes do que a média, e por isso precisam de mais compreensão por parte dos pais e cuidadores. Sendo mais instruídas, precisam de mais alimento espiritual e de exposição a vibrações espirituais. Se não receberem isso, então podem ser mais difíceis do que os bebês e as crianças "normais", pois são voluntariosas, sagazes e perceptivas.

Há teorias que sugerem que hoje estão nascendo mais dessas Crianças Superdotadas do que nunca. Não quero dar a impressão de que todas as crianças diagnosticadas com TDA e TDAH são "almas antigas" ou "superdotadas". Todavia, com o início da nova Era de Aquário e a aceleração global das vibrações, talvez haja mais pessoas avançadas escolhendo renascer nesta encruzilhada crucial da nossa história. Essas almas antigas querem estar aqui no plano material para ajudar — por meio do serviço altruísta, de diversas maneiras diferentes — a combater os efeitos potencialmente negativos das vibrações mais elevadas que estamos percebendo. Apesar de essas vibrações mais elevadas serem positivas para as pessoas de mentalidade mais espiritualizada, pois reforçam a intuição, a compaixão e a inspiração, podem ser difíceis para pessoas que operam num nível mais básico, que desejam apenas satisfazer aos seus próprios desejos egoístas.

Este fenômeno não é novo. Toda geração tem almas antigas, mas agora elas estão sendo realçadas — o que é bom. Em parte, isso se deve ao fato de que hoje estamos prestando mais atenção em nossos bebês e nossas crianças do que antes; portanto essas crianças superdotadas estão sendo percebidas. Há histórias de maravilhosos feitos de magia realizados por essas crianças, como a capacidade de transferir energia de cura com a ponta dos dedos. No passado, talvez tenham sido consideradas estranhas, diferentes. Às vezes, têm sido consideradas como de aprendizado lento. Agora, finalmente, sua natureza única está sendo reconhecida, e pais mais evoluídos podem ajudar a garantir que esses bebês de "almas antigas" encontrem seu lugar de direito na vida.

O Destino do seu Bebê

Esses bebês costumam nascer com a consciência das suas vidas passadas e do seu destino futuro. Além disso, há crianças que, em função da maturidade espiritual, são capazes de se sintonizar mais facilmente com as energias espirituais mais refinadas que irradiam dos planetas. É por isso que o sistema nervoso delas tem frequência elevada e que uma terapia equilibrada de práticas espirituais é tão vital para um crescimento saudável.

Essas crianças precisam ainda de vidas familiares estáveis, seguras e cercadas de amor em função da sua sensibilidade e da sua percepção psíquica. As Crianças Superdotadas que conheci têm uma forte capacidade de intuição, certo grau de percepção psíquica e uma compreensão inata das leis básicas da metafísica. Noutras palavras, seu entendimento é global, e elas pensam em termos de ajuda à humanidade, e não de conseguirem uma boa carreira, levando uma vida "normal". Essas almas antigas são mais iluminadas do que as das pessoas medianas, motivo pelo qual não se influenciam tão facilmente pela sociedade. Em função de sua elevada percepção espiritual, naturalmente se valem mais das características criativas do hemisfério direito do cérebro, e não se encaixam necessariamente na atual estrutura mais regrada do "hemisfério esquerdo", dominante na sociedade convencional.

Como a sociedade não vai — pelo menos, não atualmente — ajustar-se a essa postura mais espiritual, é essencial dar-lhes não só compreensão e nutrição espiritual como ensinar-lhes o "como" e o "por que" da vida na sociedade. Como "dar a César o que é de César", por assim dizer. Elas precisam compreender as atividades do hemisfério esquerdo para produzirem um bom equilíbrio entre os hemisférios esquerdo e direito e assim funcionarem e brilharem na sociedade. Do contrário, mesmo que se tornem líderes e inovadores, pessoas maravilhosas, talvez não tenham os meios materiais para concretizar seus desejos espirituais e seus destinos singulares.

Noutras palavras, elas precisam de pais sábios, que tenham um bom conhecimento das leis metafísicas (o ritmo e a harmonia naturais da vida) e que tenham a mente aberta o suficiente para alcançar mundos além de sua própria compreensão. Quando sua filha dotada falar das fadas com quem esteve conversando, não ria nem ignore o assunto. Ela quer ser compreendida, e é bem provável que tenha sentido ou visto anjos ou fadas. Ela também pode ser capaz de ver auras ao redor das pessoas e de sentir coisas que os outros não sentem. Ela pode ter uma grande sensibilidade a atmosferas e detestar ou gostar instantaneamente das pessoas sem motivo aparente. É nesse ponto que um astrólogo sábio pode ajudar bastante.

Não faz muito tempo, uma amiga me disse que seu filho brilhante, que havia acabado de se formar em Yale, tinha recebido uma oferta de emprego incrivelmente prestigioso e pelo qual ele seria bem remunerado para projetar armamentos. Ele ficou entusiasmado com a oferta, mas minha amiga ficou muito chocada. Ela lhe explicou que, ao fazê-lo, ele poderia ser o responsável pela morte ou pela mutilação de milhares de pessoas. No princípio, ele resistiu e alegou que a defesa era importante para o país e assim por diante. Entretanto ela lhe pediu para que pensasse mais profundamente na questão. Ele o fez em respeito a ela, voltou e lhe disse que havia percebido que ela tinha razão e mostrou interesse em usar suas habilidades a serviço do mundo de maneira positiva.

Como pais, seus pensamentos, suas palavras e ações contam de verdade. Não só quando seus filhos são adolescentes, mas desde quando nascem. Lembro-me de ouvir minha avó me dizer, quando eu tinha 3 anos, "os pensamentos são coisas". Isso me afetou profundamente, e lembro-me de que tentava não pensar em coisas ruins, com medo das "coisinhas" malvadas ou das formas mentais que eu poderia criar. Isso era difícil para uma menina de 3 anos, mas seus conselhos sábios levaram-me mais tarde a estudar metafísica. Aprendi, desde cedo, que todos nós somos responsáveis não apenas por nossas ações, mas também por nossos pensamentos.

Como o corpo, a alma também precisa de nutrição ao longo da vida. O mundo do bebê em crescimento fica ainda mais complexo quando ele tenta equilibrar as necessidades físicas, emocionais, mentais e espirituais. Focalizando esse equilíbrio e o mantendo durante os primeiros anos de vida, a criança vai crescer com poder pessoal em todas as áreas. Uma mulher que foi mãe faz pouco tempo me disse que orientar seu bebê corretamente era como um campo minado. Ela tinha lido dezenas de livros sobre cuidados com os filhos, mas encontrara conselhos conflitantes. Sugeri que, se ela cuidasse da filha com intuição, amor e bom senso (uma virtude rara e espiritual), reservando apenas dez ou quinze minutos por dia para suas próprias práticas espirituais,[29] os métodos adequados iriam se revelar.

Os bebês precisam evoluir, assim como nós. Nós os alimentamos porque eles sentem fome, mas o espírito também sente fome. Eles não podem meditar, rezar, visualizar ou curar, mas, se fizermos essas coisas, então eles vão se sentir seguros, não apenas física e emocionalmente como também espiritualmente.

Podemos achar que isso não é importante ou que não temos tempo. Porém, se analisarmos honestamente o nosso mundo, veremos que os maiores problemas se devem à cobiça e ao egoísmo, à intolerância e ao ódio — todos por falta de espiritualidade. Muitos astrólogos consideram a espiritualidade como uma parte real da vida, mas ela não se refere necessariamente à religião. A religião pode e deve ser espiritual; no entanto não precisamos aderir a uma fé religiosa específica para sermos espirituais. A espiritualidade emana da alma; é o desejo de desenvolvermos nossa natureza mais refinada, de evoluirmos e prestarmos serviço aos outros, com amor.

Conforme mencionei no capítulo três, "O passado do seu bebê", o caminho da alma é ilustrado por aquilo que conhecemos como Nodos Lunares. Assim como o Nodo Sul representa os talentos e as habilidades aprendidos no passado, o Nodo Norte representa seus futuros desafios e seu destino.

Para descobrir a posição do Nodo Norte do seu bebê quando ele nasceu, consulte o Apêndice III na página 312, ou um exemplar do mapa astral do seu bebê. No mapa do seu bebê, o Nodo Norte vai aparecer com este símbolo: ☊.

Neste capítulo, vamos analisar o significado do Nodo Norte em cada um dos signos do Zodíaco, desde Áries até Peixes. Com isso, você pode ter uma noção dos futuros desafios do seu bebê.

O NODO LUNAR NORTE NOS SIGNOS DO ZODÍACO

Nodo Norte em Áries

Seu bebê com o Nodo Norte em Áries tem boa aparência, é amigável e amante da paz; é o queridinho da família, e todos vão gostar dos seus modos meigos e do seu sorriso com covinhas. Em suas vidas passadas, ele atuava bem em equipe e apoiava outras pessoas. É bondoso e abre mão do que quer para manter a paz e a harmonia com os demais. Nesta vida, o desafio dele consistirá em saber se manter sozinho. O destino desta criança está em aprender a ser independente, tanto em pensamento quanto em ação. É particularmente importante que esta criança aprenda a seu próprio respeito e conheça seus limites desde cedo. Ele pode se preocupar demais em agradar os outros e precisa saber que a opinião e os talentos dele são valiosos e precisam ser expressados. Respeite-o e ame-o, ensinando-lhe o valor da autoestima e da confiança em sua própria capacidade, o que não tem nada a ver com o egoísmo. Com o tempo, ele se tornará um bom e justo professor, desde que supere seus desafios.

Nodo Norte em Touro

Este bebezinho vai querer ficar perto de você e, se puder, nunca vai deixar que você saia da vista dele. Numa vida passada, ele teve poder e talvez tenha exercido altos cargos de autoridade, sendo ouvido por pessoas importantes e influenciáveis. Sua vida foi excitante e desafiadora. Agora, ele vai enfrentar lições envolvendo dinheiro e segurança. No passado, outras pessoas cuidavam das suas necessidades, mas agora ele está aqui para aprender o valor e a limitação da existência material. Ensine-lhe a importância da saúde e das finanças assim que ele tiver idade para entender. Além disso, crie uma conta de poupança e faça um plano para que ela tenha uma disponibilidade financeira quando souber entender o valor do dinheiro. Incentive-o a compreender a importância dos valores para que ele tome decisões sábias baseadas em sólidos julgamentos morais e não em desejos egoístas. Leve-o com frequência para passear no campo, para aprender o valor e reconhecer a beleza da Mãe Natureza. Será um bálsamo calmante para sua alma passional, permitindo-lhe tornar-se o curador que na verdade é.

Nodo Norte em Gêmeos

Este bebê é inquieto, sempre chutando as cobertas e resistindo a seus abraços e beijos. Gosta de se retorcer e contorcer. Depois de vidas e vidas de aventuras e viagens, agora ele está aqui para aprender que o Santo Graal pode, na verdade, ser encontrado na vida cotidiana. Com a idade, ele vai aprender, lenta e firmemente, que não precisa viajar até os confins da Terra para encontrar desafios e excitação. Durante a infância, mostre-lhe o encanto de pontos de vista diferentes dos dele. Um dos desafios está no fato de ele tender a achar que o jeito dele é o certo e o único, e você pode incentivá-lo a apreciar a riqueza e a beleza da diversidade. Converse constantemente com ele. Estimule a destreza, pois ele tem muito talento para trabalhos manuais e mentais. Encoraje-o a sentir o aroma das flores e prepare-se para explicar o cor-de-rosa das rosas e o amarelo dos narcisos. Mostre-lhe a lesma arrastando-se lentamente pelo jardim. Ele vai querer saber o significado de seu nome e seu destino, mas vai ajudá-lo a perceber as pequenas coisas e a alegria que existe em tudo que o rodeia. Ensine-o a levar amor à vida das pessoas.

Nodo Norte em Câncer

Não se surpreenda se este bebê nascer com o cenho franzido e um olhar intrigado em seus olhos límpidos. Teria caído do céu? Este pequenino passou algum tempo nos píncaros do sucesso no mundo material. Ambição e responsabilidade andam de mãos dadas na vida dele, e ele aprendeu a se esforçar e nunca se esquivar das obrigações. Agora, está diante de um mundo que ainda não reconheceu seus talentos, desenvolvidos através de muitos e muitos anos laboriosos. Ele pode se mostrar muito sério, sem demonstrações de espontaneidade (a menos que outras tendências apareçam em seu mapa natal), por isso estimule-o a aceitar muitos abraços e beijos enquanto for jovem. Ele precisa aprender que a vida não é apenas trabalho e realização. Não se surpreenda se ele se tornar o representante da escola e depois presidente do centro acadêmico na faculdade, antes de conseguir um excelente trabalho. Porém, a maior realização dele nesta vida será cuidar de outras pessoas. Seja como progenitor, seja como capitão de um navio, ele sentirá um desejo crescente de ser responsável não só por si mesmo ou por seu trabalho, mas também pelas outras pessoas. Sua aspiração é tornar-se uma espécie de pai ou mãe universal, ao qual todos recorrem levando problemas, amor, respeito e reverência.

Nodo Norte em Leão

Em suas vidas passadas, este pequeno foi um tipo de revolucionário. Ele via a vida de maneira diferente dos demais, mantendo-se aberto para novas filosofias e novos modos de ver o mundo. Sentia-se à vontade como parte de um grupo de pessoas que pensavam como ele. Está aqui agora para desenvolver seu próprio senso de personalidade e para aprender a brilhar, como indivíduo e como líder. No passado, ele aprendeu a compreender as diferenças entre as pessoas, e agora está aqui para pôr em uso esse conhecimento no papel de alguém que reúne as pessoas em torno de uma meta comum. Uma parte dele gosta de se fundir num grupo; por isso, incentive-o a se descobrir e a desenvolver seu jeito dramático natural e seu anseio secreto pelos holofotes. Perceba que ele tende a não confiar muito em si mesmo. Você pode ajudá-lo cercando-o de amor e de estímulo. Ele está aqui para desenvolver sua criatividade singular e para usar seus talentos para fazer diferença — positiva — no mundo.

Nodo Norte em Virgem

Este bebê tem um lado tímido e discreto, uma natureza meiga e generosa e uma postura espiritual diante da vida. No passado, pode ter sido musicista, artista ou um sonhador que ansiava por paz e amor. Contudo um de seus desafios nesta vida é que, mais cedo ou mais tarde, ele será forçado a usar e a aperfeiçoar suas habilidades, pondo-as para trabalhar. Apesar de preferir ficar encolhido no sofá olhando para o espaço vazio na juventude, não tema: este bebê vai se tornar um organizador e tanto, e sempre estará em movimento, seja serrando madeira, escrevendo um romance ou ajudando uma senhora idosa a atravessar a rua. Incentive-o a realizar seu destino de serviço dando-lhe pequenas tarefas na infância. Ele vai gostar do desafio de classificar todas as suas bijuterias pela cor ou de pesquisar alguma coisa para você na Internet, desde que seja divertido e não muito árduo. Ele pode ter sido um artista noutra vida, mas desta vez ele tem o talento e a capacidade intelectual para se tornar um modelo de eficiência e de organização. Embora sempre vá precisar de uma base de amor e de espiritualidade, seu maior crescimento virá quando usar seus talentos a serviço de uma causa nobre ou ajudando pessoas menos afortunadas do que ele.

Nodo Norte em Libra

Na infância, ele pode ter problemas para lidar com os coleguinhas. Noutras vidas, foi líder ou agiu sozinho, e hoje gosta de fazer as coisas à sua maneira, desfrutando da própria companhia. Normalmente é autoconfiante, atlético, disciplinado e voluntarioso — e pensa que todos deveriam ser como ele! Sua lição nesta vida consiste em aprender que há outras pessoas no mundo além dele e que a parceria e o trabalho em equipe são coisas maravilhosas. Ele vai aprender que estes elementos melhoram a vida dele, abrindo-o para novas possibilidades e crescimento. Ao tentar realizar seu destino, ele pode procurar papéis como o de mediador ou juiz — papéis nos quais a compreensão, a justiça e o jogo limpo são cruciais. Você pode flagrá-lo lendo livros de poesia ou ouvindo música clássica. Se isso acontecer, saiba que ele está no caminho certo. Você pode ajudá-lo estimulando-o a se dedicar a atividades artísticas e organizando festas e reuniões sociais, levando alegria, amor e harmonia para a vida dos outros.

Nodo Norte em Escorpião

Ele se diverte com a comida, adora parar para cheirar as flores, abraça você e fica até tarde na cama. É uma criatura dos sentidos, e ainda por cima é um pouco preguiçoso! Ele veio a esta vida ansiando pela segurança de que desfrutou no passado. Agora, nesta existência, um determinado elemento de risco é que vai impeli-lo adiante. Não estou falando sobre jogo, mas sobre aprender a abandonar a existência rotineira que lhe dá conforto e também tédio, para dar um salto de fé na direção do desconhecido. Ele vai procurar manter relacionamentos íntimos com os outros e vai se sair bem em carreiras nas quais pode ajudar as outras pessoas com sua percepção aguçada e sua compreensão. Isso pode ocorrer de diversas maneiras, dependendo de outros fatores do mapa dele, inclusive por meio de aconselhamento ou cura. Ensine-lhe o valor da autoestima para que ele não se arrisque em certos relacionamentos. Estimule-o a transformar a teimosia em determinação sábia, e ele vai poder realizar o que desejar. Ele compreende valores e os aplica prontamente na própria vida; incentive-o a se controlar e a ter metas espirituais elevadas.

Nodo Norte em Sagitário

Assim que ele puder falar, vai surpreender você com uma conversa fácil e uma ávida curiosidade. A habilidade de comunicação dele é superior à da média, aprimorada através de vidas e vidas de debates intelectuais. Agora, nesta existência, preferiu escolher um caminho dentre os milhares de canais que constantemente lhe despertam o interesse. Enquanto ele for jovem, você pode se desesperar ao vê-lo constantemente começando alguma coisa e largando-a como se fosse uma batata quente. Há muito para ver e fazer. Ele pode ansiar por percorrer o mundo, sempre achando que aquilo que busca estará na esquina seguinte. Entretanto, um dia, ele vai se acalmar e procurar um caminho para seguir com mais dedicação. Este pode assumir muitas formas, como educação superior, carreira atlética, uma vocação, viagens ou um caminho espiritual. A alma o impele a expandir sua compreensão, atingir suas metas e desenvolver sua mente superior, mantendo-se fiel e leal a um caminho escolhido, em vez de ficar sempre buscando estímulos. Não espere restringi-lo ou controlá-lo; ame-o e compreenda-o, e ele será sempre seu.

Nodo Norte em Capricórnio

Esta criança pode fazer alarido e chorar muito quando bebê. É muito sensível e capta as coisas com nitidez. Ela é uma antena psíquica quando está perto das pessoas, e não aceita com facilidade estranhos ou pessoas muito exageradas ou rudes. Em vidas anteriores, desenvolveu seu lado feminino e atencioso e pode ter sido pai ou mãe de hordas de crianças ou alguém que cuidava muito bem dos outros. Nesta vida, vai preferir se afastar das alegrias e da intimidade da vida doméstica, escolhendo o impiedoso mundo da carreira e das realizações. Este bebê pode se agarrar aos cordões do seu avental na infância; incentive-o a assumir a responsabilidade pelas coisas e ensine-lhe que pensamentos, palavras e ações têm consequências. Se fizer isso, ele poderá acrescentar a consideração pelos outros ao sucesso que tanto deseja. Ele pode imbuir suas ambições com sabedoria e amor. Ele pode se tornar uma figura pública que será respeitada e admirada. Com seu apoio e sua orientação, não há limites para a realização dele em todas as áreas da vida — desde o mundo material até uma rica e compensadora vida espiritual.

Nodo Norte em Aquário

Este astro se tornará uma presença conhecida desde o primeiro dia. Ele será mais evidente, mais brilhante e mais carismático do que as outras crianças, pois passou várias vidas aperfeiçoando o ego para dar vida a seus papéis de liderança. Na escola, não se surpreenda se ele for capitão do time de futebol, tiver o papel principal no teatrinho e for eleito o garoto mais popular da classe. Suas aspirações mais elevadas são ajudar a sociedade a se tornar um lugar melhor e inspirar os outros a realizar esse potencial. O desafio dele é que ele pode ser confiante demais, com um quê de arrogância ou de superioridade. Fale-lhe sobre pessoas que são mais sábias e mais fortes do que ele, e ele vai se sentir estimulado a crescer e a melhorar. Incentive-o a usar o ego altamente desenvolvido que ele trouxe sabiamente consigo, ensinando e inspirando outras pessoas. Incentive-o a compreender e a se interessar pelos outros, pela Terra, pela natureza e pela sociedade como um todo. Há nele um toque de genialidade que ele vai querer usar em benefício da humanidade, desde que dirigido apropriadamente por aqueles que ele respeita.

Nodo Norte em Peixes

Provavelmente, este pequenino vai se sair muito bem na escola, pois encarnou com uma mente ágil e a consciência do "hemisfério esquerdo" do cérebro. Ele pode passar tranquilamente nas provas e se sair muito bem na carreira que escolher. Desenvolve novas habilidades rapidamente e é muito organizado. Um dos desafios dele é perceber que ele pode se ater às intermináveis rotinas e aos detalhes da vida e ficar frustrada. Repare que, enquanto não deixar sua alma falar, ele não vai encontrar satisfação. Introduza atividades artísticas e práticas espirituais na vida dele desde cedo. Serão como alimento para ele e o ajudarão a desenvolver suas riquezas espirituais interiores, levando-lhe grande alegria e enriquecendo a vida de todos à sua volta. Estimule-o a realizar atos de bondade para a vida em todas as suas formas, e ele se tornará a alma gentil e amável a que aspira. Ensine-o a ser prestativo para os demais, e ele poderá usar seus talentos inatos e sua capacidade para trabalhar pelos menos afortunados. Então, ele vai encontrar a verdadeira felicidade, saboreando o significado da compaixão, que é o alimento da sua alma.

POSFÁCIO

Usando a astrologia para criar seu bebê, você pode assentar as bases corretas para que ele tenha uma vida e um destino singulares. Então, você o ajudará a se tornar a pessoa maravilhosa que a alma dele quer ser. Na vida, estamos sempre nos defrontando com escolhas, e volta e meia fazemos escolhas erradas, com base no medo, na falta de compreensão ou no preconceito. Depois, desperdiçamos nosso tempo precioso em vez de fazer da vida uma experiência feliz, gratificante e iluminadora para nós e para os outros.

Você pode ajudar seu bebê a fazer boas escolhas, lembrando-o de que antes de tudo ele é um ser espiritual envolvido pelos limites de um corpo físico dotado de cérebro e de sentidos, que visa conduzi-lo em segurança por meio das experiências. Incentive-o a enquadrar as escolhas num contexto espiritual, tendo sempre a consideração e a bondade para com os outros como prioridade. Incentive-o a ser o melhor que pode em cada área, sem comprometer sua integridade. Explique-lhe a necessidade de valores como verdade, honra, justiça, seletividade, lealdade, amor, compreensão, sabedoria e a verdadeira liberdade, para que se tornem ideais e não conceitos empoeirados e distantes da vida dele.

Compreenda que, por mais que seu filho seja feliz, ele não está aqui apenas para passear pela vida, desfrutar uma boa refeição ou contemplar o pôr do sol. Está aqui para aprender, crescer e desabrochar, tornando-se a flor espiritual que na verdade ele é. Você precisa fazer muitas coisas nesta sua tarefa de progenitor ou de guardião que assumiu; precisa alimentar, vestir, educar e cuidar do seu filho. Precisa ensinar-lhe os caminhos da vida, além de compreendê-lo e amá-lo. Precisa respeitar e cuidar dele com intuição e com inteligência. Ouça-o e preste atenção nele e ensine-lhe o valor da alegria e do entusiasmo. Ele vai devolver tudo isso mais de mil vezes com amor, aliviando seu fardo com compreensão e ajuda.

Além de alimentar a essência espiritual do seu bebê, lembre-se de alimentar a chama espiritual em seu próprio interior. Com isso, essa sua parte inatacável pode sustentar você durante as provações e os desafios apresentados pela criação do seu filho. Com uma educação correta em todos os níveis, seu bebê pode manter não apenas seus princípios mais elevados, como ajudar a sustentar o futuro da nossa espécie.

Que Deus abençoe e oriente você para ser um progenitor sábio e amável, e que este ato seja uma chave para sua própria transformação.

APÊNDICE I

O Signo Lunar do seu Bebê – De 2000 a 2020

Verifique a data de nascimento do seu bebê nas tabelas abaixo para descobrir o Signo do Zodíaco em que estava a Lua (o signo lunar) nesse dia. Se a data não estiver lá, procure a data mais próxima antes do nascimento. Se, por exemplo, ele nasceu em 5 de fevereiro de 2000, às 19h0, você verá que ele tem a Lua em Aquário.

Nota: Todos os horários da tabela a seguir são BZT, o horário de Brasília (GMT-3 horas). Adicione ou subtraia horas segundo seu fuso horário, e observe as datas em que vigorou o horário de verão. Se o nascimento se deu na vigência da Hora de Verão, acrescente uma hora ao horário.

Ano 2000

Data	Horário	Signo do Zodíaco
2 de janeiro	18h32	Sagitário
5 de janeiro	7h24	Capricórnio
7 de janeiro	19h53	Aquário
10 de janeiro	6h59	Peixes
12 de janeiro	15h48	Áries
14 de janeiro	21h38	Touro
17 de janeiro	0h25	Gêmeos
19 de janeiro	3h1	Câncer

21 de janeiro	0h58	Leão
23 de janeiro	2h7	Virgem
25 de janeiro	6h9	Libra
27 de janeiro	14h1	Escorpião
30 de janeiro	3h17	Sagitário
1º de fevereiro	14h10	Capricórnio
4 de fevereiro	2h31	Aquário
6 de fevereiro	13h2	Peixes
8 de fevereiro	21h17	Áries
11 de fevereiro	3h21	Touro
13 de fevereiro	7h23	Gêmeos
15 de fevereiro	9h45	Câncer
17 de fevereiro	11h11	Leão
19 de fevereiro	12h53	Virgem
21 de fevereiro	16h21	Libra
23 de fevereiro	22h58	Escorpião
26 de fevereiro	9h10	Sagitário
28 de fevereiro	21h45	Capricórnio
2 de março	10h14	Aquário
4 de março	20h30	Peixes
7 de março	3h54	Áries
9 de março	9h1	Touro
11 de março	12h46	Gêmeos
13 de março	15h51	Câncer
15 de março	18h43	Leão
17 de março	21h48	Virgem
20 de março	1h57	Libra
22 de março	8h17	Escorpião
24 de março	17h43	Sagitário
27 de março	5h51	Capricórnio
29 de março	18h34	Aquário
1º de abril	5h12	Peixes
3 de abril	12h22	Áries

5 de abril	16h29	Touro
7 de abril	18h58	Gêmeos
9 de abril	21h16	Câncer
12 de abril	0h16	Leão
14 de abril	4h19	Virgem
16 de abril	9h36	Libra
18 de abril	16h35	Escorpião
21 de abril	1h58	Sagitário
23 de abril	13h47	Capricórnio
26 de abril	2h42	Aquário
28 de abril	14h06	Peixes
30 de abril	21h54	Áries
3 de maio	1h54	Touro
5 de maio	3h23	Gêmeos
7 de maio	4h14	Câncer
9 de maio	6h1	Leão
11 de maio	9h41	Virgem
13 de maio	15h27	Libra
15 de maio	23h16	Escorpião
18 de maio	9h9	Sagitário
20 de maio	21h1	Capricórnio
23 de maio	10h0	Aquário
26 de maio	22h7	Peixes
28 de maio	7h8	Áries
30 de maio	12h2	Touro
1º de junho	13h34	Gêmeos
3 de junho	13h30	Câncer
5 de junho	13h45	Leão
7 de junho	15h57	Virgem
9 de junho	20h58	Libra
12 de junho	4h55	Escorpião
14 de junho	15h18	Sagitário
17 de junho	3h26	Capricórnio

19 de junho	16h26	Aquário
22 de junho	4h52	Peixes
24 de junho	14h55	Áries
27 de junho	21h19	Touro
29 de junho	23h59	Gêmeos
1º de julho	0h9	Câncer
2 de julho	23h38	Leão
5 de julho	0h19	Virgem
7 de julho	3h47	Libra
9 de julho	10h48	Escorpião
9 de julho	21h6	Sagitário
14 de julho	9h28	Capricórnio
17 de julho	22h27	Aquário
19 de julho	10h44	Peixes
21 de julho	21h09	Áries
24 de julho	4h44	Touro
26 de julho	9h1	Gêmeos
28 de julho	10h30	Câncer
30 de julho	10h23	Leão
3 de agosto	12h31	Libra
5 de agosto	18h4	Escorpião
8 de agosto	3h30	Sagitário
10 de agosto	15h44	Capricórnio
13 de agosto	4h43	Aquário
15 de agosto	16h41	Peixes
18 de agosto	2h44	Áries
20 de agosto	10h31	Touro
22 de agosto	15h55	Gêmeos
24 de agosto	19h0	Câncer
26 de agosto	20h17	Leão
28 de agosto	20h55	Virgem
30 de agosto	22h33	Libra

2 de setembro	2h55	Escorpião
4 de setembro	11h8	Sagitário
6 de setembro	22h47	Capricórnio
9 de setembro	11h44	Aquário
11 de setembro	23h34	Peixes
14 de setembro	9h0	Áries
16 de setembro	16h5	Touro
18 de setembro	21h22	Gêmeos
21 de setembro	1h16	Câncer
23 de setembro	4h00	Leão
25 de setembro	6h2	Virgem
27 de setembro	8h22	Libra
29 de setembro	12h29	Escorpião
1º de outubro	19h50	Sagitário
4 de outubro	6h42	Capricórnio
6 de outubro	19h33	Aquário
9 de outubro	7h36	Peixes
11 de outubro	16h51	Áries
13 de outubro	23h06	Touro
16 de outubro	3h19	Gêmeos
18 de outubro	6h37	Câncer
20 de outubro	9h42	Leão
22 de outubro	12h52	Virgem
24 de outubro	16h30	Libra
26 de outubro	21h23	Escorpião
29 de outubro	4h40	Sagitário
31 de outubro	15h1	Capricórnio
3 de novembro	3h41	Aquário
5 de novembro	16h13	Peixes
8 de novembro	2h2	Áries
10 de novembro	8h12	Touro
12 de novembro	11h27	Gêmeos
14 de novembro	13h21	Câncer

16 de novembro	15h19	Leão
18 de novembro	18h15	Virgem
20 de novembro	22h35	Libra
23 de novembro	4h33	Escorpião
25 de novembro	12h33	Sagitário
27 de novembro	22h57	Capricórnio
30 de novembro	11h26	Aquário
3 de dezembro	3h23	Peixes
5 de dezembro	11h17	Áries
7 de dezembro	18h27	Touro
9 de dezembro	21h50	Gêmeos
11 de dezembro	22h48	Câncer
13 de dezembro	23h8	Leão
16 de dezembro	0h30	Virgem
18 de dezembro	4h1	Libra
20 de dezembro	10h12	Escorpião
22 de dezembro	18h57	Sagitário
25 de dezembro	5h54	Capricórnio
27 de dezembro	18h25	Aquário
30 de dezembro	7h27	Peixes

Ano 2001

Data	Horário	Signo do Zodíaco
1º de janeiro	19h14	Áries
4 de janeiro	3h57	Touro
6 de janeiro	8h44	Gêmeos
8 de janeiro	10h9	Câncer
10 de janeiro	9h44	Leão
12 de janeiro	9h26	Virgem
14 de janeiro	11h5	Libra
16 de janeiro	16h2	Escorpião
19 de janeiro	0h35	Sagitário

21 de janeiro	11h57	Capricórnio
24 de janeiro	0h43	Aquário
26 de janeiro	13h39	Peixes
29 de janeiro	1h35	Áries
31 de janeiro	13h21	Touro
2 de fevereiro	17h56	Gêmeos
4 de fevereiro	21h0	Câncer
6 de fevereiro	21h21	Leão
8 de fevereiro	20h35	Virgem
10 de fevereiro	20h46	Libra
12 de fevereiro	23h51	Escorpião
15 de fevereiro	7h2	Sagitário
17 de fevereiro	17h59	Capricórnio
20 de fevereiro	6h53	Aquário
22 de fevereiro	19h45	Peixes
25 de fevereiro	7h20	Áries
27 de fevereiro	17h6	Touro
2 de março	0h36	Gêmeos
4 de março	5h24	Câncer
6 de março	7h30	Leão
8 de março	7h44	Virgem
10 de março	7h47	Libra
12 de março	9h42	Escorpião
14 de março	15h16	Sagitário
17 de março	1h2	Capricórnio
19 de março	13h36	Aquário
22 de março	2h28	Peixes
24 de março	13h44	Áries
26 de março	22h50	Touro
29 de março	6h1	Gêmeos
31 de março	11h23	Câncer
2 de abril	14h54	Leão
4 de abril	16h46	Virgem

6 de abril	17h57	Libra
8 de abril	20h1	Escorpião
11 de abril	0h47	Sagitário
13 de abril	9h21	Capricórnio
15 de abril	21h11	Aquário
18 de abril	10h0	Peixes
20 de abril	21h18	Áries
23 de abril	5h56	Touro
25 de abril	12h11	Gêmeos
27 de abril	16h49	Câncer
29 de abril	20h25	Leão
1º de maio	23h16	Virgem
4 de maio	1h50	Libra
6 de maio	5h0	Escorpião
8 de maio	10h5	Sagitário
10 de maio	18h10	Capricórnio
13 de maio	5h20	Aquário
15 de maio	18h1	Peixes
18 de maio	5h41	Áries
20 de maio	14h29	Touro
22 de maio	20h12	Gêmeos
24 de maio	23h42	Câncer
27 de maio	2h12	Leão
29 de maio	4h38	Virgem
31 de maio	7h41	Libra
2 de junho	11h56	Escorpião
4 de junho	17h58	Sagitário
7 de junho	2h23	Capricórnio
9 de junho	13h19	Aquário
12 de junho	1h53	Peixes
14 de junho	14h03	Áries
16 de junho	23h39	Touro
19 de junho	5h42	Gêmeos

21 de junho	8h41	Câncer
23 de junho	9h55	Leão
25 de junho	10h57	Virgem
27 de junho	13h11	Libra
29 de junho	17h28	Escorpião
2 de julho	0h13	Sagitário
4 de julho	9h21	Capricórnio
6 de julho	20h33	Aquário
9 de julho	9h05	Peixes
11 de julho	21h36	Áries
14 de julho	8h13	Touro
16 de julho	15h26	Gêmeos
18 de julho	18h56	Câncer
20 de julho	19h43	Leão
22 de julho	19h28	Virgem
24 de julho	20h08	Libra
26 de julho	23h17	Escorpião
29 de julho	5h44	Sagitário
31 de julho	15h16	Capricórnio
3 de agosto	2h53	Aquário
5 de agosto	15h30	Peixes
8 de agosto	4h5	Áries
10 de agosto	15h23	Touro
12 de agosto	23h59	Gêmeos
15 de agosto	4h55	Câncer
17 de agosto	6h25	Leão
19 de agosto	5h53	Virgem
21 de agosto	5h19	Libra
23 de agosto	6h50	Escorpião
25 de agosto	11h59	Sagitário
27 de agosto	21h2	Capricórnio
30 de agosto	8h48	Aquário

1º de setembro	21h32	Peixes
4 de setembro	9h58	Áries
7 de setembro	21h18	Touro
9 de setembro	6h41	Gêmeos
11 de setembro	13h9	Câncer
13 de setembro	16h16	Leão
15 de setembro	16h39	Virgem
17 de setembro	16h0	Libra
19 de setembro	16h27	Escorpião
21 de setembro	20h2	Sagitário
24 de setembro	3h48	Capricórnio
26 de setembro	15h5	Aquário
29 de setembro	3h50	Peixes
1º de outubro	16h8	Áries
4 de outubro	3h1	Touro
6 de outubro	12h12	Gêmeos
8 de outubro	19h19	Câncer
10 de outubro	23h54	Leão
13 de outubro	1h58	Virgem
15 de outubro	2h26	Libra
17 de outubro	3h2	Escorpião
19 de outubro	5h47	Sagitário
21 de outubro	12h11	Capricórnio
23 de outubro	22h26	Aquário
26 de outubro	10h56	Peixes
28 de outubro	23h15	Áries
31 de outubro	9h48	Touro
2 de novembro	18h12	Gêmeos
5 de novembro	0h44	Câncer
7 de novembro	5h34	Leão
9 de novembro	8h49	Virgem
11 de novembro	10h53	Libra
13 de novembro	12h44	Escorpião

15 de novembro	15h51	Sagitário
17 de novembro	21h40	Capricórnio
20 de novembro	6h55	Aquário
22 de novembro	18h52	Peixes
25 de novembro	7h21	Áries
27 de novembro	18h6	Touro
30 de novembro	2h4	Gêmeos
2 de dezembro	7h30	Câncer
4 de dezembro	11h15	Leão
6 de dezembro	14h11	Virgem
8 de dezembro	16h57	Libra
10 de dezembro	20h9	Escorpião
13 de dezembro	0h30	Sagitário
15 de dezembro	6h48	Capricórnio
17 de dezembro	15h43	Aquário
20 de dezembro	3h9	Peixes
22 de dezembro	15h45	Áries
25 de dezembro	3h12	Touro
27 de dezembro	11h39	Gêmeos
29 de dezembro	16h40	Câncer
31 de dezembro	19h9	Leão

Ano 2002

Data	Horário	Signo do Zodíaco
2 de janeiro	20h34	Virgem
4 de janeiro	22h23	Libra
7 de janeiro	1h41	Escorpião
9 de janeiro	6h57	Sagitário
11 de janeiro	14h18	Capricórnio
13 de janeiro	23h41	Aquário
16 de janeiro	11h0	Peixes
19 de janeiro	23h35	Áries

21 de janeiro	11h47	Touro
24 de janeiro	21h28	Gêmeos
26 de janeiro	3h17	Câncer
28 de janeiro	5h31	Leão
30 de janeiro	5h40	Virgem
1º de fevereiro	5h44	Libra
3 de fevereiro	7h35	Escorpião
5 de fevereiro	12h21	Sagitário
7 de fevereiro	20h08	Capricórnio
10 de fevereiro	6h15	Aquário
12 de fevereiro	17h53	Peixes
15 de fevereiro	6h26	Áries
17 de fevereiro	18h58	Touro
20 de fevereiro	5h50	Gêmeos
22 de fevereiro	13h16	Câncer
24 de fevereiro	16h36	Leão
26 de fevereiro	16h47	Virgem
28 de fevereiro	15h47	Libra
2 de março	15h51	Escorpião
4 de março	18h55	Sagitário
7 de março	1h48	Capricórnio
9 de março	11h56	Aquário
11 de março	23h56	Peixes
14 de março	12h34	Áries
17 de março	1h1	Touro
19 de março	12h20	Gêmeos
22 de março	21h6	Câncer
24 de março	2h13	Leão
26 de março	3h44	Virgem
28 de março	3h4	Libra
30 de março	2h21	Escorpião
1º de abril	3h48	Sagitário
3 de abril	8h58	Capricórnio

5 de abril	18h7	Aquário
8 de abril	5h57	Peixes
10 de abril	18h40	Áries
13 de abril	6h55	Touro
15 de abril	17h56	Gêmeos
18 de abril	3h1	Câncer
20 de abril	9h21	Leão
22 de abril	12h35	Virgem
24 de abril	16h22	Libra
26 de abril	13h15	Escorpião
28 de abril	14h12	Sagitário
30 de abril	18h02	Capricórnio
3 de maio	1h43	Aquário
5 de maio	12h46	Peixes
8 de maio	1h22	Áries
10 de maio	13h32	Touro
13 de maio	0h4	Gêmeos
15 de maio	8h33	Câncer
17 de maio	14h52	Leão
19 de maio	19h1	Virgem
21 de maio	21h19	Libra
23 de maio	22h38	Escorpião
26 de maio	0h20	Sagitário
28 de maio	3h54	Capricórnio
30 de maio	10h35	Aquário
1º de junho	20h37	Peixes
4 de junho	8h51	Áries
6 de junho	21h6	Touro
9 de junho	7h29	Gêmeos
11 de junho	15h15	Câncer
13 de junho	20h39	Leão
16 de junho	0h23	Virgem
18 de junho	3h11	Libra

20 de junho	5h42	Escorpião
22 de junho	8h42	Sagitário
24 de junho	13h01	Capricórnio
26 de junho	19h36	Aquário
29 de junho	5h0	Peixes
1º de julho	16h49	Áries
4 de julho	5h16	Touro
6 de julho	16h1	Gêmeos
8 de julho	23h36	Câncer
11 de julho	4h8	Leão
13 de julho	6h41	Virgem
15 de julho	8h39	Libra
17 de julho	11h13	Escorpião
19 de julho	15h2	Sagitário
21 de julho	20h26	Capricórnio
24 de julho	3h40	Aquário
26 de julho	13h4	Peixes
29 de julho	0h38	Áries
31 de julho	13h17	Touro
3 de agosto	0h46	Gêmeos
5 de agosto	9h02	Câncer
7 de agosto	13h27	Leão
9 de agosto	15h3	Virgem
11 de agosto	15h38	Libra
13 de agosto	17h0	Escorpião
15 de agosto	20h25	Sagitário
18 de agosto	2h15	Capricórnio
20 de agosto	10h16	Aquário
22 de agosto	20h11	Peixes
25 de agosto	7h47	Áries
27 de agosto	20h31	Touro
30 de agosto	8h45	Gêmeos

1º de setembro	18h14	Câncer
3 de setembro	23h36	Leão
6 de setembro	1h16	Virgem
8 de setembro	0h57	Libra
10 de setembro	0h48	Escorpião
12 de setembro	2h44	Sagitário
14 de setembro	7h47	Capricórnio
16 de setembro	15h54	Aquário
19 de setembro	2h18	Peixes
21 de setembro	14h11	Áries
24 de setembro	2h54	Touro
26 de setembro	15h26	Gêmeos
29 de setembro	2h1	Câncer
1º de outubro	8h58	Leão
3 de outubro	11h52	Virgem
5 de outubro	11h51	Libra
7 de outubro	10h57	Escorpião
9 de outubro	11h21	Sagitário
11 de outubro	14h45	Capricórnio
13 de outubro	21h51	Aquário
16 de outubro	8h7	Peixes
18 de outubro	20h13	Áries
21 de outubro	8h57	Touro
23 de outubro	21h17	Gêmeos
26 de outubro	8h10	Câncer
28 de outubro	16h20	Leão
30 de outubro	20h59	Virgem
1º de novembro	22h28	Libra
3 de novembro	22h10	Escorpião
5 de novembro	22h1	Sagitário
7 de novembro	23h59	Capricórnio
10 de novembro	5h27	Aquário
12 de novembro	14h42	Peixes

15 de novembro	2h38	Áries
17 de novembro	15h23	Touro
20 de novembro	3h25	Gêmeos
22 de novembro	13h47	Câncer
24 de novembro	22h0	Leão
27 de novembro	3h42	Virgem
29 de novembro	6h54	Libra
1º de dezembro	8h15	Escorpião
3 de dezembro	8h58	Sagitário
5 de dezembro	10h39	Capricórnio
7 de dezembro	14h54	Aquário
9 de dezembro	22h46	Peixes
12 de dezembro	9h58	Áries
15 de dezembro	22h43	Touro
17 de dezembro	10h43	Gêmeos
19 de dezembro	20h30	Câncer
22 de dezembro	3h48	Leão
24 de dezembro	9h5	Virgem
26 de dezembro	12h53	Libra
28 de dezembro	15h41	Escorpião
30 de dezembro	18h1	Sagitário

Ano 2003

Data	Horário	Signo do Zodíaco
1º de janeiro	20h42	Capricórnio
4 de janeiro	0h56	Aquário
6 de janeiro	7h57	Peixes
8 de janeiro	18h15	Áries
11 de janeiro	6h48	Touro
13 de janeiro	19h08	Gêmeos
16 de janeiro	4h56	Câncer
18 de janeiro	11h29	Leão

20 de janeiro	15h32	Virgem
22 de janeiro	18h23	Libra
24 de janeiro	21h9	Escorpião
27 de janeiro	0h26	Sagitário
29 de janeiro	4h30	Capricórnio
31 de janeiro	9h44	Aquário
2 de fevereiro	16h54	Peixes
5 de fevereiro	2h44	Áries
7 de fevereiro	14h59	Touro
10 de fevereiro	3h45	Gêmeos
12 de fevereiro	14h19	Câncer
14 de fevereiro	21h4	Leão
17 de fevereiro	0h22	Virgem
19 de fevereiro	1h48	Libra
21 de fevereiro	3h9	Escorpião
23 de fevereiro	5h46	Sagitário
25 de fevereiro	10h11	Capricórnio
27 de fevereiro	16h24	Aquário
2 de março	0h26	Peixes
4 de março	10h30	Áries
6 de março	22h36	Touro
9 de março	11h37	Gêmeos
11 de março	23h12	Câncer
14 de março	7h6	Leão
16 de março	10h52	Virgem
18 de março	11h43	Libra
20 de março	11h38	Escorpião
22 de março	12h33	Sagitário
24 de março	15h48	Capricórnio
26 de março	21h51	Aquário
29 de março	6h26	Peixes
31 de março	17h4	Áries

3 de abril	5h20	Touro
5 de abril	18h24	Gêmeos
8 de abril	6h36	Câncer
10 de abril	18h54	Leão
12 de abril	21h7	Virgem
14 de abril	22h42	Libra
16 de abril	22h16	Escorpião
18 de abril	21h51	Sagitário
20 de abril	23h20	Capricórnio
23 de abril	3h58	Aquário
25 de abril	12h2	Peixes
27 de abril	22h54	Áries
30 de abril	11h26	Touro
3 de maio	0h27	Gêmeos
5 de maio	12h42	Câncer
7 de maio	22h46	Leão
10 de maio	8h31	Virgem
12 de maio	8h42	Libra
14 de maio	9h14	Escorpião
16 de maio	8h43	Sagitário
18 de maio	9h03	Capricórnio
20 de maio	12h01	Aquário
22 de maio	18h41	Peixes
25 de maio	4h59	Áries
27 de maio	17h32	Touro
30 de maio	6h32	Gêmeos
1º de junho	18h27	Câncer
4 de junho	4h25	Leão
6 de junho	11h51	Virgem
8 de junho	16h30	Libra
10 de junho	18h39	Escorpião
12 de junho	19h12	Sagitário
14 de junho	19h38	Capricórnio

16 de junho	21h41	Aquário
19 de junho	2h57	Peixes
21 de junho	12h6	Áries
24 de junho	0h15	Touro
26 de junho	13h13	Gêmeos
29 de junho	0h52	Câncer
1º de julho	10h13	Leão
3 de julho	17h16	Virgem
5 de julho	22h20	Libra
8 de julho	1h43	Escorpião
10 de julho	3h48	Sagitário
12 de julho	5h21	Capricórnio
14 de julho	7h38	Aquário
16 de julho	12h13	Peixes
18 de julho	20h20	Áries
21 de julho	7h48	Touro
23 de julho	20h42	Gêmeos
26 de julho	8h23	Câncer
28 de julho	17h17	Leão
31 de julho	23h27	Virgem
2 de agosto	3h48	Libra
4 de agosto	7h12	Escorpião
6 de agosto	10h11	Sagitário
8 de agosto	13h2	Capricórnio
10 de agosto	16h23	Aquário
12 de agosto	21h19	Peixes
15 de agosto	5h0	Áries
17 de agosto	15h52	Touro
20 de agosto	4h41	Gêmeos
22 de agosto	16h44	Câncer
25 de agosto	1h48	Leão
27 de agosto	7h27	Virgem
29 de agosto	10h41	Libra
31 de agosto	13h00	Escorpião

2 de setembro	15h32	Sagitário
4 de setembro	18h51	Capricórnio
6 de setembro	23h15	Aquário
9 de setembro	5h7	Peixes
11 de setembro	13h9	Áries
13 de setembro	23h50	Touro
16 de setembro	12h32	Gêmeos
19 de setembro	1h7	Câncer
21 de setembro	11h3	Leão
23 de setembro	17h4	Virgem
25 de setembro	19h49	Libra
27 de setembro	20h52	Escorpião
29 de setembro	21h57	Sagitário
2 de outubro	0h21	Capricórnio
4 de outubro	4h45	Aquário
6 de outubro	11h20	Peixes
8 de outubro	20h7	Áries
11 de outubro	7h5	Touro
13 de outubro	19h45	Gêmeos
16 de outubro	8h41	Câncer
18 de outubro	19h41	Leão
21 de outubro	3h1	Virgem
23 de outubro	6h27	Libra
25 de outubro	7h8	Escorpião
27 de outubro	6h55	Sagitário
29 de outubro	7h37	Capricórnio
31 de outubro	10h41	Aquário
2 de novembro	16h52	Peixes
5 de novembro	2h2	Áries
7 de novembro	13h29	Touro
10 de novembro	2h14	Gêmeos
12 de novembro	15h10	Câncer
15 de novembro	2h48	Leão

17 de novembro	11h36	Virgem
19 de novembro	16h42	Libra
21 de novembro	18h24	Escorpião
23 de novembro	18h2	Sagitário
25 de novembro	17h31	Capricórnio
27 de novembro	18h48	Aquário
29 de novembro	23h25	Peixes
2 dezembro	7h56	Áries
4 dezembro	19h30	Touro
7 de dezembro	8h26	Gêmeos
9 de dezembro	21h11	Câncer
12 de dezembro	8h40	Leão
14 de dezembro	18h07	Virgem
17 de dezembro	0h46	Libra
19 de dezembro	4h20	Escorpião
21 de dezembro	5h16	Sagitário
23 de dezembro	4h55	Capricórnio
25 de dezembro	5h13	Aquário
27 de dezembro	8h10	Peixes
29 de dezembro	15h8	Áries

Ano 2004

Data	Horário	Signo do Zodíaco
1º de janeiro	2h1	Touro
3 de janeiro	14h58	Gêmeos
6 de janeiro	3h38	Câncer
8 de janeiro	14h38	Leão
10 de janeiro	23h37	Virgem
13 de janeiro	6h38	Libra
15 de janeiro	11h32	Escorpião
17 de janeiro	14h18	Sagitário
19 de janeiro	15h24	Capricórnio

21 de janeiro	16h10	Aquário
23 de janeiro	18h29	Peixes
26 de janeiro	0h6	Áries
28 de janeiro	9h46	Touro
30 de janeiro	22h18	Gêmeos
2 de fevereiro	11h3	Câncer
4 de fevereiro	21h50	Leão
7 de fevereiro	6h3	Virgem
9 de fevereiro	12h12	Libra
11 de fevereiro	16h57	Escorpião
13 de fevereiro	20h35	Sagitário
15 de fevereiro	23h14	Capricórnio
18 de fevereiro	1h27	Aquário
20 de fevereiro	4h26	Peixes
22 de fevereiro	9h45	Áries
24 de fevereiro	18h30	Touro
27 de fevereiro	6h22	Gêmeos
29 de fevereiro	19h12	Câncer
3 de março	6h18	Leão
5 de março	14h18	Virgem
7 de março	19h31	Libra
9 de março	23h3	Escorpião
12 de março	1h57	Sagitário
14 de março	4h51	Capricórnio
16 de março	8h10	Aquário
18 de março	12h26	Peixes
20 de março	18h29	Áries
23 de março	3h9	Touro
25 de março	14h34	Gêmeos
28 de março	3h23	Câncer
30 de março	15h7	Leão
31 de março	23h45	Virgem

4 de abril	4h52	Libra
6 de abril	7h24	Escorpião
8 de abril	8h50	Sagitário
10 de abril	3h33	Capricórnio
12 de abril	13h33	Aquário
14 de abril	18h24	Peixes
17 de abril	1h24	Áries
19 de abril	10h42	Touro
21 de abril	22h10	Gêmeos
24 de abril	10h56	Câncer
26 de abril	23h14	Leão
29 de abril	9h0	Virgem
1º de maio	15h3	Libra
3 de maio	17h38	Escorpião
5 de maio	18h8	Sagitário
7 de maio	18h16	Capricórnio
9 de maio	19h46	Aquário
11 de maio	23h52	Peixes
14 de maio	7h2	Áries
16 de maio	16h57	Touro
19 de maio	4h47	Gêmeos
21 de maio	17h35	Câncer
24 de maio	6h7	Leão
26 de maio	16h52	Virgem
29 de maio	0h22	Libra
31 de maio	4h8	Escorpião
2 de junho	4h52	Sagitário
4 de junho	4h12	Capricórnio
6 de junho	4h9	Aquário
8 de junho	6h38	Peixes
10 de junho	12h49	Áries
12 de junho	22h37	Touro
15 de junho	10h44	Gêmeos

17 de junho	23h37	Câncer
20 de junho	12h5	Leão
22 de junho	23h10	Virgem
25 de junho	7h50	Libra
27 de junho	13h13	Escorpião
29 de junho	15h15	Sagitário
1º de julho	15h2	Capricórnio
3 de julho	14h22	Aquário
5 de julho	15h26	Peixes
7 de julho	20h3	Áries
10 de julho	4h50	Touro
12 de julho	16h45	Gêmeos
15 de julho	5h40	Câncer
17 de julho	17h56	Leão
20 de julho	4h44	Virgem
22 de julho	13h39	Libra
24 de julho	20h8	Escorpião
26 de julho	23h48	Sagitário
29 de julho	0h57	Capricórnio
31 de julho	0h54	Aquário
2 de agosto	1h34	Peixes
4 de agosto	4h59	Áries
6 de agosto	12h26	Touro
8 de agosto	23h33	Gêmeos
11 de agosto	12h20	Câncer
14 de agosto	0h30	Leão
16 de agosto	10h49	Virgem
18 de agosto	19h9	Libra
21 de agosto	1h37	Escorpião
23 de agosto	6h8	Sagitário
25 de agosto	8h46	Capricórnio
27 de agosto	10h8	Aquário
29 de agosto	11h33	Peixes
31 de agosto	14h46	Áries

2 de setembro	21h16	Touro
5 de setembro	7h24	Gêmeos
7 de setembro	19h50	Câncer
10 de setembro	8h06	Leão
12 de setembro	18h16	Virgem
15 de setembro	1h53	Libra
17 de setembro	7h25	Escorpião
19 de setembro	11h29	Sagitário
21 de setembro	14h35	Capricórnio
23 de setembro	17h10	Aquário
25 de setembro	19h55	Peixes
27 de setembro	23h57	Áries
30 de setembro	6h24	Touro
2 de outubro	15h55	Gêmeos
5 de outubro	3h54	Câncer
7 de outubro	16h23	Leão
10 de outubro	3h0	Virgem
12 de outubro	10h32	Libra
14 de outubro	15h10	Escorpião
16 de outubro	17h58	Sagitário
18 de outubro	20h7	Capricórnio
20 de outubro	22h37	Aquário
23 de outubro	2h13	Peixes
25 de outubro	7h24	Áries
27 de outubro	14h37	Touro
30 de outubro	0h11	Gêmeos
1º de novembro	11h53	Câncer
4 de novembro	0h32	Leão
6 de novembro	12h0	Virgem
8 de novembro	20h23	Libra
11 de novembro	1h5	Escorpião
13 de novembro	2h56	Sagitário
15 de novembro	3h33	Capricórnio

17 de novembro	4h39	Aquário
19 de novembro	7h38	Peixes
21 de novembro	13h11	Áries
23 de novembro	21h16	Touro
26 de novembro	7h25	Gêmeos
28 de novembro	19h10	Câncer
1º de dezembro	7h50	Leão
3 de dezembro	20h0	Virgem
6 de dezembro	5h46	Libra
8 de dezembro	11h43	Escorpião
10 de dezembro	13h54	Sagitário
12 de dezembro	13h41	Capricórnio
14 de dezembro	13h10	Aquário
16 de dezembro	14h24	Peixes
18 de dezembro	18h52	Áries
21 de dezembro	2h52	Touro
23 de dezembro	13h32	Gêmeos
26 de dezembro	1h38	Câncer
28 de dezembro	14h14	Leão
31 de dezembro	2h33	Virgem

Ano 2005

Data	Horário	Signo do Zodíaco
2 de janeiro	13h19	Libra
4 de janeiro	20h59	Escorpião
7 de janeiro	0h44	Sagitário
9 de janeiro	1h11	Capricórnio
11 de janeiro	0h7	Aquário
12 de janeiro	23h50	Peixes
15 de janeiro	2h27	Áries
17 de janeiro	9h6	Touro
19 de janeiro	19h24	Gêmeos

22 de janeiro	7h42	Câncer
24 de janeiro	20h21	Leão
27 de janeiro	8h24	Virgem
29 de janeiro	19h13	Libra
1º de fevereiro	3h51	Escorpião
3 de fevereiro	9h21	Sagitário
5 de fevereiro	11h32	Capricórnio
7 de fevereiro	11h26	Aquário
9 de fevereiro	10h59	Peixes
11 de fevereiro	12h21	Áries
13 de fevereiro	17h17	Touro
16 de fevereiro	2h18	Gêmeos
18 de fevereiro	14h13	Câncer
21 de fevereiro	2h54	Leão
23 de fevereiro	14h44	Virgem
26 de fevereiro	0h59	Libra
28 de fevereiro	9h20	Escorpião
2 de março	15h29	Sagitário
4 de março	19h11	Capricórnio
6 de março	20h49	Aquário
8 de março	21h32	Peixes
10 de março	23h3	Áries
13 de março	3h05	Touro
15 de março	10h44	Gêmeos
17 de março	21h44	Câncer
20 de março	10h17	Leão
22 de março	22h10	Virgem
25 de março	8h0	Libra
27 de março	15h29	Escorpião
29 de março	20h56	Sagitário
1º de abril	0h48	Capricórnio
3 de abril	3h31	Aquário

5 de abril	8h45	Peixes
7 de abril	8h28	Áries
9 de abril	12h50	Touro
11 de abril	19h54	Gêmeos
14 de abril	6h03	Câncer
16 de abril	18h17	Leão
19 de abril	6h27	Virgem
21 de abril	16h27	Libra
23 de abril	23h25	Escorpião
26 de abril	3h46	Sagitário
28 de abril	6h32	Capricórnio
30 de abril	8h54	Aquário
2 de maio	11h43	Peixes
4 de maio	15h36	Áries
6 de maio	21h1	Touro
9 de maio	4h28	Gêmeos
11 de maio	14h20	Câncer
14 de maio	2h17	Leão
16 de maio	14h46	Virgem
19 de maio	1h30	Libra
21 de maio	8h49	Escorpião
23 de maio	12h38	Sagitário
25 de maio	14h11	Capricórnio
27 de maio	15h9	Aquário
29 de maio	17h9	Peixes
31 de maio	21h7	Áries
3 de junho	3h20	Touro
5 de junho	11h35	Gêmeos
7 de junho	21h46	Câncer
10 de junho	9h39	Leão
12 de junho	22h22	Virgem
15 de junho	9h59	Libra
17 de junho	18h23	Escorpião

19 de junho	22h45	Sagitário
21 de junho	23h52	Capricórnio
23 de junho	23h36	Aquário
26 de junho	0h3	Peixes
28 de junho	2h51	Áries
30 de junho	8h45	Touro
2 de julho	17h26	Gêmeos
5 de julho	4h7	Câncer
7 de julho	16h11	Leão
10 de julho	4h57	Virgem
12 de julho	17h9	Libra
15 de julho	2h51	Escorpião
17 de julho	8h35	Sagitário
19 de julho	10h26	Capricórnio
21 de julho	9h55	Aquário
23 de julho	9h11	Peixes
25 de julho	10h22	Áries
27 de julho	14h54	Touro
29 de julho	23h2	Gêmeos
1º de agosto	9h52	Câncer
3 de agosto	22h10	Leão
6 de agosto	10h54	Virgem
8 de agosto	23h8	Libra
11 de agosto	9h35	Escorpião
13 de agosto	19h47	Sagitário
15 de agosto	20h13	Capricórnio
17 de agosto	20h39	Aquário
19 de agosto	19h52	Peixes
21 de agosto	20h1	Áries
23 de agosto	22h57	Touro
26 de agosto	5h42	Gêmeos
28 de agosto	15h57	Câncer
31 de agosto	4h14	Leão

2 de setembro	16h56	Virgem
5 de setembro	4h52	Libra
7 de setembro	15h10	Escorpião
9 de setembro	23h3	Sagitário
12 de setembro	3h56	Capricórnio
14 de setembro	6h2	Aquário
16 de setembro	6h24	Peixes
18 de setembro	6h43	Áries
20 de setembro	8h47	Touro
22 de setembro	14h6	Gêmeos
24 de setembro	23h10	Câncer
27 de setembro	11h2	Leão
29 de setembro	23h44	Virgem
2 de outubro	11h24	Libra
4 de outubro	21h3	Escorpião
7 de outubro	4h28	Sagitário
9 de outubro	9h43	Capricórnio
11 de outubro	13h5	Aquário
13 de outubro	15h5	Peixes
15 de outubro	16h39	Áries
17 de outubro	19h4	Touro
19 de outubro	23h44	Gêmeos
22 de outubro	7h41	Câncer
24 de outubro	18h48	Leão
27 de outubro	7h28	Virgem
29 de outubro	19h15	Libra
1º de novembro	4h29	Escorpião
3 de novembro	10h55	Sagitário
5 de novembro	15h17	Capricórnio
7 de novembro	18h31	Aquário
9 de novembro	21h22	Peixes
12 de novembro	0h22	Áries
14 de novembro	4h2	Touro

16 de novembro	9h10	Gêmeos
18 de novembro	16h42	Câncer
21 de novembro	3h10	Leão
23 de novembro	15h41	Virgem
26 de novembro	3h58	Libra
28 de novembro	13h33	Escorpião
30 de novembro	19h32	Sagitário
2 de dezembro	22h42	Capricórnio
5 de dezembro	0h36	Aquário
7 de dezembro	2h44	Peixes
9 de dezembro	6h2	Áries
11 de dezembro	10h46	Touro
13 de dezembro	16h59	Gêmeos
16 de dezembro	1h1	Câncer
18 de dezembro	11h18	Leão
20 de dezembro	23h39	Virgem
23 de dezembro	12h26	Libra
25 de dezembro	23h4	Escorpião
28 de dezembro	5h43	Sagitário
30 de dezembro	8h35	Capricórnio

Ano 2006

Data	Horário	Signo do Zodíaco
1º de janeiro	9h14	Aquário
3 de janeiro	9h43	Peixes
5 de janeiro	11h44	Áries
7 de janeiro	16h9	Touro
9 de janeiro	22h58	Gêmeos
12 de janeiro	7h50	Câncer
14 de janeiro	18h31	Leão
17 de janeiro	6h49	Virgem
19 de janeiro	19h49	Libra

22 de janeiro	7h28	Escorpião
24 de janeiro	15h38	Sagitário
26 de janeiro	19h31	Capricórnio
28 de janeiro	20h9	Aquário
30 de janeiro	19h32	Peixes
1º de fevereiro	19h46	Áries
3 de fevereiro	22h31	Touro
6 de fevereiro	4h32	Gêmeos
8 de fevereiro	13h33	Câncer
11 de fevereiro	0h44	Leão
13 de fevereiro	13h13	Virgem
16 de fevereiro	2h9	Libra
18 de fevereiro	14h11	Escorpião
20 de fevereiro	23h38	Sagitário
23 de fevereiro	5h16	Capricórnio
25 de fevereiro	7h14	Aquário
27 de fevereiro	6h56	Peixes
1º de março	6h18	Áries
3 de março	7h22	Touro
5 de março	11h37	Gêmeos
7 de março	19h38	Câncer
10 de março	6h42	Leão
12 de março	19h23	Virgem
15 de março	8h12	Libra
17 de março	19h59	Escorpião
20 de março	5h43	Sagitário
22 de março	12h36	Capricórnio
24 de março	16h21	Aquário
26 de março	17h33	Peixes
28 de março	17h31	Áries
30 de março	18h0	Touro
1º de abril	20h49	Gêmeos
4 de abril	3h15	Câncer

6 de abril	13h25	Leão
9 de abril	1h58	Virgem
11 de abril	14h46	Libra
14 de abril	2h8	Escorpião
16 de abril	11h19	Sagitário
18 de abril	18h13	Capricórnio
20 de abril	22h56	Aquário
23 de abril	1h43	Peixes
25 de abril	3h12	Áries
27 de abril	4h27	Touro
29 de abril	6h58	Gêmeos
1º de maio	12h17	Câncer
3 de maio	21h18	Leão
6 de maio	9h20	Virgem
8 de maio	22h10	Libra
11 de maio	9h24	Escorpião
13 de maio	17h56	Sagitário
15 de maio	23h59	Capricórnio
18 de maio	4h19	Aquário
20 de maio	7h39	Peixes
22 de maio	10h24	Áries
24 de maio	13h0	Touro
26 de maio	16h19	Gêmeos
28 de maio	21h33	Câncer
31 de maio	5h51	Leão
2 de junho	17h17	Virgem
5 de junho	6h8	Libra
7 de junho	17h41	Escorpião
10 de junho	2h5	Sagitário
12 de junho	7h19	Capricórnio
14 de junho	10h32	Aquário
16 de junho	13h5	Peixes
18 de junho	15h54	Áries

20 de junho	19h23	Touro
22 de junho	23h49	Gêmeos
25 de junho	5h48	Câncer
27 de junho	14h9	Leão
30 de junho	1h15	Virgem
2 de julho	14h6	Libra
5 de julho	2h13	Escorpião
7 de julho	11h13	Sagitário
9 de julho	16h25	Capricórnio
11 de julho	18h46	Aquário
13 de julho	19h59	Peixes
15 de julho	21h39	Áries
18 de julho	0h44	Touro
20 de julho	5h38	Gêmeos
22 de julho	12h28	Câncer
24 de julho	21h24	Leão
27 de julho	8h36	Virgem
29 de julho	21h27	Libra
1º de agosto	10h08	Escorpião
3 de agosto	20h13	Sagitário
6 de agosto	2h19	Capricórnio
8 de agosto	4h47	Aquário
10 de agosto	5h10	Peixes
12 de agosto	5h22	Áries
14 de agosto	7h0	Touro
16 de agosto	11h7	Gêmeos
18 de agosto	18h3	Câncer
21 de agosto	3h33	Leão
23 de agosto	15h8	Virgem
26 de agosto	4h1	Libra
28 de agosto	16h56	Escorpião
31 de agosto	4h0	Sagitário

2 de setembro	11h34	Capricórnio
4 de setembro	15h15	Aquário
6 de setembro	15h56	Peixes
8 de setembro	15h23	Áries
10 de setembro	15h30	Touro
12 de setembro	17h59	Gêmeos
14 de setembro	23h53	Câncer
17 de setembro	9h15	Leão
19 de setembro	21h7	Virgem
22 de setembro	10h6	Libra
24 de setembro	22h54	Escorpião
27 de setembro	10h16	Sagitário
29 de setembro	19h1	Capricórnio
2 de outubro	0h24	Aquário
4 de outubro	2h33	Peixes
6 de outubro	2h32	Áries
8 de outubro	2h4	Touro
10 de outubro	3h6	Gêmeos
12 de outubro	7h21	Câncer
14 de outubro	15h38	Leão
17 de outubro	3h15	Virgem
19 de outubro	16h19	Libra
22 de outubro	4h54	Escorpião
24 de outubro	15h53	Sagitário
27 de outubro	0h47	Capricórnio
29 de outubro	7h17	Aquário
31 de outubro	11h10	Peixes
2 de novembro	12h46	Áries
4 de novembro	13h5	Touro
6 de novembro	13h46	Gêmeos
8 de novembro	16h46	Câncer
10 de novembro	23h34	Leão
13 de novembro	10h18	Virgem

15 de novembro	23h14	Libra
18 de novembro	11h46	Escorpião
20 de novembro	22h15	Sagitário
23 de novembro	6h25	Capricórnio
25 de novembro	12h41	Aquário
27 de novembro	17h20	Peixes
29 de novembro	20h30	Áries
1º de dezembro	22h26	Touro
4 de dezembro	0h5	Gêmeos
6 de dezembro	3h0	Câncer
8 de dezembro	8h52	Leão
10 de dezembro	18h31	Virgem
13 de dezembro	7h0	Libra
15 de dezembro	19h42	Escorpião
18 de dezembro	6h10	Sagitário
20 de dezembro	13h39	Capricórnio
22 de dezembro	18h49	Aquário
24 de dezembro	22h43	Peixes
27 de dezembro	2h4	Áries
29 de dezembro	5h8	Touro
31 de dezembro	8h16	Gêmeos

Ano 2007

Data	Horário	Signo do Zodíaco
2 de janeiro	12h14	Câncer
4 de janeiro	18h14	Leão
7 de janeiro	3h18	Virgem
9 de janeiro	15h15	Libra
12 de janeiro	4h8	Escorpião
14 de janeiro	15h11	Sagitário
16 de janeiro	22h49	Capricórnio
19 de janeiro	3h15	Aquário

21 de janeiro	5h48	Peixes
23 de janeiro	7h52	Áries
25 de janeiro	10h28	Touro
27 de janeiro	14h10	Gêmeos
29 de janeiro	19h16	Câncer
1º de fevereiro	2h14	Leão
3 de fevereiro	11h34	Virgem
5 de fevereiro	23h15	Libra
8 de fevereiro	12h9	Escorpião
11 de fevereiro	0h1	Sagitário
13 de fevereiro	8h42	Capricórnio
15 de fevereiro	13h34	Aquário
17 de fevereiro	15h30	Peixes
19 de fevereiro	16h6	Áries
21 de fevereiro	17h3	Touro
23 de fevereiro	19h42	Gêmeos
26 de fevereiro	0h47	Câncer
28 de fevereiro	8h29	Leão
2 de março	18h32	Virgem
5 de março	6h25	Libra
7 de março	19h16	Escorpião
10 de março	7h37	Sagitário
12 de março	17h34	Capricórnio
14 de março	23h52	Aquário
17 de março	2h30	Peixes
19 de março	2h41	Áries
21 de março	2h15	Touro
23 de março	3h6	Gêmeos
25 de março	6h49	Câncer
27 de março	14h4	Leão
30 de março	0h27	Virgem
1º de abril	12h43	Libra
4 de abril	1h35	Escorpião

6 de abril	13h56	Sagitário
9 de abril	0h36	Capricórnio
11 de abril	8h23	Aquário
13 de abril	12h38	Peixes
15 de abril	13h46	Áries
17 de abril	13h11	Touro
19 de abril	12h51	Gêmeos
21 de abril	14h50	Câncer
23 de abril	20h38	Leão
26 de abril	6h24	Virgem
28 de abril	18h44	Libra
1º de maio	7h41	Escorpião
3 de maio	19h47	Sagitário
6 de maio	6h21	Capricórnio
8 de maio	14h48	Aquário
10 de maio	20h31	Peixes
12 de maio	23h19	Áries
14 de maio	23h48	Touro
16 de maio	23h34	Gêmeos
19 de maio	0h38	Câncer
21 de maio	4h56	Leão
23 de maio	13h26	Virgem
26 de maio	1h16	Libra
28 de maio	14h11	Escorpião
31 de maio	2h7	Sagitário
2 de junho	12h9	Capricórnio
4 de junho	20h15	Aquário
7 de junho	2h24	Peixes
9 de junho	6h26	Áries
11 de junho	8h29	Touro
13 de junho	9h24	Gêmeos
15 de junho	10h45	Câncer
17 de junho	14h25	Leão

19 de junho	21h45	Virgem
22 de junho	8h43	Libra
24 de junho	21h26	Escorpião
27 de junho	9h23	Sagitário
29 de junho	19h5	Capricórnio
2 de julho	2h24	Aquário
4 de julho	7h52	Peixes
6 de julho	11h56	Áries
8 de julho	14h54	Touro
10 de julho	17h10	Gêmeos
12 de julho	19h39	Câncer
14 de julho	23h43	Leão
17 de julho	6h39	Virgem
19 de julho	16h53	Libra
22 de julho	5h18	Escorpião
24 de julho	17h29	Sagitário
27 de julho	3h21	Capricórnio
29 de julho	10h13	Aquário
31 de julho	14h40	Peixes
2 de agosto	17h43	Áries
4 de agosto	20h16	Touro
6 de agosto	23h1	Gêmeos
9 de agosto	2h36	Câncer
11 de agosto	7h42	Leão
13 de agosto	15h3	Virgem
16 de agosto	1h04	Libra
18 de agosto	13h13	Escorpião
21 de agosto	1h44	Sagitário
23 de agosto	12h20	Capricórnio
25 de agosto	19h35	Aquário
27 de agosto	23h34	Peixes
30 de agosto	1h24	Áries

1º de setembro	2h35	Touro
3 de setembro	4h30	Gêmeos
5 de setembro	8h08	Câncer
7 de setembro	13h59	Leão
90 de setembro	22h10	Virgem
12 de setembro	8h31	Libra
14 de setembro	20h37	Escorpião
17 de setembro	9h21	Sagitário
19 de setembro	20h51	Capricórnio
22 de setembro	5h18	Aquário
24 de setembro	9h55	Peixes
26 de setembro	11h22	Áries
28 de setembro	11h17	Touro
30 de setembro	11h34	Gêmeos
2 de outubro	13h57	Câncer
4 de outubro	19h27	Leão
7 de outubro	4h3	Virgem
9 de outubro	14h57	Libra
12 de outubro	3h13	Escorpião
14 de outubro	15h58	Sagitário
17 de outubro	4h3	Capricórnio
19 de outubro	13h52	Aquário
21 de outubro	20h2	Peixes
23 de outubro	22h24	Áries
25 de outubro	22h7	Touro
27 de outubro	21h11	Gêmeos
29 de outubro	21h49	Câncer
1º de novembro	1h48	Leão
3 de novembro	9h44	Virgem
5 de novembro	20h47	Libra
8 de novembro	9h18	Escorpião
10 de novembro	21h59	Sagitário
13 de novembro	10h00	Capricórnio

Data	Horário	Signo do Zodíaco
15 de novembro	20h30	Aquário
18 de novembro	4h14	Peixes
20 de novembro	8h24	Áries
22 de novembro	9h18	Touro
26 de novembro	8h7	Câncer
28 de novembro	10h23	Leão
30 de novembro	16h44	Virgem
3 de dezembro	3h1	Libra
5 de dezembro	15h31	Escorpião
8 de dezembro	4h11	Sagitário
10 de dezembro	15h50	Capricórnio
13 de dezembro	2h1	Aquário
15 de dezembro	10h15	Peixes
17 de dezembro	15h52	Áries
19 de dezembro	18h38	Touro
21 de dezembro	19h14	Gêmeos
23 de dezembro	19h18	Câncer
25 de dezembro	20h52	Leão
28 de dezembro	1h44	Virgem
30 de dezembro	10h37	Libra

Ano 2008

Data	Horário	Signo do Zodíaco
1º de janeiro	22h32	Escorpião
4 de janeiro	11h13	Sagitário
6 de janeiro	22h43	Capricórnio
9 de janeiro	8h13	Aquário
11 de janeiro	15h44	Peixes
13 de janeiro	21h23	Áries
16 de janeiro	1h13	Touro
18 de janeiro	3h30	Gêmeos
20 de janeiro	5h5	Câncer

22 de janeiro	7h20	Leão
24 de janeiro	11h48	Virgem
26 de janeiro	19h35	Libra
29 de janeiro	6h35	Escorpião
31 de janeiro	19h8	Sagitário
3 de fevereiro	6h52	Capricórnio
5 de fevereiro	16h10	Aquário
7 de fevereiro	22h46	Peixes
10 de fevereiro	3h17	Áries
12 de fevereiro	6h34	Touro
14 de fevereiro	9h19	Gêmeos
16 de fevereiro	12h12	Câncer
18 de fevereiro	15h51	Leão
20 de fevereiro	21h6	Virgem
23 de fevereiro	4h44	Libra
25 de fevereiro	15h05	Escorpião
28 de fevereiro	3h22	Sagitário
1º de março	15h33	Capricórnio
4 de março	1h24	Aquário
6 de março	7h53	Peixes
8 de março	11h23	Áries
10 de março	13h13	Touro
12 de março	14h54	Gêmeos
14 de março	17h37	Câncer
16 de março	22h4	Leão
19 de março	4h25	Virgem
21 de março	12h45	Libra
23 de março	23h6	Escorpião
26 de março	11h11	Sagitário
28 de março	23h43	Capricórnio
31 de março	10h34	Aquário
2 de abril	17h55	Peixes
4 de abril	21h27	Áries

6 de abril	22h19	Touro
8 de abril	22h27	Gêmeos
10 de abril	23h43	Câncer
13 de abril	3h29	Leão
15 de abril	10h6	Virgem
17 de abril	19h10	Libra
20 de abril	6h0	Escorpião
22 de abril	18h7	Sagitário
25 de abril	6h47	Capricórnio
27 de abril	18h27	Aquário
30 de abril	3h11	Peixes
2 de maio	7h51	Áries
4 de maio	8h58	Touro
6 de maio	8h17	Gêmeos
8 de maio	8h2	Câncer
10 de maio	10h10	Leão
12 de maio	15h48	Virgem
15 de maio	0h46	Libra
17 de maio	11h59	Escorpião
20 de maio	0h18	Sagitário
22 de maio	12h55	Capricórnio
25 de maio	0h51	Aquário
27 de maio	10h38	Peixes
29 de maio	16h52	Áries
31 de maio	19h18	Touro
2 de junho	19h06	Gêmeos
4 de junho	18h16	Câncer
6 de junho	19h0	Leão
8 de junho	23h1	Virgem
11 de junho	6h55	Libra
13 de junho	17h53	Escorpião
16 de junho	6h19	Sagitário
18 de junho	18h51	Capricórnio

21 de junho	6h33	Aquário
23 de junho	16h32	Peixes
25 de junho	23h49	Áries
28 de junho	3h50	Touro
30 de junho	5h3	Gêmeos
2 de julho	4h53	Câncer
4 de julho	5h15	Leão
6 de julho	8h1	Virgem
8 de julho	14h31	Libra
11 de julho	0h35	Escorpião
13 de julho	12h50	Sagitário
16 de julho	1h20	Capricórnio
18 de julho	12h40	Aquário
20 de julho	22h7	Peixes
23 de julho	5h22	Áries
25 de julho	10h14	Touro
27 de julho	12h55	Gêmeos
29 de julho	14h11	Câncer
31 de julho	15h21	Leão
2 de agosto	17h59	Virgem
4 de agosto	23h28	Libra
7 de agosto	8h26	Escorpião
9 de agosto	20h10	Sagitário
12 de agosto	8h42	Capricórnio
14 de agosto	19h56	Aquário
17 de agosto	4h46	Peixes
19 de agosto	11h10	Áries
21 de agosto	15h38	Touro
23 de agosto	18h48	Gêmeos
25 de agosto	21h18	Câncer
27 de agosto	23h51	Leão
30 de agosto	3h18	Virgem

1º de setembro	8h44	Libra
3 de setembro	17h2	Escorpião
6 de setembro	4h11	Sagitário
8 de setembro	16h45	Capricórnio
11 de setembro	4h19	Aquário
13 de setembro	13h4	Peixes
15 de setembro	18h39	Áries
17 de setembro	21h56	Touro
20 de setembro	0h17	Gêmeos
22 de setembro	2h48	Câncer
24 de setembro	6h13	Leão
25 de setembro	10h52	Virgem
28 de setembro	17h05	Libra
1º de outubro	1h26	Escorpião
3 de outubro	12h14	Sagitário
6 de outubro	0h48	Capricórnio
8 de outubro	13h3	Aquário
10 de outubro	22h31	Peixes
13 de outubro	4h7	Áries
15 de outubro	6h31	Touro
17 de outubro	7h25	Gêmeos
19 de outubro	8h40	Câncer
21 de outubro	11h35	Leão
23 de outubro	16h40	Virgem
25 de outubro	23h47	Libra
28 de outubro	8h47	Escorpião
30 de outubro	19h41	Sagitário
2 de novembro	8h13	Capricórnio
4 de novembro	21h1	Aquário
7 de novembro	7h43	Peixes
9 de novembro	14h26	Áries
11 de novembro	17h05	Touro
13 de novembro	17h11	Gêmeos

Data	Horário	Signo do Zodíaco
15 de novembro	16h52	Câncer
17 de novembro	18h7	Leão
19 de novembro	22h12	Virgem
22 de novembro	5h20	Libra
24 de novembro	14h54	Escorpião
27 de novembro	2h14	Sagitário
29 de novembro	14h48	Capricórnio
2 de dezembro	3h44	Aquário
4 de dezembro	15h23	Peixes
6 de dezembro	23h44	Áries
9 de dezembro	3h52	Touro
11 de dezembro	4h33	Gêmeos
13 de dezembro	3h39	Câncer
15 de dezembro	3h22	Leão
17 de dezembro	5h35	Virgem
19 de dezembro	11h23	Libra
21 de dezembro	20h36	Escorpião
24 de dezembro	8h13	Sagitário
26 de dezembro	20h56	Capricórnio
29 de dezembro	9h42	Aquário
31 de dezembro	21h27	Peixes

Ano 2009

Data	Horário	Signo do Zodíaco
3 de janeiro	6h50	Áries
5 de janeiro	12h46	Touro
7 de janeiro	15h11	Gêmeos
9 de janeiro	15h14	Câncer
11 de janeiro	14h41	Leão
13 de janeiro	15h33	Virgem
15 de janeiro	19h30	Libra
18 de janeiro	3h20	Escorpião

20 de janeiro	14h30	Sagitário
23 de janeiro	3h18	Capricórnio
25 de janeiro	15h56	Aquário
28 de janeiro	3h12	Peixes
30 de janeiro	12h25	Áries
1º de fevereiro	19h8	Touro
3 de fevereiro	23h14	Gêmeos
6 de fevereiro	1h5	Câncer
8 de fevereiro	1h43	Leão
10 de fevereiro	2h38	Virgem
12 de fevereiro	5h33	Libra
14 de fevereiro	11h50	Escorpião
16 de fevereiro	21h53	Sagitário
19 de fevereiro	10h25	Capricórnio
21 de fevereiro	23h6	Aquário
24 de fevereiro	9h59	Peixes
26 de fevereiro	18h24	Áries
1º de março	0h33	Touro
3 de março	4h59	Gêmeos
5 de março	8h7	Câncer
7 de março	10h24	Leão
9 de março	12h34	Virgem
11 de março	15h46	Libra
13 de março	21h22	Escorpião
16 de março	6h21	Sagitário
18 de março	18h18	Capricórnio
21 de março	7h6	Aquário
23 de março	18h8	Peixes
26 de março	2h3	Áries
28 de março	7h9	Touro
30 de março	10h36	Gêmeos
1º de abril	13h30	Câncer
3 de abril	16h32	Leão

5 de abril	20h1	Virgem
8 de abril	0h22	Libra
10 de abril	6h23	Escorpião
12 de abril	15h0	Sagitário
15 de abril	2h27	Capricórnio
17 de abril	15h19	Aquário
20 de abril	2h55	Peixes
22 de abril	11h9	Áries
24 de abril	15h46	Touro
26 de abril	18h2	Gêmeos
28 de abril	19h38	Câncer
30 de abril	21h56	Leão
3 de maio	1h37	Virgem
5 de maio	6h51	Libra
7 de maio	13h48	Escorpião
9 de maio	22h49	Sagitário
12 de maio	10h9	Capricórnio
14 de maio	23h1	Aquário
17 de maio	11h17	Peixes
19 de maio	20h30	Áries
22 de maio	1h40	Touro
24 de maio	3h34	Gêmeos
26 de maio	3h58	Câncer
28 de maio	4h44	Leão
30 de maio	7h17	Virgem
1º de junho	12h17	Libra
3 de junho	19h43	Escorpião
6 de junho	5h23	Sagitário
8 de junho	16h59	Capricórnio
11 de junho	5h52	Aquário
13 de junho	18h32	Peixes
16 de junho	4h51	Áries
18 de junho	11h20	Touro

20 de junho	14h0	Gêmeos
22 de junho	14h12	Câncer
24 de junho	13h50	Leão
26 de junho	14h46	Virgem
28 de junho	18h24	Libra
1º de julho	1h18	Escorpião
3 de julho	11h10	Sagitário
5 de julho	23h7	Capricórnio
8 de julho	12h3	Aquário
11 de julho	0h44	Peixes
13 de julho	11h40	Áries
15 de julho	19h30	Touro
17 de julho	23h41	Gêmeos
20 de julho	0h51	Câncer
22 de julho	0h27	Leão
24 de julho	0h22	Virgem
26 de julho	2h25	Libra
28 de julho	7h56	Escorpião
30 de julho	17h10	Sagitário
2 de agosto	5h8	Capricórnio
4 de agosto	18h8	Aquário
7 de agosto	6h34	Peixes
9 de agosto	17h23	Áries
12 de agosto	1h49	Touro
14 de agosto	7h25	Gêmeos
16 de agosto	10h13	Câncer
18 de agosto	10h56	Leão
20 de agosto	11h0	Virgem
22 de agosto	12h12	Libra
24 de agosto	16h16	Escorpião
27 de agosto	0h16	Sagitário
29 de agosto	11h44	Capricórnio

1º de setembro	0h43	Aquário
3 de setembro	12h58	Peixes
5 de setembro	23h14	Áries
8 de setembro	7h17	Touro
10 de setembro	13h17	Gêmeos
12 de setembro	17h19	Câncer
14 de setembro	19h39	Leão
16 de setembro	20h56	Virgem
18 de setembro	22h26	Libra
21 de setembro	1h52	Escorpião
23 de setembro	8h43	Sagitário
25 de setembro	19h19	Capricórnio
28 de setembro	8h6	Aquário
30 de setembro	20h26	Peixes
3 de outubro	6h20	Áries
5 de outubro	13h33	Touro
7 de outubro	18h46	Gêmeos
9 de outubro	22h48	Câncer
12 de outubro	2h2	Leão
14 de outubro	4h45	Virgem
16 de outubro	7h29	Libra
18 de outubro	11h22	Escorpião
20 de outubro	17h49	Sagitário
23 de outubro	3h39	Capricórnio
25 de outubro	16h8	Aquário
28 de outubro	4h45	Peixes
30 de outubro	14h56	Áries
1º de novembro	21h44	Touro
4 de novembro	1h53	Gêmeos
6 de novembro	4h42	Câncer
8 de novembro	7h23	Leão
10 de novembro	10h30	Virgem
12 de novembro	14h22	Libra

14 de novembro	19h24	Escorpião
17 de novembro	2h22	Sagitário
19 de novembro	12h0	Capricórnio
22 de novembro	0h11	Aquário
24 de novembro	13h7	Peixes
27 de novembro	0h10	Áries
29 de novembro	7h34	Touro
1º de dezembro	11h23	Gêmeos
3 de dezembro	13h0	Câncer
5 de dezembro	14h7	Leão
7 de dezembro	16h5	Virgem
9 de dezembro	19h47	Libra
12 de dezembro	1h31	Escorpião
14 de dezembro	9h25	Sagitário
16 de dezembro	19h32	Capricórnio
19 de dezembro	7h38	Aquário
21 de dezembro	20h42	Peixes
24 de dezembro	8h39	Áries
26 de dezembro	17h26	Touro
28 de dezembro	22h13	Gêmeos
30 de dezembro	23h45	Câncer

Ano 2010

Data	Horário	Signo do Zodíaco
1º de janeiro	23h41	Leão
3 de janeiro	23h52	Virgem
6 de janeiro	1h58	Libra
8 de janeiro	7h0	Escorpião
10 de janeiro	15h10	Sagitário
13 de janeiro	1h54	Capricórnio
15 de janeiro	14h17	Aquário
18 de janeiro	3h17	Peixes

20 de janeiro	15h36	Áries
23 de janeiro	1h39	Touro
25 de janeiro	8h11	Gêmeos
27 de janeiro	11h1	Câncer
29 de janeiro	11h10	Leão
31 de janeiro	10h23	Virgem
2 de fevereiro	10h42	Libra
4 de fevereiro	13h55	Escorpião
6 de fevereiro	21h3	Sagitário
9 de fevereiro	7h43	Capricórnio
11 de fevereiro	20h24	Aquário
14 de fevereiro	9h23	Peixes
16 de fevereiro	21h30	Áries
19 de fevereiro	7h55	Touro
21 de fevereiro	15h47	Gêmeos
23 de fevereiro	20h28	Câncer
25 de fevereiro	22h8	Leão
27 de fevereiro	21h52	Virgem
1º de março	21h31	Libra
3 de março	23h11	Escorpião
6 de março	4h36	Sagitário
8 de março	14h13	Capricórnio
11 de março	2h42	Aquário
13 de março	15h43	Peixes
16 de março	3h32	Áries
18 de março	13h29	Touro
20 de março	21h28	Gêmeos
23 de março	3h16	Câncer
25 de março	6h39	Leão
27 de março	7h57	Virgem
29 de março	8h21	Libra
31 de março	9h41	Escorpião

2 de abril	13h52	Sagitário
4 de abril	22h7	Capricórnio
7 de abril	9h51	Aquário
9 de abril	22h47	Peixes
12 de abril	10h31	Áries
14 de abril	19h55	Touro
17 de abril	3h8	Gêmeos
19 de abril	8h39	Câncer
21 de abril	12h42	Leão
22 de abril	15h24	Virgem
23 de abril	17h16	Libra
27 de abril	19h28	Escorpião
29 de abril	23h36	Sagitário
2 de maio	7h0	Capricórnio
4 de maio	17h51	Aquário
7 de maio	6h34	Peixes
9 de maio	18h29	Áries
12 de maio	3h48	Touro
14 de maio	10h18	Gêmeos
16 de maio	14h45	Câncer
18 de maio	18h6	Leão
20 de maio	20h58	Virgem
22 de maio	23h49	Libra
25 de maio	3h17	Escorpião
27 de maio	8h15	Sagitário
29 de maio	15h44	Capricórnio
1º de junho	2h8	Aquário
3 de junho	14h33	Peixes
6 de junho	2h49	Áries
8 de junho	12h41	Touro
10 de junho	19h11	Gêmeos
12 de junho	22h50	Câncer
15 de junho	0h54	Leão

17 de junho	2h41	Virgem
19 de junho	5h13	Libra
21 de junho	9h13	Escorpião
23 de junho	15h10	Sagitário
25 de junho	23h21	Capricórnio
28 de junho	9h52	Aquário
30 de junho	22h9	Peixes
3 de julho	10h44	Áries
5 de julho	21h29	Touro
8 de julho	4h50	Gêmeos
10 de julho	8h38	Câncer
12 de julho	9h53	Leão
14 de julho	10h15	Virgem
16 de julho	11h24	Libra
18 de julho	14h42	Escorpião
20 de julho	20h48	Sagitário
23 de julho	5h39	Capricórnio
25 de julho	16h38	Aquário
28 de julho	5h0	Peixes
30 de julho	17h41	Áries
2 de agosto	5h13	Touro
4 de agosto	13h54	Gêmeos
6 de agosto	18h50	Câncer
8 de agosto	20h23	Leão
10 de agosto	20h1	Virgem
12 de agosto	19h42	Libra
14 de agosto	21h26	Escorpião
17 de agosto	2h34	Sagitário
19 de agosto	11h17	Capricórnio
21 de agosto	22h37	Aquário
24 de agosto	11h11	Peixes
26 de agosto	23h49	Áries
29 de agosto	11h35	Touro

30 de agosto	21h19	Gêmeos
3 de setembro	3h50	Câncer
5 de setembro	6h45	Leão
7 de setembro	6h53	Virgem
9 de setembro	6h1	Libra
11 de setembro	6h21	Escorpião
13 de setembro	9h52	Sagitário
15 de setembro	17h30	Capricórnio
18 de setembro	4h34	Aquário
20 de setembro	17h15	Peixes
23 de setembro	5h47	Áries
25 de setembro	17h16	Touro
28 de setembro	3h10	Gêmeos
30 de setembro	10h45	Câncer
2 de outubro	15h21	Leão
4 de outubro	17h0	Virgem
6 de outubro	16h51	Libra
8 de outubro	16h52	Escorpião
10 de outubro	19h9	Sagitário
13 de outubro	1h17	Capricórnio
15 de outubro	11h24	Aquário
17 de outubro	23h51	Peixes
20 de outubro	12h23	Áries
22 de outubro	23h29	Touro
25 de outubro	8h47	Gêmeos
27 de outubro	16h14	Câncer
29 de outubro	21h38	Leão
1º de novembro	0h51	Virgem
3 de novembro	2h19	Libra
5 de novembro	3h15	Escorpião
7 de novembro	5h27	Sagitário
9 de novembro	10h36	Capricórnio
11 de novembro	19h32	Aquário

14 de novembro	7h24	Peixes
16 de novembro	19h58	Áries
19 de novembro	7h4	Touro
21 de novembro	15h46	Gêmeos
23 de novembro	22h14	Câncer
26 de novembro	3h1	Leão
28 de novembro	6h33	Virgem
30 de novembro	9h15	Libra
2 de dezembro	11h43	Escorpião
4 de dezembro	14h59	Sagitário
6 de dezembro	20h16	Capricórnio
9 de dezembro	4h30	Aquário
11 de dezembro	15h40	Peixes
14 de dezembro	4h14	Áries
16 de dezembro	15h49	Touro
19 de dezembro	0h37	Gêmeos
21 de dezembro	6h22	Câncer
23 de dezembro	9h50	Leão
25 de dezembro	12h14	Virgem
27 de dezembro	14h38	Libra
29 de dezembro	17h49	Escorpião

Ano 2011

Data	Horário	Signo do Zodíaco
31 de dezembro	22h21	Sagitário
3 de janeiro	4h39	Capricórnio
5 de janeiro	13h8	Aquário
7 de janeiro	22h57	Peixes
10 de janeiro	12h24	Áries
13 de janeiro	12h37	Touro
15 de janeiro	10h23	Gêmeos
17 de janeiro	16h29	Câncer

19 de janeiro	19h16	Leão
21 de janeiro	20h10	Virgem
23 de janeiro	20h59	Libra
25 de janeiro	23h15	Escorpião
28 de janeiro	3h55	Sagitário
30 de janeiro	11h4	Capricórnio
1º de fevereiro	20h21	Aquário
4 de fevereiro	7h24	Peixes
6 de fevereiro	19h45	Áries
9 de fevereiro	8h22	Touro
11 de fevereiro	19h20	Gêmeos
14 de fevereiro	2h48	Câncer
16 de fevereiro	6h14	Leão
18 de fevereiro	6h39	Virgem
20 de fevereiro	6h1	Libra
22 de fevereiro	6h29	Escorpião
24 de fevereiro	9h46	Sagitário
26 de fevereiro	15h32	Capricórnio
1º de março	2h14	Aquário
3 de março	13h47	Peixes
6 de março	2h14	Áries
8 de março	14h52	Touro
11 de março	2h31	Gêmeos
13 de março	11h29	Câncer
15 de março	16h33	Leão
17 de março	17h53	Virgem
19 de março	17h3	Libra
21 de março	16h17	Escorpião
23 de março	17h45	Sagitário
25 de março	22h57	Capricórnio
28 de março	8h0	Aquário
30 de março	19h38	Peixes

2 de abril	8h16	Áries
4 de abril	20h46	Touro
7 de abril	8h21	Gêmeos
9 de abril	18h2	Câncer
12 de abril	0h37	Leão
14 de abril	3h40	Virgem
16 de abril	3h59	Libra
18 de abril	3h19	Escorpião
20 de abril	3h50	Sagitário
22 de abril	7h24	Capricórnio
24 de abril	14h59	Aquário
27 de abril	1h57	Peixes
29 de abril	14h33	Áries
2 de maio	2h58	Touro
4 de maio	14h9	Gêmeos
6 de maio	23h32	Câncer
9 de maio	6h35	Leão
11 de maio	10h59	Virgem
13 de maio	12h56	Libra
15 de maio	13h31	Escorpião
17 de maio	14h22	Sagitário
19 de maio	17h16	Capricórnio
21 de maio	23h32	Aquário
24 de maio	9h24	Peixes
26 de maio	21h36	Áries
29 de maio	10h2	Touro
31 de maio	20h56	Gêmeos
3 de junho	5h36	Câncer
5 de junho	12h3	Leão
7 de junho	16h33	Virgem
9 de junho	19h31	Libra
11 de junho	21h33	Escorpião
13 de junho	23h38	Sagitário

16 de junho	2h59	Capricórnio
18 de junho	8h47	Aquário
20 de junho	17h45	Peixes
23 de junho	5h24	Áries
25 de junho	17h53	Touro
28 de junho	4h56	Gêmeos
30 de junho	13h13	Câncer
2 de julho	18h43	Leão
4 de julho	22h15	Virgem
7 de julho	0h54	Libra
9 de julho	3h31	Escorpião
11 de julho	6h47	Sagitário
13 de julho	11h14	Capricórnio
15 de julho	17h30	Aquário
18 de julho	2h13	Peixes
20 de julho	13h25	Áries
23 de julho	1h58	Touro
25 de julho	13h34	Gêmeos
27 de julho	22h11	Câncer
30 de julho	3h16	Leão
1º de agosto	5h41	Virgem
3 de agosto	7h4	Libra
5 de agosto	8h57	Escorpião
7 de agosto	12h21	Sagitário
9 de agosto	17h38	Capricórnio
12 de agosto	0h47	Aquário
14 de agosto	9h54	Peixes
16 de agosto	21h1	Áries
19 de agosto	9h36	Touro
21 de agosto	21h53	Gêmeos
24 de agosto	7h31	Câncer
26 de agosto	13h9	Leão
28 de agosto	15h13	Virgem
30 de agosto	15h25	Libra

1º de setembro	15h48	Escorpião
3 de setembro	18h3	Sagitário
5 de setembro	23h3	Capricórnio
8 de setembro	6h42	Aquário
10 de setembro	16h26	Peixes
13 de setembro	3h49	Áries
15 de setembro	16h25	Touro
18 de setembro	5h6	Gêmeos
20 de setembro	15h53	Câncer
22 de setembro	22h55	Leão
25 de setembro	1h49	Virgem
27 de setembro	1h51	Libra
29 de setembro	1h5	Escorpião
1º de outubro	1h42	Sagitário
3 de outubro	5h16	Capricórnio
5 de outubro	12h18	Aquário
7 de outubro	22h13	Peixes
10 de outubro	9h57	Áries
12 de outubro	22h35	Touro
15 de outubro	11h15	Gêmeos
17 de outubro	22h38	Câncer
20 de outubro	7h6	Leão
22 de outubro	11h41	Virgem
24 de outubro	12h49	Libra
26 de outubro	12h8	Escorpião
28 de outubro	11h45	Sagitário
30 de outubro	13h39	Capricórnio
1º de novembro	19h8	Aquário
4 de novembro	4h18	Peixes
6 de novembro	16h2	Áries
9 de novembro	4h45	Touro
11 de novembro	17h10	Gêmeos
14 de novembro	4h19	Câncer

16 de novembro	13h17	Leão
18 de novembro	19h19	Virgem
20 de novembro	22h16	Libra
22 de novembro	22h58	Escorpião
24 de novembro	22h57	Sagitário
27 de novembro	0h4	Capricórnio
29 de novembro	4h2	Aquário
1º de dezembro	11h45	Peixes
3 de dezembro	22h51	Áries
6 de dezembro	11h34	Touro
8 de dezembro	23h52	Gêmeos
11 de dezembro	10h26	Câncer
13 de dezembro	18h48	Leão
16 de dezembro	0h58	Virgem
18 de dezembro	5h6	Libra
20 de dezembro	7h33	Escorpião
22 de dezembro	9h3	Sagitário
24 de dezembro	10h47	Capricórnio
26 de dezembro	14h14	Aquário
28 de dezembro	20h45	Peixes
31 de dezembro	6h48	Áries

Ano 2012

Data	Horário	Signo do Zodíaco
2 de janeiro	19h16	Touro
5 de janeiro	7h44	Gêmeos
7 de janeiro	18h5	Câncer
10 de janeiro	1h35	Leão
12 de janeiro	6h44	Virgem
14 de janeiro	10h28	Libra
16 de janeiro	13h33	Escorpião
18 de janeiro	16h29	Sagitário

20 de janeiro	19h40	Capricórnio
22 de janeiro	23h53	Aquário
25 de janeiro	6h11	Peixes
27 de janeiro	15h28	Áries
30 de janeiro	3h28	Touro
1º de fevereiro	16h14	Gêmeos
4 de fevereiro	3h4	Câncer
6 de fevereiro	10h24	Leão
8 de fevereiro	14h32	Virgem
10 de fevereiro	16h54	Libra
12 de fevereiro	19h1	Escorpião
15 de fevereiro	9h56	Sagitário
17 de fevereiro	2h3	Capricórnio
19 de fevereiro	7h28	Aquário
21 de fevereiro	14h31	Peixes
23 de fevereiro	23h48	Áries
26 de fevereiro	11h29	Touro
29 de fevereiro	0h27	Gêmeos
2 de março	0h8	Câncer
4 de março	20h17	Leão
7 de março	0h27	Virgem
9 de março	1h50	Libra
11 de março	2h24	Escorpião
13 de março	3h53	Sagitário
15 de março	7h24	Capricórnio
17 de março	13h11	Aquário
20 de março	9h5	Peixes
22 de março	6h57	Áries
24 de março	14h43	Touro
27 de março	7h43	Gêmeos
29 de março	20h7	Câncer
1º de abril	5h35	Leão
3 de abril	10h53	Virgem

5 de abril	12h32	Libra
7 de abril	12h17	Escorpião
9 de abril	12h12	Sagitário
11 de abril	14h2	Capricórnio
13 de abril	18h48	Aquário
16 de abril	2h38	Peixes
18 de abril	12h59	Áries
21 de abril	1h5	Touro
23 de abril	14h5	Gêmeos
26 de abril	2h42	Câncer
28 de abril	13h10	Leão
30 de abril	20h2	Virgem
2 de maio	23h4	Libra
4 de maio	23h20	Escorpião
6 de maio	22h39	Sagitário
8 de maio	23h0	Capricórnio
11 de maio	2h3	Aquário
13 de maio	8h42	Peixes
15 de maio	18h45	Áries
18 de maio	7h3	Touro
20 de maio	20h5	Gêmeos
23 de maio	8h31	Câncer
25 de maio	19h11	Leão
28 de maio	3h6	Virgem
30 de maio	7h46	Libra
1º de junho	9h31	Escorpião
3 de junho	9h32	Sagitário
5 de junho	9h31	Capricórnio
7 de junho	11h17	Aquário
9 de junho	16h22	Peixes
12 de junho	1h21	Áries
14 de junho	13h22	Touro
17 de junho	2h24	Gêmeos

19 de junho	14h34	Câncer
22 de junho	0h47	Leão
24 de junho	8h42	Virgem
26 de junho	14h15	Libra
28 de junho	17h32	Escorpião
30 de junho	19h4	Sagitário
2 de julho	19h51	Capricórnio
4 de julho	21h26	Aquário
7 de julho	1h29	Peixes
9 de julho	9h14	Áries
11 de julho	20h30	Touro
14 de julho	9h26	Gêmeos
16 de julho	21h31	Câncer
19 de julho	7h13	Leão
21 de julho	14h24	Virgem
23 de julho	19h38	Libra
25 de julho	23h29	Escorpião
28 de julho	2h18	Sagitário
30 de julho	4h29	Capricórnio
1º de agosto	6h56	Aquário
3 de agosto	10h58	Peixes
5 de agosto	17h58	Áries
8 de agosto	4h28	Touro
10 de agosto	17h11	Gêmeos
13 de agosto	5h27	Câncer
15 de agosto	15h5	Leão
17 de agosto	21h33	Virgem
20 de agosto	1h45	Libra
22 de agosto	4h54	Escorpião
24 de agosto	7h50	Sagitário
26 de agosto	10h58	Capricórnio
28 de agosto	14h38	Aquário
30 de agosto	19h31	Peixes

2 de setembro	2h37	Áries
4 de setembro	12h41	Touro
7 de setembro	1h10	Gêmeos
9 de setembro	13h49	Câncer
12 de setembro	0h0	Leão
14 de setembro	6h30	Virgem
16 de setembro	9h55	Libra
18 de setembro	11h46	Escorpião
20 de setembro	13h34	Sagitário
22 de setembro	16h20	Capricórnio
24 de setembro	20h32	Aquário
27 de setembro	2h23	Peixes
29 de setembro	10h14	Áries
1º de outubro	20h26	Touro
4 de outubro	8h47	Gêmeos
6 de outubro	21h45	Câncer
9 de outubro	8h55	Leão
11 de outubro	16h23	Virgem
13 de outubro	20h2	Libra
16 de outubro	9h6	Escorpião
18 de outubro	9h26	Sagitário
19 de outubro	22h41	Capricórnio
22 de outubro	2h2	Aquário
24 de outubro	8h0	Peixes
26 de outubro	16h31	Áries
29 de outubro	3h15	Touro
31 de outubro	15h40	Gêmeos
3 de novembro	4h43	Câncer
5 de novembro	16h39	Leão
8 de novembro	1h35	Virgem
10 de novembro	6h35	Libra
12 de novembro	8h10	Escorpião
14 de novembro	7h52	Sagitário

16 de novembro	7h35	Capricórnio
18 de novembro	9h10	Aquário
20 de novembro	13h55	Peixes
23 de novembro	10h12	Áries
25 de novembro	9h18	Touro
27 de novembro	21h58	Gêmeos
30 de novembro	10h55	Câncer
2 de dezembro	22h57	Leão
5 de dezembro	8h51	Virgem
7 de dezembro	15h35	Libra
9 de dezembro	14h51	Escorpião
11 de dezembro	19h22	Sagitário
13 de dezembro	18h42	Capricórnio
15 de dezembro	14h53	Aquário
18 de dezembro	9h48	Peixes
20 de dezembro	4h43	Áries
22 de dezembro	15h25	Touro
25 de dezembro	4h13	Gêmeos
27 de dezembro	17h6	Câncer
30 de dezembro	4h45	Leão

Ano 2013

Data	Horário	Signo do Zodíaco
1º de janeiro	14h35	Virgem
3 de janeiro	22h11	Libra
6 de janeiro	3h9	Escorpião
8 de janeiro	5h28	Sagitário
10 de janeiro	5h54	Capricórnio
12 de janeiro	6h1	Aquário
14 de janeiro	7h49	Peixes
16 de janeiro	13h7	Áries
18 de janeiro	22h36	Touro

21 de janeiro	11h4	Gêmeos
24 de janeiro	0h0	Câncer
26 de janeiro	11h20	Leão
28 de janeiro	20h27	Virgem
31 de janeiro	3h36	Libra
2 de fevereiro	9h2	Escorpião
4 de fevereiro	12h45	Sagitário
6 de fevereiro	14h55	Capricórnio
8 de fevereiro	16h16	Aquário
10 de fevereiro	18h19	Peixes
12 de fevereiro	22h51	Áries
15 de fevereiro	7h8	Touro
17 de fevereiro	18h50	Gêmeos
20 de fevereiro	7h45	Câncer
22 de fevereiro	19h12	Leão
25 de fevereiro	3h52	Virgem
27 de fevereiro	10h2	Libra
1º de março	14h33	Escorpião
3 de março	18h11	Sagitário
5 de março	21h14	Capricórnio
8 de março	0h1	Aquário
10 de março	3h19	Peixes
12 de março	8h17	Áries
14 de março	16h8	Touro
17 de março	15h9	Gêmeos
19 de março	15h55	Câncer
22 de março	3h50	Leão
24 de março	12h49	Virgem
26 de março	14h32	Libra
29 de março	9h53	Escorpião
31 de março	0h13	Sagitário
2 de abril	2h35	Capricórnio
4 de abril	5h41	Aquário

6 de abril	10h0	Peixes
8 de abril	16h2	Áries
11 de abril	0h22	Touro
13 de abril	11h13	Gêmeos
15 de abril	23h49	Câncer
18 de abril	12h13	Leão
20 de abril	22h8	Virgem
23 de abril	4h25	Libra
25 de abril	7h25	Escorpião
27 de abril	8h32	Sagitário
29 de abril	9h21	Capricórnio
1º de maio	11h19	Aquário
3 de maio	15h25	Peixes
5 de maio	22h3	Áries
8 de maio	7h9	Touro
10 de maio	18h21	Gêmeos
13 de maio	6h57	Câncer
15 de maio	19h38	Leão
18 de maio	6h33	Virgem
20 de maio	14h7	Libra
22 de maio	17h55	Escorpião
24 de maio	18h49	Sagitário
26 de maio	18h28	Capricórnio
28 de maio	9h48	Aquário
30 de maio	21h30	Peixes
2 de junho	3h33	Áries
4 de junho	12h53	Touro
7 de junho	0h32	Gêmeos
9 de junho	13h16	Câncer
12 de junho	1h58	Leão
14 de junho	13h26	Virgem
16 de junho	22h19	Libra
19 de junho	3h38	Escorpião

21 de junho	5h31	Sagitário
23 de junho	5h8	Capricórnio
25 de junho	4h26	Aquário
27 de junho	5h32	Peixes
29 de junho	10h6	Áries
1º de julho	18h43	Touro
4 de julho	6h22	Gêmeos
6 de julho	19h14	Câncer
9 de julho	7h48	Leão
11 de julho	19h12	Virgem
14 de julho	4h41	Libra
16 de julho	11h24	Escorpião
18 de julho	14h54	Sagitário
20 de julho	15h39	Capricórnio
22 de julho	15h7	Aquário
24 de julho	15h22	Peixes
26 de julho	18h29	Áries
29 de julho	1h43	Touro
31 de julho	12h42	Gêmeos
3 de agosto	1h29	Câncer
5 de agosto	13h58	Leão
8 de agosto	0h57	Virgem
10 de agosto	10h8	Libra
12 de agosto	17h18	Escorpião
14 de agosto	22h4	Sagitário
17 de agosto	0h25	Capricórnio
19 de agosto	1h7	Aquário
21 de agosto	1h43	Peixes
23 de agosto	4h13	Áries
25 de agosto	10h13	Touro
27 de agosto	20h8	Gêmeos
30 de agosto	8h33	Câncer

1º de setembro	21h1	Leão
4 de setembro	7h43	Virgem
6 de setembro	16h12	Libra
9 de setembro	10h44	Escorpião
11 de setembro	3h36	Sagitário
13 de setembro	6h56	Capricórnio
15 de setembro	9h5	Aquário
17 de setembro	10h58	Peixes
19 de setembro	13h58	Áries
21 de setembro	19h33	Touro
24 de setembro	4h34	Gêmeos
26 de setembro	16h24	Câncer
29 de setembro	4h57	Leão
1º de outubro	15h52	Virgem
3 de outubro	23h59	Libra
6 de outubro	5h33	Escorpião
8 de outubro	9h21	Sagitário
10 de outubro	12h17	Capricórnio
12 de outubro	15h0	Aquário
14 de outubro	18h6	Peixes
16 de outubro	22h17	Áries
19 de outubro	4h27	Touro
21 de outubro	13h14	Gêmeos
24 de outubro	12h36	Câncer
26 de outubro	13h12	Leão
29 de outubro	0h45	Virgem
31 de outubro	9h22	Libra
2 de novembro	14h35	Escorpião
4 de novembro	17h14	Sagitário
6 de novembro	18h44	Capricórnio
8 de novembro	20h30	Aquário
10 de novembro	23h36	Peixes
13 de novembro	4h39	Áries

15 de novembro	11h49	Touro
18 de novembro	9h7	Gêmeos
20 de novembro	8h23	Câncer
22 de novembro	20h56	Leão
25 de novembro	9h11	Virgem
27 de novembro	19h0	Libra
30 de novembro	1h3	Escorpião
2 de dezembro	3h31	Sagitário
4 de dezembro	3h49	Capricórnio
6 de dezembro	3h53	Aquário
8 de dezembro	5h34	Peixes
10 de dezembro	10h5	Áries
12 de dezembro	17h40	Touro
15 de dezembro	3h41	Gêmeos
17 de dezembro	15h17	Câncer
20 de dezembro	3h48	Leão
22 de dezembro	16h19	Virgem
25 de dezembro	3h17	Libra
27 de dezembro	10h58	Escorpião
29 de dezembro	14h37	Sagitário
31 de dezembro	15h1	Capricórnio

Ano 2014

Data	Horário	Signo do Zodíaco
2 de janeiro	14h3	Aquário
4 de janeiro	13h58	Peixes
6 de janeiro	16h45	Áries
8 de janeiro	23h24	Touro
11 de janeiro	9h26	Gêmeos
13 de janeiro	21h25	Câncer
16 de janeiro	10h0	Leão
18 de janeiro	22h23	Virgem

21 de janeiro	9h43	Libra
23 de janeiro	14h43	Escorpião
26 de janeiro	0h13	Sagitário
28 de janeiro	2h4	Capricórnio
30 de janeiro	1h33	Aquário
1º de fevereiro	0h44	Peixes
3 de fevereiro	1h55	Áries
5 de fevereiro	6h46	Touro
7 de fevereiro	15h44	Gêmeos
10 de fevereiro	3h33	Câncer
12 de fevereiro	16h15	Leão
15 de fevereiro	4h26	Virgem
17 de fevereiro	15h22	Libra
20 de fevereiro	0h33	Escorpião
22 de fevereiro	7h12	Sagitário
24 de fevereiro	10h50	Capricórnio
26 de fevereiro	11h55	Aquário
28 de fevereiro	11h52	Peixes
2 de março	12h40	Áries
4 de março	16h12	Touro
6 de março	23h37	Gêmeos
9 de março	10h33	Câncer
11 de março	23h9	Leão
14 de março	11h17	Virgem
16 de março	21h46	Libra
19 de março	6h13	Escorpião
21 de março	12h39	Sagitário
23 de março	17h3	Capricórnio
25 de março	19h39	Aquário
28 de março	9h10	Peixes
29 de março	22h54	Áries
1º de abril	2h20	Touro
3 de abril	8h48	Gêmeos

5 de abril	18h40	Câncer
8 de abril	6h50	Leão
10 de abril	19h8	Virgem
13 de abril	5h33	Libra
15 de abril	13h20	Escorpião
17 de abril	18h44	Sagitário
19 de abril	22h28	Capricórnio
22 de abril	1h18	Aquário
24 de abril	3h55	Peixes
26 de abril	7h1	Áries
28 de abril	11h23	Touro
30 de abril	17h56	Gêmeos
3 de maio	3h13	Câncer
5 de maio	14h55	Leão
8 de maio	3h24	Virgem
10 de maio	14h19	Libra
12 de maio	22h7	Escorpião
15 de maio	2h44	Sagitário
17 de maio	5h12	Capricórnio
19 de maio	6h58	Aquário
21 de maio	9h18	Peixes
23 de maio	13h1	Áries
25 de maio	6h28	Touro
28 de maio	1h47	Gêmeos
30 de maio	11h13	Câncer
2 de junho	10h43	Leão
4 de junho	11h20	Virgem
6 de junho	23h1	Libra
9 de junho	7h38	Escorpião
11 de junho	12h23	Sagitário
13 de junho	14h4	Capricórnio
15 de junho	14h27	Aquário

17 de junho	15h26	Peixes
19 de junho	18h26	Áries
22 de junho	0h3	Touro
24 de junho	8h5	Gêmeos
26 de junho	14h5	Câncer
29 de junho	5h43	Leão
1º de julho	18h23	Virgem
4 de julho	6h43	Libra
6 de julho	16h33	Escorpião
8 de julho	22h24	Sagitário
11 de julho	0h24	Capricórnio
13 de julho	0h7	Aquário
14 de julho	23h40	Peixes
17 de julho	1h7	Áries
19 de julho	5h42	Touro
21 de julho	13h36	Gêmeos
23 de julho	23h59	Câncer
26 de julho	11h55	Leão
29 de julho	0h37	Virgem
31 de julho	13h9	Libra
2 de agosto	23h57	Escorpião
5 de agosto	7h19	Sagitário
7 de agosto	10h38	Capricórnio
9 de agosto	10h52	Aquário
11 de agosto	9h55	Peixes
13 de agosto	10h0	Áries
15 de agosto	12h58	Touro
17 de agosto	19h41	Gêmeos
20 de agosto	5h45	Câncer
22 de agosto	17h49	Leão
25 de agosto	6h33	Virgem
27 de agosto	18h54	Libra
30 de agosto	5h53	Escorpião

1º de setembro	14h17	Sagitário
3 de setembro	19h15	Capricórnio
5 de setembro	20h59	Aquário
7 de setembro	20h47	Peixes
9 de setembro	20h33	Áries
11 de setembro	22h17	Touro
14 de setembro	3h26	Gêmeos
16 de setembro	12h24	Câncer
19 de setembro	0h10	Leão
21 de setembro	12h54	Virgem
24 de setembro	0h59	Libra
26 de setembro	11h29	Escorpião
28 de setembro	19h50	Sagitário
1º de outubro	1h41	Capricórnio
3 de outubro	5h0	Aquário
5 de outubro	6h24	Peixes
7 de outubro	7h7	Áries
9 de outubro	8h44	Touro
11 de outubro	12h51	Gêmeos
13 de outubro	20h30	Câncer
16 de outubro	7h29	Leão
18 de outubro	20h8	Virgem
21 de outubro	8h12	Libra
23 de outubro	18h10	Escorpião
26 de outubro	1h40	Sagitário
28 de outubro	7h3	Capricórnio
30 de outubro	10h52	Aquário
1º de novembro	13h37	Peixes
3 de novembro	15h53	Áries
5 de novembro	18h33	Touro
7 de novembro	22h45	Gêmeos
10 de novembro	5h38	Câncer
12 de novembro	15h44	Leão

15 de novembro	4h8	Virgem
17 de novembro	16h30	Libra
20 de novembro	2h31	Escorpião
22 de novembro	9h19	Sagitário
24 de novembro	13h31	Capricórnio
26 de novembro	16h23	Aquário
28 de novembro	19h3	Peixes
30 de novembro	22h14	Áries
3 de dezembro	2h15	Touro
5 de dezembro	7h28	Gêmeos
7 de dezembro	14h34	Câncer
10 de dezembro	0h14	Leão
12 de dezembro	12h19	Virgem
15 de dezembro	1h5	Libra
17 de dezembro	11h52	Escorpião
19 de dezembro	18h55	Sagitário
21 de dezembro	22h25	Capricórnio
23 de dezembro	23h52	Aquário
26 de dezembro	1h7	Peixes
28 de dezembro	3h35	Áries
30 de dezembro	7h56	Touro

Ano 2015

Data	Horário	Signo do Zodíaco
1º de janeiro	14h9	Gêmeos
3 de janeiro	22h7	Câncer
6 de janeiro	8h3	Leão
8 de janeiro	19h58	Virgem
11 de janeiro	8h57	Libra
13 de janeiro	20h44	Escorpião
16 de janeiro	5h1	Sagitário
18 de janeiro	9h4	Capricórnio

20 de janeiro	9h59	Aquário
22 de janeiro	9h48	Peixes
24 de janeiro	10h31	Áries
26 de janeiro	13h37	Touro
28 de janeiro	19h36	Gêmeos
31 de janeiro	4h9	Câncer
2 de fevereiro	14h41	Leão
5 de fevereiro	2h46	Virgem
7 de fevereiro	15h44	Libra
10 de fevereiro	4h5	Escorpião
12 de fevereiro	13h46	Sagitário
14 de fevereiro	19h24	Capricórnio
17 de fevereiro	9h13	Aquário
18 de fevereiro	20h47	Peixes
20 de fevereiro	20h13	Áries
22 de fevereiro	21h28	Touro
25 de fevereiro	1h54	Gêmeos
27 de fevereiro	9h50	Câncer
1º de março	20h34	Leão
4 de março	8h58	Virgem
6 de março	21h52	Libra
9 de março	10h10	Escorpião
11 de março	20h30	Sagitário
14 de março	3h40	Capricórnio
16 de março	7h14	Aquário
18 de março	7h58	Peixes
20 de março	7h28	Áries
22 de março	7h40	Touro
24 de março	10h22	Gêmeos
26 de março	4h45	Câncer
29 de março	2h48	Leão
31 de março	15h12	Virgem

3 de abril	4h7	Libra
5 de abril	16h4	Escorpião
8 de abril	2h8	Sagitário
10 de abril	9h47	Capricórnio
12 de abril	14h44	Aquário
14 de abril	17h12	Peixes
16 de abril	18h0	Áries
18 de abril	18h31	Touro
20 de abril	20h28	Gêmeos
23 de abril	1h25	Câncer
25 de abril	10h13	Leão
27 de abril	22h7	Virgem
30 de abril	11h3	Libra
2 de maio	22h47	Escorpião
5 de maio	8h13	Sagitário
7 de maio	15h16	Capricórnio
9 de maio	20h22	Aquário
11 de maio	23h53	Peixes
14 de maio	2h13	Áries
15 de maio	4h2	Touro
18 de maio	6h27	Gêmeos
20 de maio	10h56	Câncer
22 de maio	18h42	Leão
25 de maio	5h52	Virgem
27 de maio	18h42	Libra
30 de maio	6h34	Escorpião
1º de junho	15h39	Sagitário
4 de junho	9h50	Capricórnio
6 de junho	2h2	Aquário
8 de junho	5h16	Peixes
10 de junho	8h14	Áries
12 de junho	11h16	Touro
14 de junho	14h51	Gêmeos

16 de junho	19h51	Câncer
19 de junho	3h22	Leão
21 de junho	13h59	Virgem
24 de junho	2h41	Libra
26 de junho	14h57	Escorpião
29 de junho	0h21	Sagitário
1º de julho	6h11	Capricórnio
3 de julho	9h21	Aquário
5 de julho	11h23	Peixes
7 de julho	13h37	Áries
9 de julho	16h49	Touro
12 de julho	9h16	Gêmeos
14 de julho	3h14	Câncer
16 de julho	11h15	Leão
19 de julho	9h47	Virgem
21 de julho	10h23	Libra
23 de julho	23h7	Escorpião
26 de julho	9h24	Sagitário
28 de julho	15h47	Capricórnio
30 de julho	18h40	Aquário
1º de agosto	19h36	Peixes
3 de agosto	20h24	Áries
6 de agosto	10h29	Touro
8 de agosto	2h40	Gêmeos
10 de agosto	9h8	Câncer
12 de agosto	17h52	Leão
15 de agosto	4h45	Virgem
17 de agosto	17h22	Libra
20 de agosto	6h24	Escorpião
22 de agosto	17h41	Sagitário
25 de agosto	1h22	Capricórnio
27 de agosto	5h3	Aquário
29 de agosto	5h51	Peixes
31 de agosto	5h33	Áries

2 de setembro	6h2	Touro
4 de setembro	8h48	Gêmeos
6 de setembro	14h40	Câncer
8 de setembro	23h36	Leão
11 de setembro	10h55	Virgem
13 de setembro	23h41	Libra
16 de setembro	12h43	Escorpião
19 de setembro	0h31	Sagitário
21 de setembro	9h33	Capricórnio
23 de setembro	14h51	Aquário
25 de setembro	16h43	Peixes
27 de setembro	16h29	Áries
29 de setembro	15h57	Touro
1º de outubro	17h3	Gêmeos
4 de outubro	9h22	Câncer
6 de outubro	5h31	Leão
8 de outubro	16h50	Virgem
11 de outubro	5h45	Libra
13 de outubro	18h38	Escorpião
16 de outubro	6h18	Sagitário
18 de outubro	15h52	Capricórnio
20 de outubro	22h38	Aquário
23 de outubro	2h18	Peixes
25 de outubro	3h22	Áries
27 de outubro	3h7	Touro
29 de outubro	3h24	Gêmeos
31 de outubro	6h9	Câncer
2 de novembro	12h48	Leão
4 de novembro	23h22	Virgem
7 de novembro	12h14	Libra
10 de novembro	1h2	Escorpião
12 de novembro	12h14	Sagitário
14 de novembro	21h21	Capricórnio

17 de novembro	4h24	Aquário
19 de novembro	9h21	Peixes
21 de novembro	12h12	Áries
23 de novembro	13h26	Touro
25 de novembro	14h15	Gêmeos
27 de novembro	16h27	Câncer
30 de novembro	9h47	Leão
2 de dezembro	7h9	Virgem
4 de dezembro	19h33	Libra
7 de dezembro	8h26	Escorpião
9 de dezembro	19h25	Sagitário
12 de dezembro	3h46	Capricórnio
14 de dezembro	9h59	Aquário
16 de dezembro	14h45	Peixes
18 de dezembro	18h26	Áries
21 de dezembro	9h13	Touro
22 de dezembro	23h31	Gêmeos
25 de dezembro	2h26	Câncer
27 de dezembro	7h31	Leão
29 de dezembro	15h58	Virgem

Ano 2016

Data	Horário	Signo do Zodíaco
1º de janeiro	3h41	Libra
3 de janeiro	16h36	Escorpião
6 de janeiro	3h56	Sagitário
8 de janeiro	12h7	Capricórnio
10 de janeiro	17h22	Aquário
12 de janeiro	20h53	Peixes
14 de janeiro	23h48	Áries
17 de janeiro	2h48	Touro
19 de janeiro	6h13	Gêmeos

21 de janeiro	10h28	Câncer
23 de janeiro	4h21	Leão
26 de janeiro	0h46	Virgem
28 de janeiro	11h59	Libra
31 de janeiro	0h50	Escorpião
2 de fevereiro	12h50	Sagitário
4 de fevereiro	21h44	Capricórnio
7 de fevereiro	2h59	Aquário
9 de fevereiro	5h31	Peixes
11 de fevereiro	6h55	Áries
13 de fevereiro	8h35	Touro
15 de fevereiro	11h34	Gêmeos
17 de fevereiro	16h24	Câncer
19 de fevereiro	23h17	Leão
22 de fevereiro	8h24	Virgem
24 de fevereiro	19h41	Libra
27 de fevereiro	8h26	Escorpião
29 de fevereiro	20h56	Sagitário
3 de março	7h1	Capricórnio
5 de março	13h22	Aquário
7 de março	16h8	Peixes
9 de março	16h40	Áries
11 de março	16h44	Touro
13 de março	18h3	Gêmeos
15 de março	21h56	Câncer
18 de março	4h54	Leão
20 de março	14h39	Virgem
23 de março	2h23	Libra
25 de março	15h9	Escorpião
28 de março	3h46	Sagitário
30 de março	14h45	Capricórnio
1º de abril	22h37	Aquário
4 de abril	2h45	Peixes

6 de abril	3h46	Áries
8 de abril	3h10	Touro
10 de abril	2h59	Gêmeos
12 de abril	5h6	Câncer
14 de abril	10h53	Leão
16 de abril	20h23	Virgem
19 de abril	8h24	Libra
21 de abril	21h17	Escorpião
24 de abril	9h46	Sagitário
26 de abril	20h54	Capricórnio
29 de abril	5h47	Aquário
1º de maio	11h33	Peixes
3 de maio	14h04	Áries
5 de maio	14h10	Touro
7 de maio	13h34	Gêmeos
9 de maio	14h24	Câncer
11 de maio	18h32	Leão
14 de maio	2h52	Virgem
16 de maio	14h33	Libra
19 de maio	3h29	Escorpião
21 de maio	15h48	Sagitário
24 de maio	2h34	Capricórnio
26 de maio	11h27	Aquário
28 de maio	18h6	Peixes
30 de maio	22h9	Áries
1º de junho	23h46	Touro
4 de junho	0h1	Gêmeos
6 de junho	0h41	Câncer
8 de junho	3h47	Leão
10 de junho	10h45	Virgem
12 de junho	21h33	Libra
15 de junho	10h18	Escorpião
17 de junho	22h34	Sagitário

20 de junho	8h55	Capricórnio
22 de junho	17h8	Aquário
24 de junho	23h30	Peixes
27 de junho	4h8	Áries
29 de junho	7h3	Touro
1º de julho	8h44	Gêmeos
3 de julho	10h20	Câncer
5 de julho	13h28	Leão
7 de julho	19h41	Virgem
10 de julho	5h32	Libra
12 de julho	17h52	Escorpião
15 de julho	6h14	Sagitário
17 de julho	16h33	Capricórnio
20 de julho	0h10	Aquário
22 de julho	5h35	Peixes
24 de julho	9h33	Áries
26 de julho	12h37	Touro
28 de julho	15h17	Gêmeos
30 de julho	18h9	Câncer
1º de agosto	22h12	Leão
4 de agosto	4h34	Virgem
6 de agosto	13h56	Libra
9 de agosto	1h51	Escorpião
11 de agosto	14h24	Sagitário
14 de agosto	1h11	Capricórnio
16 de agosto	8h52	Aquário
18 de agosto	13h34	Peixes
20 de agosto	16h18	Áries
22 de agosto	18h19	Touro
24 de agosto	20h40	Gêmeos
27 de agosto	0h6	Câncer
29 de agosto	5h11	Leão
31 de agosto	12h22	Virgem

2 de setembro	21h55	Libra
5 de setembro	20h38	Escorpião
7 de setembro	22h20	Sagitário
10 de setembro	9h55	Capricórnio
12 de setembro	18h28	Aquário
14 de setembro	23h23	Peixes
17 de setembro	1h22	Áries
19 de setembro	1h58	Touro
21 de setembro	2h53	Gêmeos
23 de setembro	5h33	Câncer
25 de setembro	10h48	Leão
27 de setembro	18h43	Virgem
30 de setembro	4h52	Libra
2 de outubro	16h43	Escorpião
5 de outubro	5h26	Sagitário
7 de outubro	17h40	Capricórnio
10 de outubro	3h33	Aquário
12 de outubro	9h43	Peixes
14 de outubro	12h8	Áries
16 de outubro	12h4	Touro
18 de outubro	11h30	Gêmeos
20 de outubro	12h28	Câncer
22 de outubro	16h34	Leão
25 de outubro	0h16	Virgem
27 de outubro	10h51	Libra
29 de outubro	23h1	Escorpião
1º de novembro	11h43	Sagitário
4 de novembro	12h5	Capricórnio
6 de novembro	10h55	Aquário
8 de novembro	18h45	Peixes
11 de novembro	10h45	Áries
12 de novembro	23h24	Touro
14 de novembro	22h23	Gêmeos

16 de novembro	21h57	Câncer
19 de novembro	0h14	Leão
21 de novembro	6h34	Virgem
23 de novembro	16h42	Libra
26 de novembro	5h1	Escorpião
28 de novembro	17h46	Sagitário
1º de dezembro	5h52	Capricórnio
3 de dezembro	16h44	Aquário
6 de dezembro	1h31	Peixes
8 de dezembro	7h15	Áries
10 de dezembro	9h41	Touro
12 de dezembro	9h41	Gêmeos
14 de dezembro	9h8	Câncer
16 de dezembro	10h15	Leão
18 de dezembro	14h52	Virgem
20 de dezembro	23h39	Libra
23 de dezembro	11h32	Escorpião
26 de dezembro	0h19	Sagitário
28 de dezembro	12h12	Capricórnio
30 de dezembro	22h29	Aquário

Ano 2017

Data	Horário	Signo do Zodíaco
2 de janeiro	6h57	Peixes
4 de janeiro	13h20	Áries
6 de janeiro	17h18	Touro
8 de janeiro	19h6	Gêmeos
10 de janeiro	19h49	Câncer
12 de janeiro	21h8	Leão
15 de janeiro	0h52	Virgem
17 de janeiro	8h16	Libra
19 de janeiro	19h9	Escorpião

22 de janeiro	7h45	Sagitário
24 de janeiro	19h43	Capricórnio
27 de janeiro	5h36	Aquário
29 de janeiro	13h10	Peixes
31 de janeiro	18h46	Áries
2 de fevereiro	22h50	Touro
5 de fevereiro	1h44	Gêmeos
7 de fevereiro	4h3	Câncer
9 de fevereiro	6h41	Leão
11 de fevereiro	10h52	Virgem
13 de fevereiro	17h43	Libra
16 de fevereiro	3h41	Escorpião
18 de fevereiro	15h52	Sagitário
21 de fevereiro	4h8	Capricórnio
23 de fevereiro	14h17	Aquário
25 de fevereiro	21h24	Peixes
28 de fevereiro	1h52	Áries
2 de março	4h42	Touro
4 de março	7h5	Gêmeos
6 de março	9h54	Câncer
8 de março	13h45	Leão
10 de março	19h7	Virgem
13 de março	2h28	Libra
15 de março	12h11	Escorpião
18 de março	0h0	Sagitário
20 de março	12h31	Capricórnio
22 de março	23h28	Aquário
25 de março	7h6	Peixes
27 de março	11h11	Áries
29 de março	12h48	Touro
31 de março	13h40	Gêmeos
2 de abril	15h27	Câncer
4 de abril	19h13	Leão

7 de abril	1h20	Virgem
9 de abril	9h34	Libra
11 de abril	19h41	Escorpião
14 de abril	7h27	Sagitário
16 de abril	20h04	Capricórnio
19 de abril	7h52	Aquário
21 de abril	16h43	Peixes
24 de abril	9h32	Áries
26 de abril	10h56	Touro
28 de abril	10h39	Gêmeos
29 de abril	22h48	Câncer
2 de maio	1h12	Leão
4 de maio	6h46	Virgem
6 de maio	15h20	Libra
9 de maio	2h0	Escorpião
11 de maio	13h59	Sagitário
14 de maio	2h37	Capricórnio
16 de maio	14h50	Aquário
19 de maio	0h52	Peixes
21 de maio	7h10	Áries
23 de maio	9h33	Touro
25 de maio	9h15	Gêmeos
27 de maio	8h24	Câncer
29 de maio	9h12	Leão
31 de maio	13h16	Virgem
2 de junho	21h4	Libra
5 de junho	7h46	Escorpião
7 de junho	19h59	Sagitário
10 de junho	8h36	Capricórnio
12 de junho	20h45	Aquário
15 de junho	7h17	Peixes
17 de junho	14h55	Áries
19 de junho	18h53	Touro

21 de junho	19h44	Gêmeos
23 de junho	19h7	Câncer
25 de junho	19h6	Leão
28 de junho	9h41	Virgem
30 de junho	4h2	Libra
2 de julho	13h59	Escorpião
5 de julho	2h8	Sagitário
7 de julho	14h44	Capricórnio
10 de julho	2h35	Aquário
12 de julho	12h51	Peixes
14 de julho	20h52	Áries
17 de julho	2h4	Touro
19 de julho	4h31	Gêmeos
21 de julho	5h9	Câncer
23 de julho	5h33	Leão
25 de julho	7h32	Virgem
27 de julho	12h37	Libra
29 de julho	21h23	Escorpião
1º de agosto	9h1	Sagitário
3 de agosto	21h36	Capricórnio
6 de agosto	9h15	Aquário
8 de agosto	18h56	Peixes
11 de agosto	2h22	Áries
13 de agosto	7h40	Touro
15 de agosto	11h6	Gêmeos
17 de agosto	13h13	Câncer
19 de agosto	14h55	Leão
21 de agosto	17h25	Virgem
23 de agosto	22h4	Libra
26 de agosto	5h53	Escorpião
28 de agosto	16h47	Sagitário
31 de agosto	5h18	Capricórnio

2 de setembro	17h6	Aquário
5 de setembro	2h28	Peixes
7 de setembro	9h1	Áries
9 de setembro	13h22	Touro
11 de setembro	16h29	Gêmeos
13 de setembro	19h12	Câncer
15 de setembro	22h9	Leão
18 de setembro	1h52	Virgem
20 de setembro	7h6	Libra
22 de setembro	14h40	Escorpião
25 de setembro	1h1	Sagitário
27 de setembro	13h24	Capricórnio
30 de setembro	1h40	Aquário
2 de outubro	11h26	Peixes
4 de outubro	17h40	Áries
6 de outubro	20h56	Touro
8 de outubro	22h44	Gêmeos
11 de outubro	0h38	Câncer
13 de outubro	3h41	Leão
15 de outubro	8h19	Virgem
17 de outubro	14h35	Libra
19 de outubro	22h41	Escorpião
22 de outubro	8h57	Sagitário
24 de outubro	21h12	Capricórnio
27 de outubro	9h59	Aquário
29 de outubro	20h46	Peixes
1º de novembro	3h43	Áries
3 de novembro	6h46	Touro
5 de novembro	7h26	Gêmeos
7 de novembro	7h44	Câncer
9 de novembro	9h29	Leão
11 de novembro	13h41	Virgem
13 de novembro	20h26	Libra

16 de novembro	5h19	Escorpião
18 de novembro	15h59	Sagitário
21 de novembro	4h14	Capricórnio
23 de novembro	17h14	Aquário
26 de novembro	5h4	Peixes
28 de novembro	13h30	Áries
30 de novembro	17h38	Touro
2 de dezembro	18h21	Gêmeos
4 de dezembro	17h37	Câncer
6 de dezembro	17h37	Leão
8 de dezembro	20h8	Virgem
11 de dezembro	2h1	Libra
13 de dezembro	10h59	Escorpião
15 de dezembro	22h7	Sagitário
18 de dezembro	10h33	Capricórnio
20 de dezembro	23h29	Aquário
23 de dezembro	11h42	Peixes
25 de dezembro	21h27	Áries
28 de dezembro	3h23	Touro
30 de dezembro	5h31	Gêmeos

Ano 2018

Data	Horário	Signo do Zodíaco
1º de janeiro	5h10	Câncer
3 de janeiro	4h22	Leão
5 de janeiro	5h12	Virgem
7 de janeiro	9h14	Libra
9 de janeiro	17h5	Escorpião
12 de janeiro	4h4	Sagitário
14 de janeiro	16h42	Capricórnio
17 de janeiro	5h32	Aquário
19 de janeiro	17h26	Peixes

22 de janeiro	3h27	Áries
24 de janeiro	10h39	Touro
26 de janeiro	14h39	Gêmeos
28 de janeiro	15h57	Câncer
30 de janeiro	15h53	Leão
1º de fevereiro	16h13	Virgem
3 de fevereiro	18h47	Libra
6 de fevereiro	0h56	Escorpião
8 de fevereiro	10h53	Sagitário
10 de fevereiro	23h21	Capricórnio
13 de fevereiro	12h11	Aquário
15 de fevereiro	23h41	Peixes
18 de fevereiro	9h4	Áries
20 de fevereiro	16h12	Touro
22 de fevereiro	21h7	Gêmeos
25 de fevereiro	0h6	Câncer
27 de fevereiro	1h42	Leão
1º de março	2h57	Virgem
3 de março	5h20	Libra
5 de março	10h23	Escorpião
7 de março	19h3	Sagitário
10 de março	6h52	Capricórnio
12 de março	19h44	Aquário
15 de março	7h12	Peixes
17 de março	15h57	Áries
19 de março	22h7	Touro
22 de março	2h30	Gêmeos
24 de março	5h53	Câncer
26 de março	8h45	Leão
28 de março	11h30	Virgem
30 de março	14h52	Libra
1º de abril	19h57	Escorpião
4 de abril	3h55	Sagitário

6 de abril	15h1	Capricórnio
9 de abril	3h50	Aquário
11 de abril	15h40	Peixes
14 de abril	0h25	Áries
16 de abril	5h51	Touro
18 de abril	9h2	Gêmeos
20 de abril	11h26	Câncer
22 de abril	14h9	Leão
24 de abril	17h40	Virgem
27 de abril	10h13	Libra
29 de abril	4h11	Escorpião
1º de maio	12h19	Sagitário
3 de maio	23h6	Capricórnio
6 de maio	11h48	Aquário
9 de maio	0h11	Peixes
11 de maio	9h40	Áries
13 de maio	15h15	Touro
15 de maio	17h43	Gêmeos
17 de maio	18h47	Câncer
19 de maio	19h10	Leão
21 de maio	23h3	Virgem
24 de maio	3h52	Libra
26 de maio	10h39	Escorpião
28 de maio	19h29	Sagitário
31 de maio	6h26	Capricórnio
2 de junho	19h6	Aquário
5 de junho	7h53	Peixes
7 de junho	18h26	Áries
10 de junho	1h4	Touro
12 de junho	3h53	Gêmeos
14 de junho	4h20	Câncer
16 de junho	4h20	Leão
18 de junho	5h40	Virgem

20 de junho	9h29	Libra
22 de junho	16h10	Escorpião
25 de junho	1h29	Sagitário
27 de junho	12h52	Capricórnio
30 de junho	1h37	Aquário
2 de julho	14h31	Peixes
5 de julho	1h49	Áries
7 de julho	9h51	Touro
9 de julho	13h58	Gêmeos
11 de julho	14h58	Câncer
13 de julho	14h31	Leão
15 de julho	14h31	Virgem
17 de julho	16h42	Libra
19 de julho	22h13	Escorpião
22 de julho	7h12	Sagitário
24 de julho	18h48	Capricórnio
27 de julho	7h41	Aquário
29 de julho	20h28	Peixes
1º de agosto	7h54	Áries
3 de agosto	16h51	Touro
5 de agosto	22h32	Gêmeos
8 de agosto	1h1	Câncer
10 de agosto	1h17	Leão
12 de agosto	0h59	Virgem
14 de agosto	1h57	Libra
16 de agosto	5h54	Escorpião
18 de agosto	13h45	Sagitário
21 de agosto	1h0	Capricórnio
23 de agosto	13h55	Aquário
26 de agosto	2h32	Peixes
28 de agosto	13h35	Áries
30 de agosto	22h30	Touro

2 de setembro	5h1	Gêmeos
4 de setembro	9h3	Câncer
6 de setembro	10h54	Leão
8 de setembro	11h29	Virgem
10 de setembro	12h20	Libra
12 de setembro	15h15	Escorpião
14 de setembro	21h45	Sagitário
17 de setembro	8h7	Capricórnio
19 de setembro	20h51	Aquário
22 de setembro	9h27	Peixes
24 de setembro	20h3	Áries
27 de setembro	4h15	Touro
29 de setembro	10h26	Gêmeos
1º de outubro	15h0	Câncer
3 de outubro	18h12	Leão
5 de outubro	20h19	Virgem
7 de outubro	22h10	Libra
10 de outubro	1h9	Escorpião
12 de outubro	6h53	Sagitário
14 de outubro	16h17	Capricórnio
17 de outubro	4h36	Aquário
19 de outubro	17h20	Peixes
22 de outubro	3h58	Áries
24 de outubro	11h33	Touro
26 de outubro	16h41	Gêmeos
28 de outubro	20h27	Câncer
30 de outubro	23h42	Leão
2 de novembro	2h47	Virgem
4 de novembro	6h1	Libra
6 de novembro	10h2	Escorpião
8 de novembro	15h59	Sagitário
11 de novembro	0h54	Capricórnio
13 de novembro	12h45	Aquário

16 de novembro	1h41	Peixes
18 de novembro	12h56	Áries
20 de novembro	20h43	Touro
23 de novembro	1h10	Gêmeos
25 de novembro	3h38	Câncer
27 de novembro	5h35	Leão
29 de novembro	8h8	Virgem
1º de dezembro	11h49	Libra
3 de dezembro	16h55	Escorpião
5 de dezembro	23h49	Sagitário
8 de dezembro	9h1	Capricórnio
10 de dezembro	20h39	Aquário
13 de dezembro	9h40	Peixes
15 de dezembro	21h44	Áries
18 de dezembro	6h37	Touro
20 de dezembro	11h34	Gêmeos
22 de dezembro	13h28	Câncer
24 de dezembro	13h58	Leão
26 de dezembro	14h50	Virgem
28 de dezembro	17h23	Libra
30 de dezembro	22h23	Escorpião

Ano 2019

Data	Horário	Signo do Zodíaco
2 de janeiro	5h58	Sagitário
4 de janeiro	15h55	Capricórnio
7 de janeiro	3h46	Aquário
9 de janeiro	16h44	Peixes
12 de janeiro	5h18	Áries
14 de janeiro	15h31	Touro
16 de janeiro	22h0	Gêmeos
19 de janeiro	0h44	Câncer

21 de janeiro	0h54	Leão
23 de janeiro	0h22	Virgem
25 de janeiro	1h2	Libra
27 de janeiro	4h31	Escorpião
29 de janeiro	11h33	Sagitário
1º de fevereiro	9h47	Capricórnio
3 de fevereiro	10h3	Aquário
5 de fevereiro	23h2	Peixes
8 de fevereiro	11h34	Áries
10 de fevereiro	22h28	Touro
13 de fevereiro	6h32	Gêmeos
15 de fevereiro	11h3	Câncer
17 de fevereiro	12h21	Leão
19 de fevereiro	11h47	Virgem
21 de fevereiro	11h17	Libra
23 de fevereiro	12h56	Escorpião
25 de fevereiro	18h19	Sagitário
28 de fevereiro	3h48	Capricórnio
2 de março	16h6	Aquário
5 de março	5h11	Peixes
7 de março	17h27	Áries
10 de março	4h10	Touro
12 de março	12h48	Gêmeos
14 de março	18h49	Câncer
16 de março	21h57	Leão
18 de março	22h41	Virgem
20 de março	22h28	Libra
22 de março	23h16	Escorpião
25 de março	3h6	Sagitário
27 de março	11h7	Capricórnio
29 de março	22h46	Aquário
1º de abril	11h48	Peixes
3 de abril	23h56	Áries

6 de abril	10h6	Touro
8 de abril	18h15	Gêmeos
11 de abril	0h31	Câncer
13 de abril	4h50	Leão
15 de abril	7h14	Virgem
17 de abril	8h22	Libra
19 de abril	9h40	Escorpião
21 de abril	12h59	Sagitário
23 de abril	19h50	Capricórnio
26 de abril	6h27	Aquário
28 de abril	19h11	Peixes
1º de maio	7h24	Áries
3 de maio	17h18	Touro
6 de maio	0h40	Gêmeos
8 de maio	6h6	Câncer
10 de maio	10h14	Leão
12 de maio	13h22	Virgem
14 de maio	15h51	Libra
16 de maio	18h26	Escorpião
18 de maio	22h21	Sagitário
21 de maio	4h56	Capricórnio
23 de maio	14h49	Aquário
26 de maio	3h7	Peixes
28 de maio	15h32	Áries
31 de maio	1h43	Touro
2 de junho	8h48	Gêmeos
4 de junho	13h17	Câncer
6 de junho	16h16	Leão
8 de junho	18h45	Virgem
10 de junho	21h29	Libra
13 de junho	1h2	Escorpião
15 de junho	6h3	Sagitário
17 de junho	13h13	Capricórnio

19 de junho	23h0	Aquário
22 de junho	11h1	Peixes
24 de junho	23h38	Áries
27 de junho	10h32	Touro
29 de junho	18h9	Gêmeos
1º de julho	22h24	Câncer
4 de julho	0h19	Leão
6 de julho	1h25	Virgem
8 de julho	3h7	Libra
10 de julho	6h28	Escorpião
12 de julho	12h5	Sagitário
14 de julho	20h5	Capricórnio
17 de julho	6h19	Aquário
19 de julho	18h19	Peixes
22 de julho	7h2	Áries
24 de julho	18h42	Touro
27 de julho	15h29	Gêmeos
29 de julho	8h31	Câncer
31 de julho	10h18	Leão
2 de agosto	10h20	Virgem
4 de agosto	10h30	Libra
6 de agosto	12h31	Escorpião
8 de agosto	17h35	Sagitário
11 de agosto	1h50	Capricórnio
13 de agosto	12h35	Aquário
16 de agosto	0h49	Peixes
18 de agosto	13h33	Áries
21 de agosto	1h37	Touro
23 de agosto	11h34	Gêmeos
25 de agosto	18h5	Câncer
27 de agosto	20h53	Leão
29 de agosto	20h57	Virgem
31 de agosto	20h8	Libra

2 de setembro	20h35	Escorpião
5 de setembro	0h8	Sagitário
7 de setembro	7h37	Capricórnio
9 de setembro	18h24	Aquário
12 de setembro	6h51	Peixes
14 de setembro	19h32	Áries
17 de setembro	7h31	Touro
19 de setembro	17h58	Gêmeos
22 de setembro	1h50	Câncer
24 de setembro	6h19	Leão
26 de setembro	7h37	Virgem
28 de setembro	7h3	Libra
30 de setembro	6h42	Escorpião
2 de outubro	8h44	Sagitário
4 de outubro	14h43	Capricórnio
7 de outubro	0h42	Aquário
9 de outubro	13h5	Peixes
12 de outubro	1h46	Áries
14 de outubro	13h24	Touro
16 de outubro	23h30	Gêmeos
19 de outubro	7h43	Câncer
21 de outubro	13h28	Leão
23 de outubro	16h29	Virgem
25 de outubro	17h20	Libra
27 de outubro	17h29	Escorpião
29 de outubro	18h58	Sagitário
31 de outubro	23h38	Capricórnio
3 de novembro	8h19	Aquário
5 de novembro	20h8	Peixes
8 de novembro	8h49	Áries
10 de novembro	20h18	Touro
13 de novembro	5h46	Gêmeos
15 de novembro	13h15	Câncer

17 de novembro	18h57	Leão
19 de novembro	22h54	Virgem
22 de novembro	1h19	Libra
24 de novembro	2h58	Escorpião
26 de novembro	5h11	Sagitário
28 de novembro	9h32	Capricórnio
30 de novembro	17h13	Aquário
3 de dezembro	4h10	Peixes
5 de dezembro	16h44	Áries
8 de dezembro	4h29	Touro
10 de dezembro	13h47	Gêmeos
12 de dezembro	20h23	Câncer
15 de dezembro	0h56	Leão
17 de dezembro	4h16	Virgem
19 de dezembro	7h4	Libra
21 de dezembro	9h57	Escorpião
23 de dezembro	13h34	Sagitário
25 de dezembro	18h45	Capricórnio
28 de dezembro	2h20	Aquário
30 de dezembro	12h41	Peixes

Ano 2020

Data	Horário	Signo do Zodíaco
2 de janeiro	1h0	Áries
4 de janeiro	13h15	Touro
6 de janeiro	23h11	Gêmeos
9 de janeiro	5h43	Câncer
11 de janeiro	9h16	Leão
13 de janeiro	11h6	Virgem
15 de janeiro	12h43	Libra
17 de janeiro	15h20	Escorpião
19 de janeiro	19h41	Sagitário

22 de janeiro	2h0	Capricórnio
24 de janeiro	10h20	Aquário
26 de janeiro	20h44	Peixes
29 de janeiro	8h50	Áries
31 de janeiro	21h28	Touro
3 de fevereiro	8h29	Gêmeos
5 de fevereiro	16h3	Câncer
7 de fevereiro	19h45	Leão
9 de fevereiro	20h39	Virgem
11 de fevereiro	20h37	Libra
13 de fevereiro	21h37	Escorpião
16 de fevereiro	1h7	Sagitário
18 de fevereiro	7h37	Capricórnio
20 de fevereiro	16h42	Aquário
23 de fevereiro	3h37	Peixes
25 de fevereiro	15h47	Áries
28 de fevereiro	4h30	Touro
1º de março	16h21	Gêmeos
4 de março	1h25	Câncer
6 de março	6h27	Leão
7 de março	21h47	Virgem
10 de março	7h3	Libra
12 de março	6h28	Escorpião
14 de março	8h9	Sagitário
16 de março	13h25	Capricórnio
18 de março	22h16	Aquário
21 de março	9h33	Peixes
23 de março	21h58	Áries
26 de março	10h37	Touro
28 de março	22h38	Gêmeos
31 de março	8h43	Câncer
2 de abril	15h26	Leão
4 de abril	18h18	Virgem

6 de abril	18h16	Libra
8 de abril	17h17	Escorpião
10 de abril	17h35	Sagitário
12 de abril	21h5	Capricórnio
15 de abril	4h37	Aquário
17 de abril	15h29	Peixes
20 de abril	4h0	Áries
22 de abril	16h36	Touro
25 de abril	4h20	Gêmeos
27 de abril	14h28	Câncer
29 de abril	22h6	Leão
2 de maio	2h35	Virgem
4 de maio	4h9	Libra
6 de maio	4h5	Escorpião
8 de maio	4h15	Sagitário
10 de maio	6h38	Capricórnio
12 de maio	12h38	Aquário
14 de maio	22h24	Peixes
17 de maio	10h36	Áries
19 de maio	23h10	Touro
22 de maio	10h36	Gêmeos
24 de maio	20h9	Câncer
27 de maio	3h33	Leão
29 de maio	8h40	Virgem
31 de maio	11h38	Libra
2 de junho	13h5	Escorpião
4 de junho	14h17	Sagitário
6 de junho	16h44	Capricórnio
8 de junho	21h54	Aquário
11 de junho	6h31	Peixes
13 de junho	18h3	Áries
16 de junho	6h35	Touro
18 de junho	18h0	Gêmeos

21 de junho	3h2	Câncer
23 de junho	9h33	Leão
25 de junho	14h5	Virgem
27 de junho	17h16	Libra
29 de junho	19h47	Escorpião
1º de julho	22h21	Sagitário
4 de julho	1h48	Capricórnio
6 de julho	7h8	Aquário
8 de julho	15h12	Peixes
11 de julho	2h6	Áries
13 de julho	14h34	Touro
16 de julho	2h19	Gêmeos
18 de julho	11h24	Câncer
20 de julho	17h16	Leão
22 de julho	20h40	Virgem
24 de julho	22h53	Libra
27 de julho	1h12	Escorpião
28 de julho	4h25	Sagitário
31 de julho	8h58	Capricórnio
2 de agosto	15h11	Aquário
4 de agosto	23h27	Peixes
7 de agosto	10h4	Áries
9 de agosto	22h28	Touro
12 de agosto	10h46	Gêmeos
14 de agosto	20h35	Câncer
17 de agosto	2h38	Leão
19 de agosto	5h20	Virgem
21 de agosto	6h16	Libra
23 de agosto	5h16	Escorpião
25 de agosto	9h49	Sagitário
27 de agosto	14h37	Capricórnio
29 de agosto	21h37	Aquário

1º de setembro	6h34	Peixes
3 de setembro	17h22	Áries
6 de setembro	5h43	Touro
8 de setembro	18h27	Gêmeos
11 de setembro	5h23	Câncer
13 de setembro	12h32	Leão
15 de setembro	15h37	Virgem
17 de setembro	15h56	Libra
19 de setembro	15h33	Escorpião
21 de setembro	16h31	Sagitário
23 de setembro	20h16	Capricórnio
26 de setembro	3h08	Aquário
28 de setembro	12h34	Peixes
30 de setembro	23h47	Áries
3 de outubro	12h12	Touro
6 de outubro	1h2	Gêmeos
8 de outubro	12h45	Câncer
11 de outubro	9h24	Leão
13 de outubro	1h56	Virgem
15 de outubro	2h54	Libra
17 de outubro	2h5	Escorpião
19 de outubro	1h43	Sagitário
21 de outubro	3h43	Capricórnio
23 de outubro	9h17	Aquário
25 de outubro	18h18	Peixes
28 de outubro	5h44	Áries
30 de outubro	18h19	Touro
2 de novembro	6h59	Gêmeos
4 de novembro	18h45	Câncer
7 de novembro	4h18	Leão
9 de novembro	10h30	Virgem
11 de novembro	13h9	Libra
13 de novembro	13h19	Escorpião

15 de novembro	12h47	Sagitário
17 de novembro	13h34	Capricórnio
19 de novembro	17h25	Aquário
22 de novembro	1h06	Peixes
24 de novembro	12h5	Áries
27 de novembro	0h43	Touro
29 de novembro	13h16	Gêmeos
2 de dezembro	0h33	Câncer
4 de dezembro	9h53	Leão
6 de dezembro	16h46	Virgem
8 de dezembro	21h1	Libra
10 de dezembro	22h58	Escorpião
12 de dezembro	23h39	Sagitário
15 de dezembro	0h35	Capricórnio
17 de dezembro	3h27	Aquário
19 de dezembro	9h39	Peixes
21 de dezembro	19h32	Áries
24 de dezembro	7h55	Touro
26 de dezembro	20h32	Gêmeos
29 de dezembro	7h28	Câncer
31 de dezembro	15h58	Leão

APÊNDICE II

O Signo Ascendente do seu Bebê

A tabela a seguir dá uma ideia aproximada do Ascendente do seu bebê. Normalmente, é um cálculo bem complexo. Procure o mês em que ele nasceu, depois o horário, e verá o signo Ascendente. Perceba que se ele nasceu perto do final do mês, o Ascendente pode ter passado para o signo seguinte. Devo enfatizar que este é um guia aproximado. Por isso, você deve conferir os signos Ascendentes de cada lado e ver qual parece se ajustar melhor ao seu filho. Melhor ainda, você pode obter um horóscopo (em inglês) gratuito para seu bebê em meu website www.chrissieblaze.com, na seção Reports (relatórios), para saber o Ascendente correto. Alternativamente, para um mapa astral preciso, entre em contato comigo ou com outro astrólogo profissional.*

---

* Esta tabela deve ser utilizada apenas como exemplo. O leitor brasileiro deve saber que os signos Ascendentes indicados nesta tabela foram calculados para uma latitude bem diferente da faixa de latitudes do Brasil. De preferência, deve procurar calcular o Ascendente num website como o da autora ou no www.astro.com; nestas duas hipóteses, os Nodos Lunares, a Lua e o Ascendente também aparecerão com precisão (N.T.).

Janeiro

0h25	Libra
3h0	Escorpião
5h30	Sagitário
7h40	Capricórnio
9h20	Aquário
10h40	Peixes
11h50	Áries
13h5	Touro
14h40	Gêmeos
17h0	Câncer
19h25	Leão
22h0	Virgem

Fevereiro

1h0	Escorpião
3h30	Sagitário
5h45	Capricórnio
7h15	Aquário
8h40	Peixes
9h50	Áries
11h5	Touro
12h45	Gêmeos
15h0	Câncer
17h20	Leão
20h0	Virgem
22h25	Libra

Março

6h40	Peixes
7h50	Áries
9h25	Touro
10h45	Gêmeos
12h55	Câncer
15h25	Leão
18h0	Virgem
20h25	Libra
22h55	Escorpião
1h25	Sagitário
3h45	Capricórnio
5h20	Aquário

Abril

1h45	Capricórnio
3h20	Aquário
4h40	Peixes
5h55	Áries
7h10	Touro
8h50	Gêmeos
10h55	Câncer
13h20	Leão
16h5	Virgem
18h20	Libra
21h5	Escorpião
23h30	Sagitário

Maio

1h20	Aquário
2h40	Peixes
3h55	Áries
5h5	Touro
6h45	Gêmeos
9h0	Câncer

11h25 Leão
14h0 Virgem
16h25 Libra
19h5 Escorpião
21h30 Sagitário
23h45 Capricórnio

Junho

0h40 Peixes
1h50 Áries
3h5 Touro
4h50 Gêmeos
7h0 Câncer
9h25 Leão
11h55 Virgem
14h25 Libra
16h55 Escorpião
19h25 Sagitário
21h45 Capricórnio
23h20 Aquário

Julho

1h5 Touro
2h45 Gêmeos
5h10 Câncer
7h25 Leão
10h0 Virgem
12h25 Libra
15h5 Escorpião
17h30 Sagitário
19h45 Capricórnio
21h20 Aquário
22h40 Peixes
23h50 Áries

Agosto

0h45 Gêmeos
3h0 Câncer
5h25 Leão
8h0 Virgem
10h25 Libra
12h55 Escorpião
15h40 Sagitário
17h45 Capricórnio
19h20 Aquário
20h40 Peixes
21h55 Áries
23h5 Touro

Setembro

1h10 Câncer
3h25 Leão
5h55 Virgem
8h25 Libra
11h5 Escorpião
13h30 Sagitário
15h45 Capricórnio
17h15 Aquário
18h40 Peixes
19h50 Áries
21h0 Touro
22h55 Gêmeos

Outubro

1h20 Leão
4h10 Virgem
6h25 Libra
8h55 Escorpião
11h30 Sagitário
13h45 Capricórnio
15h20 Aquário
16h40 Peixes
17h50 Áries
19h5 Touro
20h55 Gêmeos
22h55 Câncer

Novembro

1h55 Virgem
4h20 Libra
6h55 Escorpião
9h35 Sagitário
11h40 Capricórnio
13h20 Aquário
14h35 Peixes
15h40 Áries
17h15 Touro
18h45 Gêmeos
21h10 Câncer
23h25 Leão

Dezembro

0h0 Virgem
2h25 Libra
4h55 Escorpião
7h30 Sagitário
9h45 Capricórnio
11h20 Aquário
12h35 Peixes
13h45 Áries
15h0 Touro
16h40 Gêmeos
18h55 Câncer
21h35 Leão

APÊNDICE III

Os Nodos Lunares do seu Bebê

2000 – 2020

Data	Nodo Norte	Nodo Sul
1º de janeiro de 2000 — 5 de abril de 2000	Leão	Aquário
6 de abril de 2000 — 24 de outubro de 2001	Câncer	Capricórnio
25 de outubro de 2001 — 13 de maio de 2003	Gêmeos	Sagitário
14 de maio de 2003 — 26 de dezembro de 2004	Touro	Escorpião
27 de dezembro de 2004 — 22 de junho de 2006	Áries	Libra
23 de junho de 2006 — 7 de janeiro de 2008	Peixes	Virgem
8 de janeiro de 2008 — 27 de julho de 2009	Aquário	Leão
28 de julho de 2009 — 13 de fevereiro de 2011	Capricórnio	Câncer
14 de fevereiro de 2011 — 2 de setembro de 2012	Sagitário	Gêmeos
3 de setembro de 2012 — 22 de março de 2014	Escorpião	Touro
23 de março de 2014 — 10 de outubro de 2015	Libra	Áries
11 de outubro de 2015 — 28 de abril de 2017	Virgem	Peixes
29 de abril de 2017 — 16 de novembro de 2018	Leão	Aquário
17 de novembro de 2018 — 4 de junho de 2020	Câncer	Capricórnio
5 de junho de 2020 — 31 de dezembro de 2020	Gêmeos	Sagitário

BIBLIOGRAFIA

Abadie, M.J. *Child Astrology: A Guide for Nurturing Your Child's Natural Abilities*. Destiny Books, Vermont, 1999.

Blaze, Chrissie. *Workout for the Soul: 8 Steps to Inner Fitness*. Aslan Publishing, CT, 2001.

Carroll, Lee e Jan Tober. *The Indigo Children*. Hay House, Carlsbad, Califórnia, 1999.

Choquette, Sonia, Ph.D. *The Wise Child*. Three Rivers Press, Nova York, 1999.

King, George e Richard Lawrence. *Realize Your Inner Potential*. The Aetherius Press, Los Angeles, 1996.

King, George. *Karma and Reincarnation*. The Aetherius Press, Los Angeles, 1985.

Lawrence, Richard. *The Little Book of Karma*. Thorsons Press, Londres, GB, 2001.

Lawrence, Richard. *The Magic of Healing. How to Heal by Combining Yoga Practices with the Latest Spiritual Techniques*. Thorsons Press, Londres, GB, 2002.

Lawrence, Richard. *Unlock Your Psychic Powers*. O Books.

Levine, Barbara Hoberman. *Your Body Believes Every Word You Say*. WordsWork Press, Fairfield, CT, 2000.

Salter, Joan. *The Incarnating Child*. Hawthorn Press, 1990.

Shroder, Tom. *Old Souls*. A Fireside Book, Simon & Schuster, Inc., Nova York, 1999.

Star, Gloria. *Optimum Child*. Llewellyn Publications, St. David's, MN, 1988.

Stern, Daniel N., M.D. *Diary of a Baby*. Basic Books, Nova York, 1990.

Weiss, Brian L., M.D. *Many Lives, Many Masters*. A Fireside Book, Simon & Schuster, Inc., Nova York, 1988.

RECURSOS

Visite www.chrissieblaze.com para obter horóscopos mensais (em inglês) detalhados e gratuitos, informações sobre consultas com a autora relativas a horóscopos de bebês e mais.

NOTAS

1. Para obter um mapa astral detalhado é preciso saber a hora exata, a data e o local de nascimento.
2. *Embryology and World Evolution* [Embriologia e Evolução Mundial], uma série de palestras dadas pelo doutor Karl Konig entre 15 de outubro de 1965 e 13 de março de 1966.
3. *Our Babies Ourselves: How Biology & Culture Shape the Way We Parent*, Meredith Small, Dell Publishing Company, 1999.
4. Para obter um horóscopo astrológico (em inglês) gratuito, contendo as posições de todos os planetas, veja o Guia de Recursos supra ou visite www.chrissieblaze.com.
5. Apesar de haver semelhanças no temperamento de duas pessoas nascidas no mesmo dia, o Ascendente é aquilo que mostramos ao mundo. Como o signo ascendente muda mais ou menos a cada duas horas, até uma diferença de poucas horas pode fazer uma pessoa parecer bem diferente da outra.
6. O signo solar do seu filho é muito mais do que isso, embora descreva a maneira como ela expressa seu eu interior, a maneira fundamental como ela se posiciona diante da vida.

7. Sessenta a setenta por cento do peso corporal de um adulto é formado por água.
8. Leve em conta que este livro só pode proporcionar uma orientação geral sobre os talentos e potenciais do seu bebê. Seu filho é bem mais complexo do que qualquer livro pode sugerir. Recomendo muito que você encomende um mapa natal completo, e sua interpretação, a um astrólogo profissional.
9. Meus estudos ao longo de oito anos na biblioteca teológica do King's College, em Londres, levaram-me a perceber que originalmente a reencarnação fazia parte dos ensinamentos dos fundadores do cristianismo. No século VI d.C., a maior parte da liberdade da Igreja foi suprimida, bem como esta importante doutrina, pelo imperador Justiniano — ansioso pelo poder — e por sua esposa Teodósia.
10. O doutor Stevenson é médico e produziu muitos trabalhos acadêmicos antes de começar a fazer pesquisas sobre a paranormalidade. Foi chefe do Departamento de Psiquiatria da Universidade da Virgínia e é diretor da Divisão de Estudos da Personalidade nessa universidade.
11. O doutor Brian L. Weiss, M.D., formou-se na Universidade de Colúmbia e na Faculdade de Medicina de Yale. Atualmente, é o diretor-geral de Psiquiatria no Mount Sinai Medical Center em Miami.
12. *Many Lives, Many Masters*. Weiss, Brian L. A Fireside Book, Simon & Schuster, Nova York, 1988.
13. Antigo estudo da influência dos números sobre o comportamento humano.
14. Os Nodos Lunares não são planetas nem corpos físicos, mas pontos matemáticos. Eles representam os pontos nos quais a órbita da Lua em torno da Terra cruza a Eclíptica (o caminho aparente do Sol ao redor da Terra). O Nodo Norte é o ponto onde a órbita da Lua se ergue sobre a Eclíptica, e o Nodo Sul é o ponto onde a órbita da Lua desce sobre a Eclíptica. O Nodo Norte e o Nodo Sul estão sempre em oposição um ao outro no mapa.

15. Nosso padrão kármico é a soma total dos nossos pensamentos e nossas ações, e o estado do nosso padrão kármico determina nossas experiências futuras. No entanto nosso *karma* não é inevitável; usando a percepção, a inteligência e o conhecimento espiritual, ele pode ser alterado ou manipulado para melhor. Leia *Karma and Reincarnation* do doutor George King, The Aetherius Society Press, Los Angeles.
16. Joan Salter, *The Incarnating Child*, Hawthorn Press, 1990.
17. Cleve Backster foi introdutor do polígrafo na CIA, ajudando a desenvolver técnicas de interrogatório para a agência.
18. Os metafísicos acreditam que tudo que existe, desde uma pedra até uma estrela, tem vida.
19. IHM General Research Institute.
20. A maioria das pessoas não usa estas três partes quando respira; as pessoas costumam usar apenas a parte superior dos pulmões.
21. Doutor George King, fundador/presidente da The Aetherius Society. Para mais informações visite www.chrissieblaze.com ou www.aetherius.org. Direitos reservados. Nenhuma reprodução, no todo ou em parte, pode ser feita sem a permissão por escrito de The Aetherius Society, 6202 Afton Place, Hollywood, CA 90028.
22. Consulte *Workout for the Soul: 8 Steps to Inner Fitness*, de Chrissie Blaze. Aslan Publishing, 2001.
23. *The Magic of Healing*, de Richard Lawrence, Thorsons, março de 2002.
24. Prana, chi ou força viva universal irradia-se constantemente do Sol, e o prana é a parte mais importante do ar que respiramos. Os místicos dizem que prana é vida.
25. Lee Carroll e Jan Tober, *The Indigo Children: The New Kids Have Arrived*, Carlsbad, CA: Hay House, 1999.
26. Uma organização não sectária e sem fins lucrativos cujo principal objetivo é ajudar essas crianças. www.nfgcc.com.
27. *The Indigo Children*, de Lee Carroll e Jan Tober, Hay House, 2000.
28. Ver www.indigodeath.com.
29. *Workout for the Soul: 8 Steps to Inner Fitness*, de Chrissie Blaze. Aslan Publishing, Inc., 2001.

Impresso por :

Graphium
gráfica e editora

Tel.:11 2769-9056